Dichter über ihre Dichtungen

Verantwortliche Herausgeber
Rudolf Hirsch
und Werner Vordtriede

Heimeran

Franz Grillparzer

Herausgegeben
von
Karl Pörnbacher

Heimeran

Verehrte gnädige Frau!

Hierbei folgen die Verse, die man von mir verlangt. Für Schulen sind sie wohl als zu lang. Nebstdem daß solche Aufgaben nicht in meinem Talente liegen, hält es auch schwer, alles was bei einer solchen Gelegenheit zu sagen ist, in wenige Zeilen zusammen zu drängen, daher sieht es mit dem Metrum etwas schlottrig aus. Wenn man davon Gebrauch machen will, was ich ganz in das Belieben stelle, bitte ich beim Abschreiben meine Orthographie beizubehalten. Die großen Anfangsbuchstaben der persönlichen Fürwörter als Er, Du, Ihr, wie sie bei hohen Personen gebräuchlich sind, heben allen Nachdruck auf, da man sie unwillkürlich betont, dagegen schreibe ich: aus Einem Munde, um es von einem Munde tout court zu unterscheiden, und habe einmal Er mit großem E geschrieben, weil der Ton darauf fallen soll.

Im übrigen verzeihen Sie mich gütlichst. Ich wollte nur meine Bereitwilligkeit zeigen und bedaure wenn meine widergünstige Natur nicht Besseres zu Stande gebracht hat.

Mit vollkommener Hochachtung

ergebenst
Grillparzer

3 März 853

Grillparzer an Gräfin Ernestine Schönborn
am 3. März 1853
Mit freundlicher Genehmigung der
Wiener Stadtbibliothek, Wien

Gedichte

An den Mond
Entstanden 1804
Erstdruck in HKA II, 5, Wien 1917

Tagebuch 1827

Bis in sein 14tes Jahr war es ihm nicht eingefallen einen Vers zu bilden. Erst eine Aufgabe seines Lehrers mußte den Gedanken in ihm erregen, etwas der Art zu versuchen, und in der Abenddämmerung, bei Mondschein traurig überlegend, auf welche Art jene Aufgabe wohl zu lösen sein möchte (die Aufgabe war: ein deutsches Gedicht über was immer für einen Gegenstand) fing er an die ersten Strophen eines Gedichtes auf den Mond zu machen, die wirklich gut waren. (Tgb 1653. W III, 204)

Aus »Anfang einer Selbstbiographie« 1834/1835

Die ersten Aufsätze die er schrieb waren in poetischer Prosa; ja seine Lehrer hatten ihm schon alles Ohr für die Metrik abgesprochen, als ihn eine helle Mondnacht zu einem Gedichte auf den Mond begeisterte, das so sehr seine Fähigkeiten zu übersteigen schien, daß es den Zorn des Lehrers erweckte, der durchaus ein Geständnis erpressen wollte, wer der eigentliche Verfasser der gelungenen Verse sei. (W IV, 17)

»An den Mond« 1834/1835

Es war dieses das erste metrische, oder doch wenigstens das erste gereimte Gedicht, das ich schrieb. Es fällt in das Jahr 1804. Ich hatte bis dahin wenig Sinn für das Versmaß gezeigt. Die Veranlassung war eine Schulaufgabe. Es galt ein deutsches Gedicht über einen beliebigen Gegenstand zu machen. Ich war in Verzweiflung. Der für die Ausarbeitung bestimmte Schulfeiertag hatte schon sein Ende erreicht, es war Abend, und noch stand nichts auf dem bereitgelegten Papiere. Ich saß, den Kopf in die Hand gestützt, allein in der Kanzlei meines Vaters und starrte – in den Vollmond. Da kams über mich und die zwei ersten Strophen eines Gedichtes an den Mond wurden im Halbdunkel hingeschrieben, die übrigen sind Ausfüllung, hinzu gefügt, nachdem die Stimmung schon vorüber war; ich setze das Ganze aber doch hierher, als erstes Gedicht, und weil der Anfang Tonfall und eine Art Hebung hat.

Wandle, wandle holder Schimmer
Wandle über Berg und Au;
Gleitend wie ein kühner Schwimmer
In des stillen Meeres Blau.

Sanft mit Silberglanze schwebest
Du so still durchs Wolkenmeer
Und durch deinen Blick belebest
Du die Gegend rings umher.

u. s. w. immer schwächer.

Dieses Gedicht, das mir sehr gut gefiel, munterte mich übrigens nicht auf, mehrere zu schreiben. Nur als wir bei der Schulprüfung im Schullokale selbst pro praemio eine lateinische Fabel: der Wolf und das Lamm ausarbeiten sollten, wozu der Inhalt gegeben ward, schrieb ich die meine übermütig in deutschen Reimen. Da dies gegen die Aufgabe war, so wurde sie nicht beachtet. Die Fabel selbst ist mir mit zwei Heften Jugendgedichten verloren gegangen; was mir leid tut. (W IV, 181 f)

Aus der »Selbstbiographie« 1853

Wir bekamen über Sonntag die Aufgabe deutsche Verse, ein Gedicht über einen beliebigen Gegenstand zu machen. Also ein Gedicht, und worüber? In Geßnerischer Prosa hätte ich mich über jeden Gegenstand ausschütten können, aber ein Gedicht, und worüber? Ich verbrachte den ganzen Sonntag in fruchtlosem Nachsinnen oder vielmehr in gedankenloser Stumpfheit. Es wurde Abend und ich hatte noch keine Feder angesetzt. Allein zu Hause geblieben, indes die übrige Familie auf einem Spaziergange war, lag ich im offenen Fenster vor meines Vaters Kanzlei und starrte hinaus in die wunderschöne Nacht. Der Mond in seltener Reinheit stand gerade über mir. Da überfiels mich. Ein Gedicht an den Mond. Ich schrieb augenblicklich die erste Strophe nieder:

Wandle, wandle, holder Schimmer,
Wandle über Berg und Au,
Gleitend wie ein kühner Schwimmer
In des stillen Meeres Blau.

Der Anfang wäre gut genug gewesen. Damit war aber auch mein ganzer Ideenvorrat erschöpft, ich fügte noch ein paar ungeschickte Strophen hinzu und hatte so wenigstens mein Pensum für morgen zustande gebracht. Unglücklicherweise wurde unser Professor Stein, der Sinn genug hatte, um auch in dem Wenigen die Spuren von Talent zu erkennen, des andern Tages krank gemeldet. An seiner Statt erschien ein Supplent, der nur das Nötigste besorgte, und von meinen Versen war keine Rede. (W IV, 37 f)

Das Rechte und Schlechte
Entstanden 1806
Erstdruck in Sämtliche Werke, Stuttgart 1872

Aus der »Selbstbiographie« 1853

Sein [des Vaters] Mißvergnügen stieg auf den äußersten Grad, als gerade damals, da nach einer Reihe ungeschickt geführter Kriege, die Franzosen zum erstenmale Wien besetzten, ich, der ich nach dem Beispiele meines Vaters der eifrigste Patriot war, mich doch nicht enthalten konnte, meinem Unwillen über so viel verkehrte Maßregeln in einem Spottgedichte, oder vielmehr erbärmlichen Gassenhauer Luft zu machen. Er wurde blaß vor Schreck als ich es

ihm vorlas, machte mir die eindringlichsten Vorstellungen, wie mein ganzes künftiges Schicksal durch diese Verse in Gefahr gesetzt werden könnte und band mir auf die Seele – nicht es zu zerreißen (was denn doch eine gewisse Befriedigung voraussetzt) – wohl aber es niemanden sehen zu lassen. Das habe ich treulich gehalten und es niemanden gezeigt, demungeachtet kam schon des andern Tages mein Vater ganz bestürzt aus dem Gasthause zurück, wo er manchmal des Abends ein Glas Bier zu trinken pflegte, rief mich beiseite und sagte mir, daß das Gedicht mit allgemeiner Billigung von einem der Gäste vorgelesen worden sei. Das Zeug machte, gerade seiner plumpen Derbheit wegen die Runde durch die ganze Stadt, glücklicherweise erriet aber niemand den Verfasser.
(W IV, 43)

Betty Paoli berichtet 1872
Grillparzer selbst nannte es in späteren Tagen »einen erbärmlichen Gassenhauer«, der nur darum Beifall und Verbreitung gefunden habe, weil er auf *einer* Höhe mit dem Geschmacke des damaligen Publikums stand.
(Gespr 13)

Der Abend
Entstanden 1806
Erstdruck in Sämtliche Werke, Stuttgart 1872

Aus der »Selbstbiographie« 1853
Ein halbkomisches Intermezzo bildete Professor Stein, derselbe der mir in der obersten Humanitätsklasse ein Ohr für den Vers abgesprochen hatte. Er war als Professor der Philologie an die Universität berufen worden und quälte sich und uns mit der Zerfaserung der gewählten Autoren, wobei seine heftige Wunderlichkeit es nicht an Spaß fehlen ließ. Er ließ uns auch Stilübungen treiben, wobei uns oft die Wahl des Gegenstandes überlassen war. Da brachte ich ihm einmal ein ziemlich mittelmäßiges Gedicht: der Abend. Er las es mit Lob in der Klasse vor, wobei denn doch ein gewisses Mißvergnügen durchschimmerte. Am Schluß der Stunde

rief er mich zu sich und fragte: von wo ich das Gedicht abgeschrieben hätte? Ich sagte, ich hätte es selbst gemacht. Da brach er los und kündigte mir seine Verachtung für meine Lügenhaftigkeit an. Er war auch das ganze Jahr über nicht zu begütigen und erst spät, nachdem schon meine ersten dramatischen Arbeiten erschienen waren, suchte er seine Ungerechtigkeit durch das liebevollste Entgegenkommen wieder gut zu machen; ja er erlaubte mir sogar in seiner Anwesenheit eine Zigarre zu rauchen, die höchst denkbare Gunst, da er den Tabak in allen Formen mit der ihm natürlichen Übertreibung haßte. (W IV, 46)

Das Grab im Walde
Entstanden 1808
Erstdruck in HKA II, 5, Wien 1917

Tagebuch Oktober 1808

[...] Andere Dichter macht das Dichten warm, mich macht es kalt, das Haschen nach Worten, Silben, Reimen ermüdet mich, und das Feuer meiner Phantasie muß den höchsten Gipfel erstiegen haben, wenn ich im Stande sein soll, ein Gedicht an einem Tage zu vollenden wie ich es mit der Ballade: »*Das Grab im Walde*« tat. Damals erinnere ich mich waren meine Gefühle bis zum Ende in Bewegung, die Verse und Reime flossen leicht aus meiner Feder, so wie dies auch bei dem Gedichte »*Der wahre Glaube*« der Fall war, und beim »*Mädchen im Frühling*«. (Tgb 31. W IV, 239)

Wert der Freundschaft
Entstanden 1808
Erstdruck in Sämtliche Werke, Stuttgart 1872

Johann Nep. Wodickh berichtet 1808

Einst im dritten Jahre der juridischen Studien, im Jahre 1810[1] saßen er[2] und Grillparzer im Hörsaale und sprachen über des letzteren Gewandtheit, Verse zu bilden. Grillparzer forderte Wodickh auf, ihm beliebige Reimworte und ein beliebiges Thema für ein Gedicht zu geben, worauf Wodickh aus dem Stegreif die Wörter: rein, Wein, halten, schalten, bereiten, streiten, Gold, hold, laufen, raufen, grüßen, verdrießen und das Thema Freundschaft angab. Grillparzer sagte – bei dem Worte raufen – scherzweise, er möge dazu selber etwas dichten, ergriff aber alsbald die Feder und schrieb das Gedicht »Wert der Freundschaft« nieder ohne die geringste Korrektur. (HKA II, 5, 267)

Liebe und Wollust
Entstanden 1808
Erstdruck in HKA II, 5, Wien 1917

Tagebuch Juli 1808

Unbegrenzt, wie meine Eifersucht ist mein *Hang* zur *Liebe* und *Wollust*. Es ist sonderbar wie sehr diese beiden Triebe in meinem Herzen abgesöndert sind; wo ich den einen empfinde ist für den andern kein Raum. (Tgb 17. W IV, 231)

1 gemeint ist 1808.
2 J. N. Wodickh.

Cherubin
Entstanden 1812
Erstdruck in HKA II, 5, Wien 1917

Aus der »Selbstbiographie« 1853

Mehrere Jahre später hatte ich mich in eine Theatersängerin verliebt, die als Cherubin in Mozarts Figaro, in der doppelten Verklärung der herrlichen Musik und ihrer eignen frischen jugendlichen Schönheit sich meiner ganzen Einbildungskraft bemächtigte. Ich schrieb ein Gedicht an sie, das man wohl gut nennen kann, obwohl die Glut darin ein wenig an das Verrückte, wohl gar Unsittliche streifte. Mich ihr selbst zu nähern kam mir nicht in den Sinn. Ich war damals in den dürftigsten Umständen, selbst meine Garderobe legte davon Zeugnis ab, indes die Gefeierte, von reichen Liebhabern umworben, Gold und Seide als tägliches Opfer erhielt. Auch die Reize meiner Person ließen keinen günstigen Eindruck voraussetzen. Ich schloß daher meine Verse mit einem demütigenden Gefühle ein und nichts in der Welt hätte mich vermögen können, es jemanden mitzuteilen.

Lange darnach kam ich mit einem, wenigstens damals noch, reichen jungen Manne zusammen, der in der Zeit meines Cherubin-Fiebers der begünstigte, nämlich zahlende Liebhaber der Huldin gewesen war. Wir sprachen von Poesie und er bemerkte, es sei doch sonderbar, daß manche Dichter, die mit entschiedenem Talente aufträten in der Folge ganz verschwänden. So sei in der Zeit seines Verhältnisses mit jener Sängerin, er wisse nicht wie, ihr ein Gedicht in die Hände gekommen, das die gesteigertste Liebeswerbung in den schönsten Versen aussprach. Das Mädchen sei darüber wie wahnsinnig geworden, habe alles aufgeboten um den Verfasser ausfindig zu machen und geradezu erklärt, wenn es ihr gelänge, alle ihre Bewerber fortzujagen, um dem unbekannten Sänger zu gewähren, um was er so schön bitte. Es sei darüber beinahe zum Bruche zwischen ihnen gekommen. Und nun wäre unter allen jetzt tätigen Dichtern keiner, dem er jene Verse zuschreiben könne. Ich verlangte das Gedicht zu sehen; es war das meinige. Auf eine mir jetzt noch unbegreifliche Art hatte es den Weg zu ihr gefunden, und während ich mich in hoffnungsloser Sehnsucht abquälte, erwartete der schöne Gegenstand mit Ungeduld die Möglichkeit mir entgegen zu kommen. So ist es mir aber mein ganzes Leben ergangen. Mißtrauen in mich selbst, wenn ich bedachte was sein sollte und damit abwechselnder Hochmut, wenn man mich herabsetzen oder vergleichen wollte. Das ist aber der im Leben schädlichste Stolz, der nicht aus eigener Wertschätzung, sondern aus fremder Geringschätzung hervorgeht. (W IV, 43 f)

Abschied von Gastein
Entstanden 1818
Erstdruck 1819 in Aglaja für das Jahr 1820

Grillparzer an Josef Schreyvogel — Florenz, 11. Juli 1819

Das Gedicht an Gastein, das mir selbst gefällt, wäre denn doch gut mit ein paar Strophen zu schließen, was ich tun werde, wenn ich nach Wien komme[1]. Wie es jetzt ist müßte man es doch als Fragment bezeichnen, was doch als Prätension ausgelegt werden könnte. (HKA III, 1, 350)

1 Grillparzer ließ das Gedicht nach seiner Rückkehr aus Italien unverändert in dem Wiener Almanach »Aglaja« abdrucken.

Campo Vaccino
Entstanden 1819
Erstdruck 1819 in Aglaja für das Jahr 1820

Grillparzer an Josef Schreyvogel — Neapel, 30. April 1819

Gearbeitet habe ich, außer ein paar kleinen Gedichten[1], die noch dazu nicht zensurrecht sind, nichts. (HKA III, 1, 183)

1 wohl »Kennst du das Land«, »An die vorausgegangenen Lieben«, »Kolosseum«, »Campo Vaccino«, »Am Morgen nach einem Sturm«, »Zwischen Gaeta und Kapua«.

Grillparzer an Johann B. Wallishausser Neapel, 5. Juni 1819

Ich habe zwar, mit Ausnahme einiger kleiner Gedichte (die sich aber für den Druck nicht eignen) nichts geschrieben, ich hoffe aber, daß all das was ich gesehn und empfunden nicht so leicht sich verlöschen und früher oder später doch noch in irgend einer Gestalt ans Licht kommen soll. (HKA III, 1, 199)

Grillparzer an Josef Schreyvogel Florenz, 11. Juli 1819

Wenn ich zurückkomme, werde ich ein paar Gedichte mitbringen, die in die Aglaja passen könnten. Einmal das vor meiner Abreise gemachte, das Sie bereits kennen, dann noch eines auf die Ruinen des campo vaccino, das aber noch nicht ganz fertig ist, es aber nächstens sein soll. (HKA III, 1, 350)

Wien, 1. Dezember 1819

Grillparzer [2] an Josef Graf von Sedlnitzky [3]

Eure Exzellenz haben mir, als Sie mich vor sich beriefen, und das mir so schmerzliche Mißfallen Seiner Majestät über mein Gedicht an die Ruinen des campo vaccino zu erkennen gaben, erlaubt, dasjenige, was ich in dieser Sache zu meiner Entschuldigung anzubringen hätte, Eurer Exzellenz schriftlich vorzulegen.

Ich hielt das im ersten Augenblicke für sehr leicht; nun aber, da ich zur Ausführung schreite, dünkt mirs immer schwerer. Der Schein spricht gegen mich. Aber glauben Eure Exzellenz vor allem nicht, daß, wenn mir um die *Sache* zu tun gewesen wäre, ich getrachtet und gewußt hätte, den *Schein* zu vermeiden? Konnte ich, wäre ich mir einer übeln Absicht bewußt gewesen, so unsinnig sein, Worte auszusprechen, die schon beim ersten Blicke auffallen und erst in ihrer Beziehung aufs Ganze ihren eigentlichen Sinn erhalten? Ganz anders müßte jemand verfahren, der seinen Widerwillen gegen eine Sache in einem Lande aussprechen wollte, wo ihre Aufrechthaltung – und mit Recht – erster Grundsatz der Regierung ist; ganz anders sind von jeher diejenigen verfahren, die unter ähnlichen Umständen dieses gewollt haben. Ich kann verlangen, daß

2 Grillparzer hat den Brief vielleicht zusammen mit Schreyvogel abgefaßt.

3 Wiener Polizeipräsident.

man mich, wenn auch nicht von vornherein für gutgesinnt, doch wenigstens nicht für wahnsinnig halte, und das müßte ich denn doch wahrlich sein, wenn ich meine Gegenwart und Zukunft auf eine so lächerliche Art aufs Spiel setzen könnte.

Was war denn nun aber die *Absicht* des Ganzen? Hier bitte ich Eure Exzellenz vor allem im Auge zu behalten, daß von einem *Gedichte* die Rede ist. Die Sache der Prosa, der Wissenschaft ist es, zu sagen, was wahr ist und was falsch: die Poesie und alle Kunst überhaupt befaßt sich mit *Lehren* nicht und wenn sies tut, hört sie in dem Augenblicke auf Kunst zu sein. Statt zu sagen, was jeder Gegenstand ist oder sein sollte, denkt sie sich, nur verschönernd, in denselben hinein und spricht aus ihn *in seinem Geiste* heraus. Mit andern Worten: ein Gedicht, als solches, enthält keine *Meinung*, sondern ist die Darlegung eines Eindrucks, einer Empfindung. Wer nun, der das klassische Altertum kennt und liebt, ist vor den Ruinen des campo vaccino gestanden, ohne daß ihn ein wehmütiges Gefühl beschlich, ohne daß ihm, voll von dieser Empfindung, *in dem Augenblicke* der Gedanke kam: daß doch das alles nicht untergegangen wäre und noch dastünde in seiner Herrlichkeit! Daß doch diejenigen, welche das Neue herbeiführten, nicht geglaubt hätten, es nur auf die gänzliche Zerstörung des Alten gründen zu können und stumpfsinnig dieses zertrümmerten, statt beide zu vereinigen und eines durch das andere zu stärken! – Hier ist das Gedicht! – In dieser augenblicklichen Stimmung habe ich es geschrieben, mit Bleistift in den Ruinen des Kolosseums selbst geschrieben, wie ich mich durch die Darlegung der ersten Urschrift ausweisen kann. Daß meine damalige Lage kurz nach dem Tode einer geliebten Mutter, bedenklich krank so viele Meilen von meiner Heimat entfernt, von meinen Reisegefährten getrennt, allein (mir war damals noch nicht das Glück zuteil geworden, mich dem Reisegefolge Seiner Majestät anschließen zu dürfen) – daß diese meine Stimmung dazu beitrug dem Ganzen ein düsteres Kolorit zu geben und mein gereizter Körper- und Geisteszustand die Ausdrücke schärfte, ist wohl ebenfalls gewiß. Kurz, so fühlte ich in dem Augenblicke, da ich es schrieb. Ob ich, ausgekühlt und auch die Kehrseite des Ganzen betrachtend, einige Stunden darauf nicht anders *gedacht* habe, ist damit noch nicht ausgesprochen; denn, wie gesagt, es ist ein Gedicht und keine wissenschaftliche Betrachtung. Aus der Verwechslung dieser beiden Gesichtspunkte ist von jeher alles Mißverstehen und Anfeinden der Dichter und ihrer Werke entstanden. So auch hier. Mein Gedicht ist eine Klage über den Untergang der herrlichen klassischen Zeit. Die Ruinen sind darin personifiziert; sie werden wie übriggebliebene, halbsterbende Helden jener kräftigen Zeit angesprochen, die unwillig sind über das Neue, das ihnen den Untergang bereitete. Ich lieh ihnen mein Organ, sie mir ihre Gesinnung. Es ist nicht mein Glaubensbekenntnis was ich da schrieb.

Wenn nun hierdurch aber auch meine *Gesinnung* gerechtfertigt ist, so entsteht noch eine andere Frage: Bin ich in der dichterischen Gegenüberstellung der beiden Zeitalter im Feuer des Hervorbringens und durch den halb unbewußten Wunsch, etwas Nicht-Gewöhnliches, Auffallendes zu sagen, nicht zu weit gegangen? Habe ich nicht meine Ausdrücke so gewählt, daß ein Mißverstehen notwendig entspringen mußte? Auch das nicht. Aber vieles traf zusammen, daß ein Mißverstehen wirklich entsprang. – Vor allem. Niemand hat das Gedicht ohne Prävention gelesen. Ehe es noch erschien, eh sich noch jemand durch den Augenschein vom Gegenteil überzeugen konnte, hatten scheelsüchtige, hämische Menschen, die sich vielleicht nur darum so gern mit dem Mantel der Religion bedecken, weil sie viel zu bedecken haben; Eiferer, deren Eifer erst dann klar werden wird, wenn es das geworden ist, was sie dadurch erreichen wollen – diese Menschen hatten von allen Seiten Geschrei erhoben. Gerade die Gutgesinnten waren am wenigsten unbefangen, denn das Ärgernis war einmal gegeben; ob durch das Gedicht *verursacht* oder dadurch *veranlaßt* gleichviel, es war da und daß es von allen der Regierung am wenigsten gleichgiltig sein konnte, begreife ich wohl. Nur möge man nicht mir allein zürnen, sondern auf die Umstände Rücksicht nehmen, die die Sache erst bedenklicher machten.

Um nun von den *Ausdrücken* des Gedichtes zu reden: Wenn Konstantin darin getatelt wird, so geschah es in der, auf historische Beweise sich stützenden Nichtachtung seines Charakters als Mensch; so geschah es in dem gerechten Unwillen, daß er und seine Nachfolger es waren, die, statt durch das Christentum die gesunkene

römische Größe wieder aufzurichten und zu veredeln, diese vielmehr ganz zu Boden stürzten und dadurch der Barbarei des Mittelalters mit allen ihren traurigen Folgen Tür und Tor öffneten. Wenn ich dem erschlagenen Remus sagte, er sei an seinem Mörder Romulus dadurch gerächt, daß dessen Reich zerfallen und in dem Tempel, in dem er als Gott verehrt wurde, Priester einer andern Religion einen andern Gottesdienst feierten, so ist es ja allerdings gewiß, daß es für diesen keine empfindlichere Strafe geben könnte, als das zerfallen zu sehen, was er mit Gewalttaten aufgebaut.
Endlich zu der am meisten mißverstandenen Stelle. Vom Kolosseum, über dessen Eingang, höchst unzweckmäßiger Weise, ein Kreuz gemalt ist (ich wenigstens finde es über dem Eingang einer zu wilden Tierkämpfen erbauten Arena aufs geringste ebenso übel angebracht, als wenn wir es in unsern Schauspielhäusern über den Vorhang hinsetzen wollten) von diesem Kolosseum wird gesagt:

Und damit, verhöhnt, zerschlagen,
Du den *Martertod* erwarbst,
Mußtest du das Kreuz noch *tragen,*
An dem, Herrliche, du starbst.

Das heißt doch, unbefangen genommen, nichts, als: Du stehst da mit dem Kreuz auf der Schulter, wie einer, der zum Tode geführt wird und das Werkzeug seiner Hinrichtung noch *selbst* zum Richtplatz tragen muß. Daß hier das Kreuz nicht in seiner christlich-symbolischen, sondern in seiner natürlichen [Bedeutung], als ein im Altertume sehr gewöhnliches Werkzeug der Todesstrafe genommen wird, leuchtet jedem ein, der das Gedicht ohne Prävention liest. Sollte jemand noch zweifeln, so wird die nächste Strophe alles aufklären:

Tut es weg dies *heilge* Zeichen!
Alle Welt gehört ja dir,
Übrall, nur bei diesen Leichen,
Übrall stehe, nur nicht hier!

Wenn man sagt: Überall in der ganzen Welt möge und soll das *heilige* Zeichen der christlichen Religion stehen, nur nicht am Kolosseum, nur nicht auf diesem Kampfplatz für wilde Tiere, nur

nicht an diesem durchaus heidnischen Gebäude, *wo es nicht hingehört;* ist das ein Ausfall gegen das Kreuz?
Die nächsten vier Verse sind ebenfalls Anklagspunkte gegen mich geworden und gerade *sie* sind es, durch welche ich jeden Mißverstand beseitigen wollte, auf die ich mich zu meiner Verteidigung berufe. Sie lauten:

Wenn ein Stamm sich losgerissen
Und den Vater mir erschlug;
Soll ich wohl das Werkzeug küssen,
Wenns auch Gottes Zeichen trug?

Der Sinn dieses *Gleichnisses,* dieses *Bildes,* prosaisch dargestellt, ist: Mein Vater geht in den Wald. Ein Baumstamm, vom Winde losgerissen, fällt auf ihn und erschlägt ihn. Werde ich – gesetzt, der Stamm wäre, wie es sich wohl trifft, mit einem Kreuze bezeichnet, – werde ich dieses Kreuz, gerade *dieses,* küssen? Ebenso nun – geht der Sinn des Gleichnisses weiter – wie mir das Kreuz an dem Werkzeuge von meines Vaters Tode kein erfreulicher Anblick sein kann, ebensowenig kann es mir jenes an dem Eingang des Kolosseums sein. Ich bitte, nach den Aufklärungen, die ich hier gegeben habe, das Gedicht noch einmal zu lesen und alles wird deutlich sein.
Aber wenn zum Verständnis des wahren Sinnes diese Aufklärungen notwendig sind, warum es dem Publikum ohne dieselben in die Hand geben? Diese Aufklärungen sind erst dann notwendig geworden, als durch das Geschrei übelwollender Menschen der klare Sinn des Gedichtes getrübt und jeder Leser unwillkürlich aufgefordert worden war, *mehr* Bedeutung in den Worten zu suchen, als sie wirklich enthalten. Wäre dies nicht geschehen, das Gedicht würde spurlos vorüber gegangen sein. Die Wenigen, deren Sache es ist, ein Gedicht *als Gedicht* zu würdigen, hätten es gelesen, sich vielleicht über die nicht mißlungene Darstellung gefreut; ich wäre durch ihren Beifall für die Mühe es gemacht zu haben (denn wofür machte man sonst Gedichte) belohnt und die Sache wäre zu Ende.
Manche haben getadelt, daß das Gedicht eben für einen Almanach, für das Taschenbuch Aglaja bestimmt wurde. In einer Sammlung von Gedichten, meint man, wäre es – wenn überhaupt irgendwo – doch noch unbedenklicher gewesen. Ich bin der entgegengesetzten

Meinung. Einen Band gesammelter Gedichte, der höchstens ein paar Gulden kostet, kauft jedermann; aber die durch ihre kostbaren Kupfer verteuerte Aglaja, wie viele kaufen sie? wie viele lesen sie? Die Einrückung in dieses Taschenbuch war daher gerade ein Mittel die Verbreitung des Gedichtes auf ein kleineres, ein gewählteres Publikum zu beschränken.
Ferner: Ist das Gedicht auch nur für jemand *verständlich,* der nicht entweder selbst in Rom war, oder nicht wenigstens seine Ruinen historisch kennt? Von solchen aber war – *ohne Prävention gelesen* – ein Mißverstehen weniger vorauszusetzen und, im schlimmsten Falle, kein schädlicher Einfluß zu fürchten. Der übrige Teil der wenigen Leser der Aglaja hätte sich wahrlich nicht die Mühe gegeben, in einem für ihn ebenso unverständlichen als uninteressanten Gedichte lange nach zweifelhaften Stellen zu suchen. Nur dem Geschrei unberufener Zwischenträger muß es zugeschrieben werden, wenn diese Hoffnung vereitelt wurde.
Endlich zur Erklärung des Umstandes, warum ich ein Gedicht dieser Art, wenn eine Mißdeutung auch nur *entfernt möglich* war, überhaupt dem Druck übergab? sei folgendes gesagt. Ich hatte bisher vermieden in Tagesblättern und Taschenbüchern etwas von meinen Arbeiten einzurücken, weil ich einen solchen Kleinbetrieb, nach dem Ziel, das ich mir vorgesteckt habe, und nach der Stelle in der literarischen Welt, auf die ich Anspruch machen zu können glaube, unter meiner Würde hielt. Als ich daher aufgefordert wurde, in »Die Aglaja«, den Musenalmanach von Östreich, nach dessen Inhalt das Ausland unsere Fortschritte in diesem Teile der schönen Künste beurteilt, Beiträge zu liefern; konnte ich mich nur unter der Bedingung dazu entschließen, wenn mir etwas Ganzes zu liefern vergönnt und eine Gelegenheit gegeben würde, mich hier in einem größern Umfange als lyrischer Dichter ebenso zu zeigen, wie ich mich früher als dramatischer bereits gezeigt hatte. Ich suchte daher, *mit Hintansetzung aller Vorteile, die mir von auswärtigen Verlegern angeboten worden waren,* alles zusammen, was ich an Gedichten Vorzügliches gemacht zu haben glaubte, und da das Gedicht auf das campo vaccino, als *Gedicht betrachtet* und abgesehen von seinem zum Teile mißverstandenen Inhalt, mir unter meine Besten zu gehören scheint, so würde ich es ungern darin vermißt

haben und zwar umso mehr, als es mit meinen übrigen in, oder über Italien geschriebenen ein kleines Ganzes ausmachte.
Hat es jedoch, gegen meine Absicht, einen wahrhaft Frommen gekränkt, war ich unglücklich genug, mir dadurch sogar das Mißfallen seiner Majestät zuzuziehen; so wollte ich es lieber nie geschrieben haben und ich kann wohl aufrichtig sagen, daß mich die Bekanntmachung desselben wahrhaft und innig reut. Trifft es sich, daß Eure Exzellenz in dieser, an sich freilich wenig bedeutenden, aber durch die Umstände bemerkenswerter gewordenen und besonders für mich wichtigen Sache, Seiner Majestät noch irgend etwas berichten; so bitte ich meine Reue über dieses ohne Absicht begangene Versehen, Seiner Majestät mit der Versicherung zu Füßen zu legen, daß ich mit meinem Willen in einen ähnlichen Fehler nie mehr zu verfallen hoffe; eine Versicherung deren Wahrheit meine nicht unbekannte Denkungsart und mein bisheriges Betragen wohl verbürgen dürfte. (W IV, 752 ff)

Tagebuch nach Mitte Dezember 1819

Hiezu kam noch, daß man mich wegen meines Gedichtes: Die Ruinen des campo vaccino beim Kaiser verklagte, das Gedicht aus dem Taschenbuch Aglaja durch die Polizei herausschneiden ließ und mich quälte so gut man konnte und mochte.
(Tgb 4400. W IV, 350 f)

Tagebuch 14. Mai 1822

Noch vor kurzem schlug mir der Kaiser die Scriptorstelle in seiner Privatbibliothek, zu der mich sein Bibliothekar vorgeschlagen hatte, mit der Äußerung ab: »ja, er taugte wohl dazu; wenn er nur die Geschichte mit dem Papst nicht gehabt hätte!« (Anspielung auf den Verdruß wegen des Gedichtes auf den Campo vaccino) Hier Landes scheint kein Platz für mich zu sein, und doch wollte ich lieber alles tun und leiden, als es verlassen. Mir widert das übrige Deutschland in seiner gegenwärtigen kraftlosen Überspannung unaussprechlich an, und Östreich, oder vielmehr dessen Bewohner, sind mir so unendlich wert! (Tgb 1132. W IV, 378)

Aus »Anfang einer Selbstbiographie« 1834/1835

Unfähig zu arbeiten, ja zu leben, trat er eine Reise nach Italien an, die seine Gesundheit zwar wieder herstellte, zugleich aber den Grund zu all den Unannehmlichkeiten legte, die ihn in der Folge in so vollem Maße überschütteten. Er schrieb nämlich an Ort und Stelle nebst mehreren andern lyrischen Gedichten auch eines auf die Ruinen des campo vaccino in Rom, wo denn nun freilich in Vergleich mit dem Altertume die neue Zeit nicht sehr gut wegkam.

(W IV, 19)

Tagebuch Januar 1838

Nun, nach Jahren, erfahre ich erst den Zusammenhang jener Erbitterung über das Gedicht: die Ruinen des campo vaccino, und der kaiserlichen Entrüstung, deren Wirkungen bis jetzt fortdauern. Der Almanach, in dem das Gedicht stand, ward vom Buchhändler, was ich nicht wußte, der Königin oder irgend einer Prinzessin von Baiern dediziert, und das Dedikationsexemplar nach München gesendet ehe noch der Almanach in den Buchhandel kam. Dort nun nahm man es übel, daß ein solches Gedicht unter der Ägide einer baierschen Prinzessin in die Welt gelangen sollte. Die Gesandtschaft erhielt Auftrag gegen den Verstoß der östreichischen Zensur zu reklamieren. Die Staatskanzlei geriet in Feuer und Flammen. Die Polizei- und Zensurhofstelle wollte den schwarzen Fleck nicht auf sich sitzen lassen, und so gelangte er denn von Stufe zu Stufe bis an mich, der ich ihn niemand weiter mehr mitteilen konnte, denn der Zensor war Schreyvogel gewesen, um dessen bürgerliche Existenz es sich handelte. Seitdem dauert die Anfeindung etwa 15 Jahre bis jetzt. (Tgb 3327. W IV, 642)

Aus der »Selbstbiographie« 1853

Meine italienische Reise sollte aber wie eine Pandoren-Büchse ein neues Unglück gebären. Ich hatte in Italien mehrere lyrische Gedichte geschrieben, unter andern eines auf die Ruinen des campo vaccino, im Koliseum selbst mit Bleistift angefangen und dort auch zum größten Teile vollendet. Bei meiner Begeisterung für das Altertum, vermehrt durch den Eindruck dieser Statuen und Monumente, stellte sich das neue kirchliche oder vielmehr dem Alten auf-

gedrungene Pfäffische ziemlich in Schatten. Das übelste was man von dem Gedichte sagen kann ist, daß der Grundgedanke schon unzählige Male da war und nur die topographische Aneinanderreihung sämtlicher, als mit Empfindung begabt angenommener Denkmäler, allenfalls eine neue Wendung genannt werden kann. Selbst den überkatholischen Grafen Stolberg hat auf dem campo vaccino dieselbe Empfindung angewandelt. Mein Wiener Verleger Wallishausser gab einen Almanach Aglaja heraus, für den er mich immer um Beiträge quälte. Ich gab ihm diese italienischen Gedichte und sie kamen in die Hände Schreyvogels, der sich der guten Sache zu Liebe als Zensor hatte aufnehmen lassen, um nämlich so viel zum Drucke zu erlauben als irgend möglich war. Er nahm keinen Anstand das Imprimatur zu erteilen, der Almanach wurde gedruckt, gebunden und es waren bereits vierhundert Exemplare ins Ausland versendet worden. Da ergab sich plötzlich ein literarischer Aufstand. Die damals noch in herbis befindliche kirchliche Partei hatte Ärgernis an meinen Ruinen des campo vaccino genommen. Das Gedicht wurde förmlich denunziert und der Sturm ging von allen Seiten.
Der Kaiser nahm vor allem übel, daß – wie denn höchstgestellte Personen die kleinen Umstände nie genau wissen können – daß also, indem ihm in Rom alle Ehre widerfahren war, jemand, der Rom in seinem Gefolge besucht hatte, sich derlei Äußerungen zuschulden kommen lasse. [...] Am eifrigsten war die Staatskanzlei. Fürst Metternich, der den dritten Gesang von Byrons Childe Harold, in dem doch ganz andere Dinge vorkamen, auswendig wußte und mit Begeisterung rezitierte, stand geradezu an der Spitze der Verfolgung, wenn nicht vielmehr seine elende Umgebung, die den ausgezeichneten Mann im Jahre 1848 zu so schmählichem Falle vorbereitete. Um sämtliche Teilnehmer nach Möglichkeit zu entschuldigen, muß ich eine Version beibringen, die mir viele Jahre später durch einen hohen Staatsmann des beteiligten fremden Hofes an die Hand gegeben worden ist. Mein Verleger hatte, ohne daß ich es wußte, oder mich darum kümmerte, seinen Almanach der Gemahlin des ebenso wegen seiner erleuchteten Kunstansichten als wegen seiner strengen Religiosität bekannten Kronprinzen eines benachbarten Hofes zugeeignet. Dieser nahm von dem Almanach

um so mehr Notiz, als mein Verleger wahrscheinlich auf eine goldene Dose oder derlei als Gegengeschenk spekuliert hatte. Er fand sich nun von meinem Gedichte im höchsten Grade geärgert und ohne die Folgen seines übereilten Schrittes zu bedenken, ließ er an die höchsten Orte in Wien schreiben, wie die Zensur habe zugeben können, daß ein Almanach, in dem sich ein solches Gedicht (das meinige) befinde, seiner Gemahlin zugeeignet werde. Eine solche Insinuation einer hochstehenden und noch dazu nahe verwandten Persönlichkeit ließ sich nun freilich nicht ganz ignorieren. Daß die untergeordneten Schurken und Dummköpfe, die fürchten mochten, daß ich ihnen irgend einmal im Wege stehen könnte, alles taten um die Flamme zu schüren, versteht sich von selbst, oder vielmehr ich weiß es.

Die Zensur tat alles mögliche um ihren Fehler wieder gut zu machen. Mein Gedicht wurde aus sämtlichen noch in Wien befindlichen Exemplaren herausgerissen, zum großen Schaden des Verlegers, der seine Almanache neu binden lassen mußte. Leider aber verfehlte diese Verfügung ihren Zweck. Wie ich gesagt, waren vierhundert unverstümmelte Exemplare bereits ins Ausland versendet worden. Diese ließen nun die Liebhaber verbotener Schriften, und des Skandals überhaupt, mit großen Kosten sämtlich wieder zurückbringen. Wer sich kein gedrucktes Exemplar verschaffen konnte, schrieb wenigstens aus einem solchen mein Gedicht ab und nie hat irgend eine meiner Arbeiten eine solche Verbreitung in meinem Vaterlande erhalten als dieses Gedicht, das, wenn man es unbeachtet gelassen hätte, von dem verehrungswürdigen Publikum ohne Geschmack auf der Zunge gefressen worden wäre wie Gras.

Das war aber noch nicht alles. Durch ein von höchstem Orte ergangenes Handschreiben, in dem ich mit der in Steckbriefen gewöhnlichen Bezeichnung: ein *sicherer* Grillparzer höchst unsicher gemacht wurde, erhielt der Präsident der Polizei und Zensurshofstelle den Auftrag mich persönlich zur Verantwortung aufzufordern. Meine Verantwortung wäre nun ganz kurz gewesen. Das Gedicht hatte das Imprimatur der Zensur erhalten und so war ich als Schriftsteller vollkommen gedeckt. Dadurch fiel aber das Vergehen auf den Zensor, meinen Freund Schreyvogel zurück, und das mußte abgehalten werden. Ich schrieb daher in einem Aufsatze, den ich

dem Polizeipräsidenten überreichte, alles zusammen was sich zur Rechtfertigung oder Milderung der Gedanken und Ausdrücke irgend sagen und aufbringen ließ.
Die erste Hitze mochte vergangen sein, die Sache blieb auf sich beruhen, selbst Schreyvogel wurde nicht angefochten. Aber von da an glaubte jeder Lump sich an mir reiben, mich angreifen und verlästern zu können. Jeder Wunsch und jede Aussicht wurde durch die stehende Formel von Oben »ja wenn er die Geschichte mit dem Papst nicht gehabt hätte« (so beliebte man sich auszudrücken) im Keime vereitelt, man hielt mich, wie einst der alte Graf Seilern für einen halben Jakobiner und Religionsspötter und es brauchte der traurigen Ereignisse des Jahres 1848 um die Regierung (auf wie lange?) zu überzeugen, daß sie keinen wärmern Anhänger ihrer Sache, als zugleich der Sache meines Vaterlandes, habe als mich, der zugleich als Mensch und Schriftsteller die gesteigerten Ansichten der Poesie und die gemäßigten Anforderungen des Lebens sehr gut von einander zu unterscheiden wisse. (W IV, 107 ff)

Die Viel-Liebchen (Philippchen) der Doppel-Mandel
Entstanden 1820
Erstdruck in Sämtliche Werke, Stuttgart 1872

Grillparzer an Henriette von Pereira[1] Wien, 15. Juni 1820
Indem ich Ihnen das beiliegende Gedicht übersende, bezahle ich jene alte Schuld, die mir der Mitgenuß der geheimnisvollen Doppelmandel auferlegt. Da aber das Gedichtchen ziemlich heiter ist und ich, als dramatischer Dichter darauf sehen muß, nicht aus dem Charakter zu fallen, der nun einmal üble Laune ist, so erhalten Sie zugleich einige Verse[2] über Ihr ländliches Fest im Kuhstalle. Ich bilde mir als Tragiker etwas darauf ein, aus einer so lieblichen Veranlassung Stoff zu einem so widerwärtigen Gedichte genommen zu haben. (HKA III, 1, 228 f)

1 Bankiersgattin, in derem Haus Grillparzer viel verkehrte.
2 »Das elegante Frühstück im Kuhstall«.

Allgegenwart
Entstanden 1821
Erstdruck 1821 in Aglaja für das Jahr 1822

Grillparzer zu Friedrich Kaiser[1] Januar 1841
Es ist ganz eigentümlich, als fünfzigjähriger Mann ein Lied zu hören, welches man als zwanzigjähriger gedichtet hat; – die Worte sind noch dieselben, aber wo ist das Gefühl? – Es klingt mir jetzt so fremd, als ob nicht ich, sondern ein anderer es geschrieben hätte! (Gespr 809)

Tristia ex Ponto
Entstanden 1824–1833
Erstdruck 1834 in der Vesta für das Jahr 1835

Tagebuch Anfang 1827
Tristia ex Ponto
Lügner, Lügner, abscheulicher Lügner! Was heuchelst du Gefühle, die du nicht hast? Und doch! Solltest du sie verneinen? Da du sie doch einst gehabt da doch die Sehnsucht nach ihnen zurückgeblieben, und die Hoffnung, daß sie wiederkehren. Sagt man denn nicht auch, es sei Frühling, wenn die Zeit der ersten Nachtgleiche da war, ob gleich Wolken den Himmel bedecken und Schneegestöber durch die Lüfte flattert statt Blütenstäuben. Indem man lebt, zeigt man, daß das nicht ganz fehlen könne, was einen töten würde, wenn es ganz fehlte. (Tgb 1584. W IV, 430)

1 Wiener Schriftsteller.

Vision
Entstanden 1826
Erstdruck 1826 in Wiener Zeitschrift

Tagebuch — Mai 1826

Meine Phantasie kann sich übrigens von jener Niederlage[1] noch immer nicht erholen. Es ist als ob mir die Darstellung aller innigen Gefühle unmöglich geworden wäre, nachdem ich ein selbstempfundenes, so überschönes in Kälte und Gemeinheit übergehn gesehn hatte. (Tgb 1432. W IV, 400)

Tagebuch — 21. Mai 1826

Das Gedicht auf des Kaisers Genesung, von dem ich mir einige Wirkung bei hohen und höchsten Personen versprochen hatte, weniger um begünstigt, als vielmehr um beschützt zu werden gegen die Bestrebungen jener Hunde, die jeden meiner Schritte belauern, und mich über kurz oder lange doch unterbringen werden, dieses Gedicht hat, wie ich höre, die Kaiserin zu höchstem Zorne gereizt. Weil darin von *zwei* Frauen die Rede ist, die am Bette des Kaisers sitzen, indes *sie* nur *allein* bei ihm wirklich gewacht hat. O Poesie wo bist du? Und o Land wo bist du, wo sie gedeiht und wo man sie erträgt? (Tgb 1438. W IV, 400)

Aus der »Selbstbiographie« — 1853

Vorgelesen habe ich in der Gesellschaft[2] nichts als jene Vision, die ich bei der Genesung des Kaisers Franz von einer schweren Krankheit schrieb und die, im höchst loyalen Sinne, eine unglaubliche Wirkung in der ganzen Monarchie hervorgebracht hat.

(W IV, 156)

1 Die Kaiserin hatte sich über Grillparzers Gedicht erregt; vgl. die folgende Notiz.
2 Die Gesellschaft der Ludlams-Höhle, eine Künstler- und Literatenvereinigung.

Das Alter ist fürwahr beklagenswert
Entstanden 1828
Erstdruck in Sämtliche Werke, Stuttgart 1872

Grillparzer an Siegfried Koch[1] Februar 1828
Sollten Ihnen diese Verse nicht gefallen, so teilen Sie nur meinen eigenen Geschmack. Aber die Epiloge gehören für mich unter die unglücklichen Stoffe, mir fiel dazu nichts Gescheiteres ein.
(HKA III, 5, 259)

Auf die Genesung des Kronprinzen
Entstanden 1832
Erstdruck 1858 in Ludwig Bowitsch, Habsburgs Chronik

Tagebuch 11. April 1833
Offenbar dachten sie [die Bedienten am Hofe] den Kaiser sehr erzürnt auf mich wegen jenes Gedichtes auf die Genesung des Kronprinzen. Das kam übrigens nicht so. Ich trat ein, nannte meinen Namen und trug mein Gesuch um die Nachfolge in der Gehaltszulage meines Vorgängers im Archive vor. Der Kaiser hörte mich außerordentlich wohlwollend an. Sie sind der nämliche, frug er, der Autor ist? Ich bejahte und sprach weiter von meinem Geschäfte.
(Tgb 2070. W IV, 497)

Tagebuch 12. April 1833
Ich will doch auch ein paar Worte von jenem Gedichte sagen, das mir in der letzten Zeit so viel Verdruß zugezogen hat.
Der Kronprinz wurde von einer lebensgefährlichen Krankheit befallen. Man gab schon alle Hoffnung auf. Da wurde er wieder hergestellt. Meine Freude darüber war aufrichtig, ja groß. Ohne eben

1 Hofburgschauspieler, der den Epilog nach der Uraufführung des »Treuen Dieners« sprechen sollte.

eine besondere Meinung von ihm zu haben, der ich ihn gar nicht kenne, hörte ich doch, daß er keiner Partei angehöre, ein Feind mancher mir widerlicher, einflußreicher Personen, und vor allem außer dem Einfluß der Pfaffen-Clique sei. Man schreibt ihm allgemein sehr viel Herzensgüte zu, zweifelt aber hie und da an seinen Fähigkeiten. Ich warf in der Freude meines Herzens einige Strophen hin, welche –, die geistigen Eigenschaften keineswegs bezweifelnd, aber der Enthüllung der Zukunft überlassend, – die *Güte* zum Thema einer Auseinandersetzung machten, deren Endpunkt der Satz war, daß die wahre Güte der höchste aller menschlichen Vorzüge, ja der Inbegriff und das Surrogat aller übrigen sei; ein Satz, der für jeden außer Zweifel liegt, der weiß was Güte im wahren Sinne des Wortes sagen will. Ich schrieb das Gedicht wie aus dem Stegreife, ohne daran zu denken es drucken zu lassen. Perfetta [1] überraschte mich bei der Arbeit und erzählte unsern gemeinschaftlichen Freunden davon. Ich ward bestürmt das Ding zu lesen, ich tat es, und es gefiel, es rührte. Man will ich soll es drucken lassen. Die Zensur wird es nicht erlauben. Dieser Zweifel empört beinah. Das Gedicht wird mir halb mit Gewalt genommen und Witthauer [2] spricht es für die Modezeitung an. Ich füge mich endlich.

(Tgb 2071. W IV, 498)

Tagebuch 12. April 1833

Des andern Tages trägt es der alte Schickh [3] zum Zensor Deinhardstein. Der liest es und meint er könne die Druckbewilligung nicht auf sich nehmen. Da begehrt Schickh das Gedicht zurück und wiederholt diese Bitte zehnmal. Deinhardstein aber meint, das ginge auch nicht an, siegelt es ein und sendet es an die Staatskanzlei. Dort fällt es dem grimmigen Dummkopf Baron Brettfeld [4] in die Hand und nun ist der Lärm auf den Beinen. Brettfeld trägt auf die Hinrichtung des Verfassers oder doch wenigstens auf einen öffentlichen Verweis an. Die ganze Stadt kommt in Aufruhr und am nächstfolgenden Tage kursieren bereits mehrere hundert Abschriften, von

1 Martin Perfetta, Rechnungsrat der Hofbuchhaltung.
2 Friedrich Witthauer, Redakteur der Wiener Modezeitung.
3 Johann Schickh, Herausgeber der Modezeitung.
4 Kämmerer und Staatskanzleirat.

denen einige boshafterweise durch Hinzufügung von Gedankenstrichen, Frage- und Ausrufungszeichen zu eigentlichen Pasquillen geworden sind. Ein Zensor Rupprecht macht einen Gassenhauer dagegen, der aber zum Glück so elend ist, daß er die Meinung wieder auf die Seite des anfangs ziemlich angefeindeten Dichters bringt. Verse dafür und dagegen von allen Seiten. Der besungene Prinz und der ganze Hof höchst entrüstet, und um das Unglück voll zu machen, geht an demselben Tage wo der Lärm losbricht, der Vortrag der Hofkammer an den Kaiser ab, in dem für mich auf die Nachfolge in den Gehaltszuschuß meines Vorgängers im Archive angetragen wird. Die Staatsräte bekommen Mut sich der Gemeinheit anzuschließen. (Tgb 2072. W IV, 499)

Tagebuch 12. April 1833

Ich fühle mich aber zerstört. Durch jenes unselige Gedicht habe ich es nun auch mit dem Nachfolger des Kaisers verdorben und der Quälereien wird kein Ende sein. (Tgb 2073. W IV, 500)

Aus der »Selbstbiographie« 1853

Um diese Zeit war der Kronprinz, nachmalige Kaiser Ferdinand schwer erkrankt. Die Meinungen über diesen jungen Prinzen waren sehr geteilt. Die einen dachten gering von seinen Fähigkeiten, die andern schlossen aus seinem Schweigen bei der staatsrätlichen Verhandlung unbeliebter Maßregeln auf oppositionelle volksfreundliche Gesinnungen. Über seine vollkommene Gutmütigkeit war jedermann einig. Als er nun schwer krank darniederlag, machte ich meiner Besorgnis und meinen Hoffnungen in einigen Strophen Luft, wie es denn überhaupt meine Gewohnheit war, zur Lyrik nur als einem Mittel der Selbst-Erleichterung Zuflucht zu nehmen, weshalb ich mich auch für einen eigentlich lyrischen Dichter nicht geben kann. Der Sinn des Gedichtes war, der Wahrheit gemäß, daß erst die Zukunft seine geistigen Eigenschaften enthüllen müsse, vor der Hand mache es uns glücklich zu wissen, daß er den höchsten Vorzug des Menschen, die Güte, die in ihrem vollendeten Ausdruck selbst eine Weisheit sei, ganz und vollkommen besitze. Mir entging nicht, daß diese Wendung übeln Deutungen ausgesetzt sein könnte; ich schrieb das Gedicht aber auch für mich und dachte auf keine

Veröffentlichung. Als es vollendet auf meinem Arbeitstische lag, besuchte mich ein Freund, der, ohne selbst Literator zu sein, doch mit allen Literatoren Wiens in Verbindung stand. Ich wurde abgerufen und in der Zwischenzeit las er ziemlich unbescheidenerweise das offen daliegende Gedicht. Er war, vielleicht gerade weil die Darstellung inner den Grenzen der Wahrheit blieb, ganz entzückt und sprach davon in diesem Sinne zu seinen literarischen Freunden. Diese begehrten es nun auch zu hören, wogegen ich nichts einzuwenden hatte. Ich las es abends im Gasthause vor, wo wir ein abgesondertes Zimmer innehatten und nun drang alles, vorzüglich aber der Redakteur der damals bestehenden Wiener Zeitschrift in mich, es drucken zu lassen. Einerseits beruhigte mich die ausnahmslose Billigung so vieler ganz gescheiter Leute über die Furcht einer möglichen übeln Deutung, andererseits mußte das Gedicht der Zensur vorgelegt werden, die wenn sie ein Arges fand es ohnehin verbieten würde. Es wurde daher ausgemacht, daß es der Redakteur der Wiener Zeitschrift dem uns allen wohlbekannten Zensor nicht ämtlich, sondern als Freund überreichen und wenn dieser Bedenken fände, das Gedicht wieder zurücknehmen sollte. Das geschah. Der Zensor, selbst Dichter und durch einige Zeit Theater-Direktor, erklärte die Bewilligung zum Druck nicht auf sich nehmen zu können. Als aber der Redakteur der Zeitung das Gedicht wieder zurückverlangte, entgegnete jener, das laufe gegen seine Pflicht, er müsse es der höhern Behörde vorlegen. Ob das nun unverständiges Bestreben die Drucklegung zu fördern oder Schurkerei war, weiß ich nicht. Die Druckbewilligung wurde verweigert, zugleich aber das Gedicht in unzähligen Abschriften verbreitet. Gerade diejenigen, die von dem Prinzen übel dachten, sahen in meinen Versen eine beabsichtigte Verspottung desselben. Feile Schufte schrieben in gleichfalls abschriftlich verbreiteten Knittelreimen gegen mich und mein Gedicht. Es war ein literarisch dynastischer Aufruhr. [...]
Auch der Hauptbeleidigte, der Kronprinz, war gegen mich so sehr erzürnt, als seine wirkliche Gutmütigkeit ihm erlaubte. Es befand sich damals eben der Bauchredner Alexandre, ein ziemlich gebildeter Mann, in Wien, mit dem ich zufällig bekannt wurde. Er machte seine Künste auch bei Hofe und in einem Gespräche mit

dem Kronprinzen erwähnte er auch meines Gedichtes und wie er wisse, daß ich gar keine üble Absicht dabei gehabt habe. Er hat sie allerdings gehabt, sagte der Prinz; man hat ihn aufmerksam gemacht, und dennoch wollte er es drucken lassen. Als Alexandre mir das erzählte, dachte ich wieder mit Götz von Berlichingen: »Kaiser! Kaiser! Räuber beschützen deine Kinder.« Obwohl ein Bauchredner eigentlich kein Räuber ist. Wer dem Kronprinzen jene böswillige Lüge gesagt hat, weiß ich freilich nicht.
Ich stand nunmehr, sowohl mit dem gegenwärtigen, als mit dem künftigen Kaiser in dem übelsten Verhältnisse, was für keinen Fall erfreulich ist. (W IV, 159 ff)

Griechische Revolution
Entstanden 1843
Erstdruck in Sämtliche Werke, Stuttgart 1872

Grillparzer zu Adolf Foglar[1] 24. November 1843
Zum Dichten aber hatte ich[2] nicht Ruhe genug, nur verfaßte ich einige Verse auf Griechenland, worin ich dieses unglückliche Reich mit einem Kranken vergleiche, der sich von einer wunden Seite auf die andere wendet. (Gespr 798)

Mein Vaterland
Entstanden 1848
Erstdruck 1848 in Constitutionelle Donauzeitung

Aus »Meine Erinnerungen aus dem Revolutionsjahre 1848«
Ich selbst war zur Passivität verdammt. Da meine Überzeugungen in allem das Gegenteil von der allgemeinen Begeisterung waren,

1 Wiener Schriftsteller.
2 auf der türkischen Reise vom 27. 8. – 13. 10. 1843.

so fehlte mir jeder Anhaltspunkt der Verständigung. Ich begrüßte die Freiheit in einem Gedichte an mein Vaterland, wobei ich es aber nicht an den eindringlichsten Warnungen fehlen ließ, besonders vor der Nachahmung der Albernheiten und Schlechtigkeiten Frankreichs und des übrigen Deutschlands. Man nahm das Gedicht gut auf, sogar die Warnung, ohne aber eine Ahnung zu haben, daß man einer solchen bedürfe. (W IV, 219 f)

Feldmarschall Radetzky
Entstanden 1848
Erstdruck 1848 in Constitutionelle Donauzeitung

Tagebuch 2. Septemberhälfte 1849

Bin beim Marschall Radetzky gewesen und nichts weniger als befriedigt fortgegangen. Nach all dem Geschreibe, Gepreise und Gerede über jenes, für Östreich wenigstens, historisch gewordene Gedicht, hatte ich mir ihn wenigstens warm vorgestellt. Er hat mich auch wirklich umarmt, geküßt, hat geweint, aber trotz dieses Rührungs-Beiwerkes war die Mitte leer und kalt. Hat sich auch während seines übrigen Aufenthaltes nicht mehr um mich gekümmert. So bequem mir das war, so hat es mich doch auch unangenehm berührt. Ich hatte mir ihn als einen echten Menschen gedacht, und muß ihn nun, unbeschadet der Dankbarkeit für seine Verdienste, als einen Schlaukopf betrachten, der alles zu seinen Zwecken benützt, selbst die Poesie, solang er sie braucht.
Auch die übrigen Staatsmänner hatten wohl geglaubt, mich mit Orden und Achtungsbezeichnungen recht ins Feuer zu jagen, daß ich wie ein geblendeter Finke patriotische Ergießungen ausströmen sollte. Aber weh unserm Staate, wenn ich mich je wieder poetisch mit ihm beschäftigen sollte, es wäre nämlich ein Zeichen, daß er wieder am Rande des Untergangs stünde. Zum Schmeichler hab ich mich nie hergegeben und selbst in jenem Gedichte war Radetzky mehr Anlaß als der Inhalt. (W IV, 716)

Grillparzer an Kaiser Franz Joseph[1] Wien, 26. März 1856

Nun hat er aber außer seinen Amtsgeschäften sich auch literarischen und vor allem dramatischen Arbeiten hingegeben. Was er in letzterem Fache geleistet, dürfte leicht unter das Beste gehören, was seit Schillers Tode in Deutschland erschienen ist. Hierbei war immer die Verherrlichung seines Vaterlandes eines seiner Hauptaugenmerke. Er hat im Jahre 1848, als die gesamte Literatur schwieg, oder sich der Bewegung anschloß, durch sein, nicht ohne eigene Gefahr, veröffentlichtes Gedicht an den Feldmarschall Radetzky, nicht wenig zur Stärkung der guten Gesinnung, ja selbst zur Begeisterung der Armee beigetragen, die ihm dafür einen Ehrenbecher mit der Inschrift: von der dankbaren italienischen Armee, zum Geschenk gemacht hat. (W IV, 853 f)

1 Gesuch Grillparzers um Erhöhung seiner Pensionsbezüge.

Die österreichische Volkshymne
(Gott erhalte unsern Kaiser / Und in ihm das Vaterland)[1]
Entstanden 1850
Erstdruck in Sämtliche Werke, Stuttgart 1872

Grillparzer an Alexander Bach[2] Wien, April 1853 [?]

Ich übersende hierbei die versprochenen Textworte. Ich habe sie, wie ich bereits mündlich zu sagen die Ehre hatte, schon vor drei Jahren auf Aufforderung des Fürsten Schwarzenberg geschrieben, aber nicht abgegeben, weil ich sie nicht für gut halte[3]. Verse nach einer schon vorhandenen Melodie zu dichten, Verse die gesungen werden und Abschnitte und Nachdruck da haben sollen, wo ihn die Musik hat, setzt eine Übung in derlei Dingen voraus, die ich nicht besitze.

1 von Grillparzer zur Thronbesteigung des Kaisers Franz Joseph geschrieben.
2 Innenminister.
3 Grillparzers Text wurde nicht verwendet.

Zugleich ist das Volkslied aus meinen Kinderjahren, und den schwierigsten Lagen der Monarchie, so sehr meinem Innern eingeprägt, daß nebst der Musik auch der alte Text für mich eine gewisse Ehrwürdigkeit erhalten hat und ich nicht umhin konnte, mehr diesen alten Text den neuen Verhältnissen anzupassen, als ganz neue Worte zu schreiben, was dem Ganzen etwas Unbehilfliches gibt; wobei freilich, wenn es gelungen wäre, der Eindruck des Historischen, den das Lied auf mich macht, ungeschwächt auf die Gegenwart übertragen worden wäre. Es ist aber nicht gelungen und nur der wiederholten Aufforderung zu Folge, nur um meine Bereitwilligkeit zu zeigen, erlaube ich mir die meiner Meinung nach verfehlte Arbeit hiemit zur Einsicht vorzulegen. (HKA III, 3, 115)

An die Erzherzogin Sophie
Entstanden 1853
Erstdruck in Sämtliche Werke, Stuttgart 1872

Grillparzer an Gräfin Ernestine Schönborn Wien, 3. März 1853
Hierbei folgen die Verse, die man von mir verlangt[1]. Ein Schelm tut mehr als er kann. Nebstdem daß solche Aufgaben nicht in meinem Talente liegen, hält es auch schwer, alles was bei einer solchen Gelegenheit zu sagen ist, in wenige Zeilen zusammen zu drängen, daher sieht es mit dem Metrum etwas schlottrig aus. Wenn man davon Gebrauch machen will, was ich ganz in das Belieben stelle, bitte ich beim Abschreiben meine Orthographie beizubehalten. Die großen Anfangsbuchstaben der persönlichen Fürwörter als Er, Du, Ihn, wie sie bei hohen Personen gebräuchlich sind, heben allen Rhythmus auf, da man sie unwillkürlich betont. Dagegen schreibe ich: aus Einer Wunde, um es von einer Wunde tout court zu unterscheiden, und habe einmal Er mit großem E geschrieben, weil der Ton darauf fallen soll.

1 Nach dem Attentatsversuch auf Kaiser Franz Joseph am 18. 2. 1853 wurden die Wiener Dichter und Schriftsteller aufgefordert, einen Beitrag über seine Errettung zu verfassen.

Im übrigen verfahren Sie nach Gutdünken. Ich wollte nur meine Bereitwilligkeit zeigen und bedaure wenn meine widerspenstige Natur nichts Besseres zustande gebracht hat. (HKA III, 3, 109)

Dramen und dramatische Fragmente

Die unglücklichen Liebhaber
Entstanden 1806
Erstdruck in HKA II, 3, Wien 1917

Aus der »Selbstbiographie« 1853

Als wir uns daher später mit Poesie abgaben und er[1] ein Trauerspiel aus der römischen Geschichte verfaßte, schrieb ich ein Lustspiel, in dem unsere Professoren mit ihren bis zur Karikatur getriebenen Eigenheiten die Rolle der »unglücklichen Liebhaber« spielten. Wir beide zweifelten nicht, daß er zur Tragödie und ich zum Lustspiele geboren seien. (W IV, 36 f)

Die Schreibfeder
Entstanden 1807–1808
Erstdruck in HKA II, 3, Wien 1917

Tagebuch Juli 1808

Auch fürs Lustspiel habe ich wenige Anlage, wie ich glaube, ich habe zwar den Dialog so ziemlich in meiner Macht, auch wird er manchmal sogar etwas witzig, aber mir fehlt das Erfindungsvermögen. Auch ist das Festhalten der Charaktere eben nicht meine

1 Grillparzers Jugendfreund Ignaz Josef Mailler.

Sache. Ich bin zu flüchtig um hierin zu exzellieren; doch glaube ich daß: die Schreibfeder so übel eben nicht gelungen sei.

(Tgb 12. W IV, 228)

Tagebuch Juli 1808

Ohne Zweifel ist die Schreibfeder das gelungenste meiner Gedichte. Zeichnung der Charakter, Haltung derselben, und vielleicht auch Sprache vereinigen sich dasselbe zu einem nicht unangenehmen Ganzen zu machen. Ich werde es nie aufführen lassen, oder doch nur erst in einigen Jahren, wenn mir ein früheres größeres Werk[1] schon einigermaßen Ruf erworben hat, denn es ist jetzt ja doch Mode, jedes Produkt der Muse bloß nach dem Namen des Autors zu beurteilen, und dann fürchte ich auch daß die Besetzung der Rolle des Peter Moser vielen Schwierigkeiten unterworfen sein möchte. (Tgb 21. W IV, 234)

1 wohl »Blanka von Kastilien«.

Das Narrennest
Fragment[1]
Entstanden 1808
Erstdruck in HKA II, 3, Wien 1917

Aus der »Selbstbiographie« 1853

Wir[2] stifteten eine Akademie der Wissenschaften in der allwöchentlich Versammlungen gehalten und Aufsätze vorgelesen wurden. Damit die Sache aber nicht gar zu ernsthaft werde, gründeten wir nebenbei ein Journal der Torheit, in der jede Albernheit eines Akademikers oder der sonstigen Mitglieder des Wohlgemuthischen Hauses[3], nicht ohne Widerspruch des Beteiligten, da es mitunter die tiefsinnigsten Gedanken waren, eingetragen wurde. (W IV, 49)

1 Das Manuskript bricht nach dem 6. Auftritt des I. Aufzuges ab.
2 Grillparzer und seine Freunde.
3 die Kinder des Hofsekretärs Franz Xaver Wohlgemuth.

Robert von der Normandie
Fragment[1]
Entstanden 1808
Erstdruck in Sämtliche Werke, Stuttgart 1887

Tagebuch Juli [?] 1808

Ich habe gewiß Anlage zur dramatischen Poesie; die beiden Akte aus Robert von der Normandie, sind, wie ich glaube nicht sehr übel gelungen, obschon noch einige harte Stellen darin sind.

(Tgb 20. W IV, 234)

1 Das Manuskript bricht nach dem 1. Auftritt des III. Aufzuges ab.

Blanka von Kastilien
Entstanden 1808–1809
Erstdruck in Sämtliche Werke, Stuttgart 1887
Uraufführung am 26. September 1958 am Wiener Volkstheater

Tagebuch 1808

Ich zweifle sehr oft [ob] ich Anlage zur dramatischen Poesie habe, der erste Akt der Blanka von Kastilien überweist mich ziemlich deutlich vom Gegenteil. Oder sollte ich vielleicht etwa für diesen Zweig der Dichtkunst allzu jung sein? (Tgb 11. W IV, 227)

Tagebuch 1808

(Blanka) Dieser Dolch ist der Schlüssel, der die diamantnen Pforten des Todes entriegelt[1]. (Tgb 16. W IV, 229)

Tagebuch nach dem 24. Oktober

Madame Roose[2] ist tot, und mit ihr meine schönsten Hoffnungen! – Blanka von Kastilien kann nie aufgeführt werden, auch Robert nicht, und was weiß ich alles! – Es ist sehr traurig! Ich habe nie gerne an dem ersten gearbeitet, nun wird es mir aber vollends zur Last. (Tgb 33. W IV, 239 f)

1 später wieder gestrichen.
2 Betty Roose, Schauspielerin.

Ich mag tun was ich will, ich kann über den Charakter der Maria de Padilla nicht einig mit mir selbst werden; bei jeder neuen Rede mißgreife ich ihn. Es ist ausgemacht; ihr hervorstechendster Zug ist Herrschbegierde, nicht Neigung zum Großen; dadurch erklärt sich der Zug daß sie im 2ten Akt dem Könige ziemlich unverschämt schmeichelt. Ich stelle mir sie nämlich so vor: Sie war ein Mädchen ohne feste Grundsätze, durch ihren äußerst niederträchtigen Bruder verzogen, und schon früh jeder Keim zum Guten, das wirklich in ihrer Seele lag erstickt, doch konnte seine Erziehung nie einen gewissen Trieb nach Großem aus ihrem Herzen reißen, der aber durch alle Umstände, und Verhältnisse in Herrschsucht und Sucht zu glänzen, Wohlgefallen an phantastisch großen Handlungen ausartete. Es ist nicht so viel Geldgeiz, Hang zum Laster, was sie gleich anfangs an den König fesselte, als vielmehr, eine ungezähmte Begierde viel zu sein, zu heißen, zu gelten, mit einem Worte bekannt (berühmt oder berüchtigt, einerlei), gefürchtet zu werden, zu herrschen. Diesen ihren Trieb fachte ihr böser Bruder aus Gründen des Eigennutzes noch immer mehr an, und alle Vergehungen, deren sie sich in der Folge schuldig machte, sind bloß Ausflüsse dieses Charakterzuges. Sie will den König verlassen, als sie bemerkt daß er auf dem Punkte sei sein Reich zu verlieren, den[n] das was sie an ihn fesselte, seine Krone, ist nun verloren, was konnte sie zurück halten, geliebt hatte sie ihn nie, aller Grund fällt weg. Wäre Pedro ein Held gewesen Padilla würde ihn vielleicht nicht verlassen haben, denn in diesem Falle hätte ihre Fantasie, ihre romanhaften Begriffe, sie zum Bleiben genötigt, aber der Tod an der Seite dieses elenden Schwächlings, ein Opfer Pedron gebracht hat so wenig den Schein von Größe, von Erhabenheit, daß er vielmehr das Gepräge der Schwäche des Unsinns tragen würde. Ihr Bruder beredet sie durch die Vorstellung, daß Pedros Lage bei weitem noch nicht so verzweifelt sei als sie denke, durch die Idee, daß in diesen Umständen fliehen ihrer Nebenbuhlerin weichen heiße, zu dem Entschlusse noch länger auszuharren. Der König sah Blanken nun erst zum erstenmale und ihre Schönheit machte, wie es jedes andre hübsche Gesicht ebenfalls gemacht haben würde, tiefen Eindruck auf Pedros schlaffe Sinne. Nun muß sich Maria entschließen Blanken zu ermorden. Verträgt sich dieser Entschluß mit ihrem Charakter? Maria ist nicht grausam, nicht lasterhaft, sie ist nur herrschsüchtig, und eben hieraus glaube ich fließt natürlich ihr Beistimmen in den gräßlichen Plan ihres Bruders. – Doch genug, und mehr als genug.

(Tgb 38. W IV, 240 f)

Tagebuch April 1809

Ich möchte eine Tragödie in *Gedanken* schreiben können. Es würde ein Meisterwerk werden! (Tgb 45. W IV, 242)

Tagebuch Juli 1809

(Den 1 Juli d. J. träumte mir ich sei im Theater, und meine Blanka werde ausgepfiffen. Ich hörte nur den ersten Akt, und unmöglich kann ich das Gefühl beschreiben, das mich beim 1ten Pfiff ergriff. Ich wachte darüber auf, und stellte nun halbwachend Betrachtungen an, indem ich mich damit tröstete, es könne nicht mein Stück gewesen sein, da ich es noch unvollendet im Schranke liegen habe.)

(Tgb 47. W IV, 242)

Tagebuch 16. Juni 1810

Wenn bei der Dichtung Blankas mir immer eine Fülle von Gedanken zuströmte, so weiß ich nun, da ich mir doch einen Stoff gewählt habe, an dem einst meine ganze Seele hing, nicht was ich schreiben soll, und das alltäglichste, platteste Geschwätz, das ein gewisses gesuchtes, geschraubtes Wesen noch unerträglicher macht, läßt mich beinah das Versiegen meiner poetischen Ader befürchten. Überhaupt bin ich gar nicht mehr im Stande, mich für etwas so lebhaft zu interessieren als einst, ich lasse ruhig meine Blanka bei der Theaterdirektion liegen, ohne mich seit einem halben Jahre nur im geringsten um sie zu bekümmern. (Tgb 89. W IV, 251)

Tagebuch 19. Juni 1810

Die Bemerkung, daß meine Blanka von Kastilien Ähnlichkeit mit seinem[3] Don Carlos habe, einige Gedanken, auf denen ich mich ertappte, und die ich, ohne es zu wissen, von ihm entlehnt hatte,

3 Schillers.

dies und was weiß ich was noch alles ist, wie ich glaube, der Grund meiner Abneigung, meines Hasses mögte ich beinahe sagen, gegen diesen vergötterten Dichter. (Tgb 91. W IV, 254)

Tagebuch 20. Juni 1810

Ich las anfangs Schillern und schrieb dabei meine Blanka, und nie fiel mir ein an der Vortrefflichkeit derselben, an meinem vorzüglichen Dichtertalent zu zweifeln; denn Schiller war mein Idol, mein Vorbild, und mein Gefühl (vielleicht auch meine Eitelkeit) sagte mir, ich sei auf dem Wege ihn zu erreichen. Das erhob mich ganz natürlich und gab mir Mut und Kräfte; doch durch Goethe ward ich in eine ganz andre Welt versetzt. Da waren nicht mehr die zwar kräftigen, aber rauhen Pinselstriche, da war, möchte ich sagen, keine Freskomalerei mehr, die Zartheit des Miniaturmalers hatte ich mir zum Muster genommen, und – ich fühlte meine Hand zu schwach! Traurige Zufälle trugen das ihrige bei, kurz, alles was ich bisher geschrieben hatte, kam mir unerträglich, plump, ungebildet vor, ich fing an Blanken, in der ich einst ganz lebte, kam mir unerträglich vor[4], ich verwarf sie, und mit ihr war all mein Glück, all meine Ruhe dahin. Meine Ruhmsucht war in ihrem Innersten angegriffen, meine Phantasie, die mir nur Bilder lieferte, die mir abschreckend waren, verlor ihren vorigen Schwung, meine Laune, die nie angenehm war, ward unerträglich, kurz ich geriet in den Zustand, in dem ich mich jetzt befinde, und aus dem ich mich nicht reißen kann, trotzdem daß ich seine Quelle ziemlich richtig kenne. O möchten doch jene seligen Stunden wiederkehren, in denen ich in den Armen der Poesie schwelgte, wo ich mich noch erhaben fühlte über die Welt um mich her, wo ich noch nicht meinen Freunden unausstehlich und mir selbst zur Last war! Eitle Wünsche!
(Tgb 92. W IV, 256)

Tagebuch 25. Juni 1810

Ich kann nicht länger mehr so fort leben! Dauert dieses unerträgliche, lauwarme Hinschleppen noch länger, so werd ich ein Opfer meiner Verhältnisse. Dieses schlappe geistertötende Einerlei, dieses

4 Schreibversehen Grillparzers.

immerwährende Zweifeln an meinem eigenen Werte, dieses Sehnen meines Herzens nach Nahrung ohne je befriedigt zu werden; ich kann es nicht mehr aushalten. Drum fort, fort aus dieser Lage! Hinaus in die Welt, um diesen Trübsinn, wenn auch nicht zu stillen, aber doch wenigstens zu übertäuben. Im Getümmel der Welt, in anderen Gegenden, von andern Menschen umgeben wird vielleicht mein Geist wieder die glückliche Stimmung gewinnen, die mir die Tage meiner frühern Jugend so selig verfließen machte, vielleicht daß die Alpen der Schweiz in mir jenen Geist wieder in mir[4] wecken, der mit vollen Strömen sich in Bl. v. Kast. ergoß, und der jetzt von der Last meiner Laune niedergedrückt, auch nicht den kleinsten Versuch macht, sich wieder aufzurichten.

(Tgb 94. W IV, 257)

Tagebuch 3. Juli 1810

A[5] bat mich heute zu meinem Onkel[6] zu gehen um mich wegen meiner Blanka zu erkundigen. Schon jüngst versprach ich es ihm, doch war es mir unmöglich. Ich bin schon oft hin in der Absicht über diese Sache zu sprechen, aber der Gedanke, um Aufnahme meines Stückes zu betteln, fiel mir zu unerträglich, als daß ich eine Silbe hätte hervorbringen können. Aber heute, wahrlich nur A zu gefallen, überwand ich mich, und erklärte mich bereit mein Stück zurückzunehmen, wenn man Anstand nehmen sollte es aufzuführen. Aber mein Onkel erzählte mir, daß er Graf Palfi'n[7] erst heute in Lesung desselben getroffen habe, der auf sein Befragen wie es ihm gefiele antwortete; es ist sehr lang, ich sehe kein Ende! – Ein Palfi soll über mein Werk urteilen! Ein Kerl, der nicht im Stande ist den simpelsten Gedanken darin zu fassen! Und das dulde ich? Und ich stand gelassen wie ein Schaf, und erklärte wohl gar, ich hielte es selbst nicht mehr für so gut wie ehmals, nur um Sonnleithnern glauben zu machen, es läge mir nichts an dem Schicksale desselben. Ach es waren Zeiten, wo man mir so etwas nicht ungeahndet sagen durfte; aber das ist nun vorbei! Ich habe alles Selbst-

5 Grillparzers Jugendfreund Georg Altmütter.
6 Joseph Sonnleithner, Sekretär des Burgtheaters.
7 Ferdinand Graf Palffy von Erdöd, Leiter des Theaters an der Wien.

vertrauen verloren, und wäre wohl gar im Stande Palfi'n ein paar Komplimente zu sagen, um – pfui ekelhafte, niedrige Kotseele!

(Tgb 97. W IV, 261)

Tagebuch 14. August 1810

Hoy me rendiò mi Tio José S. mi B.d.C. [Heute gab mir mein Onkel Joseph Sonnleithner Blanka von Kastilien zurück.] Ich war darauf gefaßt, daher ich auch ziemlich gut den Unbefangnen spielte. Aber ich fürchte es wird mir noch manche schwere Stunde machen.

(Tgb 99. W IV, 262)

Tagebuch 1817

Schon in meinen frühesten Jahren trieb ich mit Leidenschaft die Dichtkunst. Meine Versuche gefielen mir und meinen Freunden und ich verfiel auf den Gedanken etwas Größeres zu versuchen. Ich warf mich mit aller Lebhaftigkeit der ersten Jugend auf einen tragischen Stoff und unternahm ein Trauerspiel: Blanka von Kastilien (die Gemahlin Pedro des Grausamen) zu schreiben. Sehr bald machte ich die Bemerkung, daß die Ausführung geheime Stacheln habe, wovon ich in der Trunkenheit des Entwerfens nichts geahndet hatte; hiezu kam noch der außerordentliche Abscheu, den ich von Kindheit her vor langem Stillesitzen, besonders aber vor *Schreiben* hatte, kurz, ehe noch der 1t Akt vollendet hatte[8], brach ich ab, und ließ, ich war damals höchstens 15 Jahre alt, meine Arbeit liegen. Einige Jahre vergingen und ich schien die Poesie ganz unter dem Treiben des neu erwachten Lebens vergessen zu haben. Ein glücklicher Augenblick erschien und ich nahm meine Blanka wieder zur Hand. Natürlich war mir nun bei größerer Reife mein erster Plan nicht mehr genügend. Ich warf zusammen, baute neu auf, schmolz Fakta und Charaktere um, kurz entwarf einen ganz neuen Plan. Unglücklicherweise konnte ich mich nicht entschließen, den bereits vollendeten ersten Akt zu kassieren, sondern, arbeitsscheu, wie ich war, ließ ich ihn stehen, und baute weiter, indem ich mir zugleich vornahm, ihn nach Vollendung des ganzen Stückes durchaus umzuarbeiten. Die Arbeit ging langsam und unter tausend Zer-

8 Schreibversehen Grillparzers.

streuungen und Unterbrechungen ward erst nach Verlauf eines vollen Jahres das Stück fertig, das nun alle Merkmale des Zauderns und Unterbrechens an sich trug, und ungeheuer gedehnt, nicht aus einem Gusse und ohne innern Zusammenhang in seinen Teilen war. Davon ließ ich mir aber damals nichts träumen. Eine Überarbeitung des ersten Akts fand ich lästig, und deshalb auch gar bald nicht nötig. Ich begnügte mich einiges hinzuzuflicken, wobei ich mich jedoch sehr hütete, etwas wegzulassen, da mir alles so sehr gefiel. (Tgb 222. W IV, 270 f)

Tagebuch[9] 1827

Zwei Jahre vergingen[10], bis es ihm einfiel ein Trauerspiel zu schreiben, das, teilweise warm, im ganzen ziemlich unbedeutend, und ohne eigentliche Folge blieb. Das Stück war vollendet, es kam ihm aber nicht in den Sinn, irgend einen Gebrauch davon zu machen. Es blieb liegen. Erst als sein Vater starb, und er sich in die äußerste Not versetzt fand, suchte er das Geschreibe wieder hervor und bot es einem Theatermenschen an, um dafür Geld zu erhalten. Der Theatermensch gab es ihm mißbilligend zurück, und nun blieb er *sieben* Jahre, ohne, abgerissene Versuche abgerechnet, irgend etwas Poetisches zu bilden. Ja, jede Ausübung der Dichtkunst war von seinem Lebensplane ausgeschlossen. (Tgb 1653. W III, 204 f)

Aus »Anfang einer Selbstbiographie« 1834/35

In seinem 15t Jahre begann er ein Trauerspiel: Blanka von Kastilien, das aus der Geschichte Peter des Grausamen genommen, von ungeheurer Ausdehnung, und so ziemlich Schillern nachgeahmt war.

Als im Jahre 1809 sein Vater starb und er dadurch in große Not versetzt wurde, erinnerte G. sich dieses Trauerspiels wieder und übergab es, geradezu aus Not, dem Wiener Hoftheater. Es wurde ihm, als nicht zur Aufführung geeignet, zurückgestellt.

Diese Zurückweisung machte auf ihn, der ohnehin von Natur einen Widerwillen gegen jedes öffentliche Auftreten hatte, einen tiefen

9 Notiz zu Grillparzers Versuch einer satirischen Autobiographie: »Zu Fixlmüllners Charakteristik«.

10 nach der Niederschrift des Gedichtes »An den Mond«.

Eindruck. Er erinnerte sich der Vorhersagungen seines Vaters, der ihn immer vor der Poesie gewarnt hatte, und, zu stolz sich mit einem untergeordneten Platze zu begnügen, beschloß er der Dichtkunst ganz zu entsagen. (W IV, 17 f)

Grillparzer zu Adolf Foglar 18. Januar 1846

Mit 16 oder 17 Jahren habe ich ein endloses Stück geschrieben und dem Theatersekretär Sonnleithner, meinem Onkel, zum Lesen gegeben. Er gab es mir als zu lang und unaufführbar zurück; doch habe es gelungene Details enthalten. Wie mißlungen es immer war, so muß ich doch jetzt sagen, daß es für einen jungen Menschen von 16 Jahren recht viel Gutes enthielt. Da ich übrigens mit ihm *einer* Meinung war, so ließ ich das Stück liegen und – es liegt noch. Weil ich mir sagte, in der Kunst muß man etwas Tüchtiges oder gar nichts leisten, so gab ich nach diesem ersten Versuche das Dichten auf. (HKA II, 13, 60 f)

Aus der »Selbstbiographie« 1853

Um diese Zeit waren mir auch die ersten Dramen Schillers in die Hände gekommen. Die Räuber, Kabale und Liebe, – Fiesco hatte ich aufführen gesehen – und Don Carlos. Das letztere Stück entzückte mich und ich ging daran auch ein Trauerspiel zu schreiben. Ich wählte dazu aus der Geschichte Peters des Grausamen die Ermordung seiner Gattin, Blanka von Kastilien, und diese letztere gab den Titel her. Ich übereilte mich nicht und schrieb ziemlich lange daran, wobei ich immer den Don Carlos im Auge hatte, mit dem es übrigens auch zwei Fehler gemein hatte; daß ich nämlich in der Mitte des Stückes am Plane änderte, und es so ungeheuer lang geriet, daß man gut zwei volle Abende daran zu spielen gehabt hätte. Als es fertig war, legte ich es hin und zeigte es niemanden, auch meinem Vater nicht, da ich seine Abneigung gegen solche Beschäftigungen zu kennen glaubte. (W IV, 46 f)

Aus der »Selbstbiographie« 1853

Zugleich [11] fiel mir mein vergessenes Trauerspiel ein. Vielleicht, daß sich dadurch etwas verdienen ließ. Ich schrieb es, gemeinschaftlich

11 nach dem Tod des Vaters.

mit meinen Freunden Wohlgemuth und Altmütter ab und überreichte es dem Bruder meiner Mutter, demselben mit dessen Beispiel mich mein Vater von der Poesie abgeschreckt hatte und der damals, in Folge einer der vielen Phasen seines Lebensplanes, als Sekretär und Dramaturg bei dem Wiener Hofburgtheater angestellt war. Ich wartete lange auf Entscheidung, endlich erhielt ich es mit der Äußerung zurück, daß es nicht anwendbar sei. Darin hatte der Mann allerdings recht, demungeachtet glaube ich, daß er das Stück, abgeschreckt durch die unmäßige Länge und die nicht einladende Handschrift Altmütters, gar nicht, oder wenigstens nicht zu Ende gelesen hat, er hätte sonst unzweideutige Spuren eines Talentes darin entdecken müssen, das nicht so kurz abzufertigen war, umsomehr als es ihm weder an Herzensgüte noch an Verstand fehlte. Nur war er ungeheuer flüchtig. [...] Mir selbst fiel bei der Rückgabe meines Trauerspieles die Prophezeiung [12] meines Vaters ein, und ich fühlte mich in dem Entschlusse bestärkt, der Poesie, vor allem der dramatischen, für immer den Abschied zu geben. (W IV, 59)

Aus der »Selbstbiographie« 1853

Ich erzählte ihm [13], daß ich in meinen Knabenjahren ein endloses Trauerspiel geschrieben, von dessen Unbrauchbarkeit ich aber nun selbst überzeugt sei. Seitdem hätte ich es aufgegeben. Wenn ich nichts Tüchtiges leisten könne, dulden lassen wolle ich mich nicht. (W IV, 71)

Grillparzer zu Familie Lieben 1859

Ich schrieb mein erstes endloses Stück ungefähr mit 15 Jahren und zeigte es meinem Onkel, der Sekretär bei der Theaterdirektion war; ich vermute, daß dieser etwas liederliche Patron es nicht einmal durchgelesen hat. Denn obwohl er mir sagte, daß es ganz unbrauchbar sei, wovon ich auch überzeugt bin, hätte er doch Spuren von Talent darin entdecken können. Da er mich nicht ermutigt hatte, so gab ich derartige Versuche ganz auf. (HKA II, 13, 61)

12 »ich würde noch auf dem Miste krepieren« (W IV, 42).
13 Josef Schreyvogel.

Grillparzer zu Wilhelm von Wartenegg 1. März 1860
Ich habe zwar in meinem siebzehnten Jahr ein Stück geschrieben, das gar kein End nimmt; man müßts an drei Abenden aufführen. Solche Längen finden wir im Schiller, na, und da kann man sichs gefallen lassen. Wir sind alle keine Schiller und müssen das bedenken. (HKA II, 13, 65)

Irenens Wiederkehr
Fragment[1]
Entstanden Ende 1809
Erstdruck in Sämtliche Werke, Stuttgart 1887

Aus der »Selbstbiographie«. 1853
Wir[2] wollten sogar einmal gemeinschaftlich ein belletristisches Journal Irene herausgeben, zu dem ich das gleichnamige Einleitungsgedicht schrieb, das mir abhanden gekommen ist. Die Zensurstelle, der wir Probebogen handschriftlich vorlegten, versagte aber die Bewilligung zur Herausgabe, wobei sie wahrscheinlich sehr recht hatte. (W IV, 47)

1 Das Manuskript bricht nach V. 364 ab.
2 Grillparzer und seine Freunde.

Friedrich der Streitbare
Fragment[1]
Entstanden 1809–1834
Erstdruck in Sämtliche Werke, Stuttgart 1887

Tagebuch Ende November 1809
Ich will ein historisches Schauspiel schreiben: Friedrich der Streitbare, Herzog von Östreich. (Tgb 67. W IV, 248)

1 Das Manuskript umfaßt Prosaentwürfe zu den Aufzügen I und II und die Ausarbeitung von etwa 100 Versen.

Grillparzer an Josef Schreyvogel Baden, 18. Juni 1818

Ich habe an den verflossenen Tagen auf den Ruinen von Rauhenstein und Rauheneck gesessen. Da blieb denn auch der Raptus nicht aus, ich ward so begeistert, daß ich alles Ernstes den Geist Friedrich des Streitbaren heranrief, aber – er blieb aus. Das zieht alles wie Guckkastenbilder vorüber und läßt keine Spur zurück. Ist das Leere oder Überfüllung? Ich weiß nicht; aber, daß das der unangenehmste Zustand ist, den ich mir denken kann, das weiß ich.

(HKA III, 1, 137 f)

Tagebuch März 1819

Dort taucht Wiener Neustadt auf mit seinen 2 schwarzen Türmen. Diese wahrhaft gute und getreue Stadt der Östreicher. In diesen weiten Ebenen, von Bergen umkränzt, über die der greise Schneeberg herübersieht, wie ein Ahnherr über seine Enkel, hier lagerte Kaiser Friedrichs Belagerungsheer, hier die Macht feindlicher Ungarn – Friedrich [der] Streitbare, Andreas Baumkircher.

(Tgb 335. W IV, 275)

Spartakus
Fragment[1]
Entstanden 1811
Erstdruck in Sämtliche Werke, Stuttgart 1887

Tagebuch November 1812

Mit einer eigenen unendlich traurigen Empfindung denke ich der Plane, die ich einst in bessern Tagen machte. Wenn ich mir jetzt die Idee, die mich bei der Ausarbeitung des Spartakus begeisterte bedenke, so schaudre ich, und es ist mir kaum begreiflich, sie je gehabt zu haben. (Tgb 144. W IV, 265)

1 Das Manuskript bricht nach V. 837 ab.

Ein treuer Diener seines Herrn
Entstanden 1815–1826
Erstdruck Wien 1830
Uraufführung am 28. Februar 1828 am Wiener Hofburgtheater

Tagebuch — Ende 1820

Die hübsche E[1], ohne überflüssigen Geist, aber jung und blühend an einen bejahrten, fast widerlichen Mann verheiratet, der ihr aber an Bildung überlegen ist, und sie durch Gefälligkeiten und Aufmerksamkeiten aller Art an sich zu fesseln oder vielmehr zu gewöhnen weiß. Durch ihn in größere Zirkel eingeführt, in denen sie ihrer Langenweile los wird, und mit Bequemlichkeiten umgeben, die ihren rein körperlichen Ansprüchen an das Leben wenn auch nicht völlig genug tun, doch wenigstens sie beschwichtigen, sieht sie ihren Mann als den Schöpfer dieses behaglichen Daseins an und ist ihm darum recht aufrichtig gut. Sie findet offenbar Wohlgefallen an manchen Männern, besonders an solchen von hübscher Außenseite, aber ihr Wunsch wird nie zum Verlangen, und selbst der Wunsch geht nie so weit, daß sie dächte: O wäre doch ein solcher mein Mann! sondern höchstens: O wäre doch mein Mann ein solcher! Schon ihre Liebe zum Gewohnten und Bequemen hält sie von jeder Untreue zurück, und die Unruhe einer Liebes-Intrigue könnte ihr nicht durch alle möglichen Reize derselben aufgewogen werden. (Tgb 331. W IV, 357)

Notizen — April 1825

Die Geschichte jenes Grafen Bank von Presburg, den König Andreas II bei seinem Zuge nach Halitsch zum Palatin bestellt. Otto, Herzog von Meran, der Königin Gertrud Bruder, verliebt sich in Banks Gemahlin. Diese widersteht allen seinen Angriffen, aber übertriebene Schwesterliebe verleitet die Königin zur Begünstigung eines Verbrechens und in ihren Gemächern erliegt die Tugend der unglücklichen Frau. Dieses Ereignis empört die ohnehin mißvergnügten Großen noch mehr gegen ihren König, und auch der mißhandelte

1 Bezieht sich auf Erny oder auf Elga in »Kloster bei Sendomir«.

Palatin tritt nun ihrer Sache bei. Die Königin wird überfallen und ermordet. Die Anhänger des Königs rächen diesen Mord an den Tätern, aber sie, und auch nach seiner Zurückkunft der König, schonen des, obgleich mitwissenden Grafen Bank. Feßler[2] III 416.
Nicht lange darauf, unter der Regierung des Karl Martell, kommt eine zweite Schändungsgeschichte mit so ähnlichen Umständen vor, daß man fast in Versuchung geraten könnte, beide nur für Kopien einer und derselben Sage zu halten. Hier ist ein Edler Felician Zah, Vater zweier Töchter, Saba und Klara, welche letztere Casimir, der Bruder der Königin, mit Beistand dieser Letztern, entehrt. Der Beleidigte übt selbst die Rache, indem er in den Speisesaal der königlichen Familie stürzt, und mit dem Säbel einen Hieb auf die Königin führt, der 3 Finger von ihrer Hand trennt; nur mit Mühe wird er übermannt und niedergestochen. Was nun folgt zeigt all jene brutale Barbarei, einen Grundzug der ältern ungarischen Geschichte, den Feßler mit so viel Mühe verschleiert. Der geschändeten Tochter werden Nase und Lippen abgeschnitten und so wird sie auf ein Pferd gesetzt und durch die Stadt geführt. Aber auch alle Verwandte der beiden Unglücklichen bis in den *dritten Grad* erleiden die Todesstrafe. Damit noch nicht zufrieden, fertigen die versammelten Großen einen Rechtsspruch aus, in dem alle Schuld dem unglücklichen Záh zugewälzt wird. (HKA I, 18, 402)

Notiz — Mitte März 1826

Materialien zu einem künftigen Trauerspiele: Ein treuer Diener seines Herrn. (HKA I, 18, 403)

Tagebuch — März 1826

Endlich verfiel ich auf die Geschichte des Palatin Bancbanus, dessen Frau der Bruder seiner Königin, Otto von Meran entehrt. Unter dem Titel »Ein treuer Diener seines Herrn« brachte ich eine ziemlich glückliche Anlage zu Stande, die mich sehr interessierte. Ich war schon so weit klar darin geworden, daß ich das Ganze eines Tages Flury'n[3] von Anfange bis zu Ende mit allen Details erzählte und

2 J. A. Feßler, »Die Geschichte der Ungarn und ihrer Landsassen«, Leipzig 1815.
3 Ludwig Jacob Flury, Hofmeister bei dem Grafen Stadion.

zwar so begeistert, daß ich ihn gleichfalls hinriß. Nun glaubte ich sei alles gewonnen und ich fing an zu schreiben. Aber es ging wieder nicht. Das Leben fehlt, sogar die Worte fehlen. In den alten Bancbanus war ich ziemlich tief hinuntergestiegen. Der König und die Königin waren im reinen. Bancbanus Frau konnte im allgemeinen umrissen sehr gut dem Eindrucke der Begebenheiten überlassen werden. Aber der Prinz mußte ausgemessen werden und dazu fehlte die Lust; die Applikation. Dieser Libertin, der seine Leidenschaften als Spielzeug braucht, bei dem sie aber zugleich so heftig sind, daß sie wieder zur Wahrheit werden und ihn im 3 Akte körperlich krank machen. – Diese letzten Worte habe ich hingeschrieben ohne ihren Zusammenhang innerlich zu fühlen. Die Tragödie muß vor der Hand also wohl unausgeführt bleiben.

(Tgb 1428. W IV, 395 f)

Notiz Oktober 1826

V [Akt] Wenn Bancban mit einem Diener käme, der das Kind trägt. Herzog Otto folgt ihm. Er sendet den Diener nach der Stadt zurück, mit Aufträgen an die Bürger, die seine Partei halten, und gibt danach das Kind dem Herzoge. (HKA I, 18, 404)

Notizen Ende Oktober 1826

Sollen Hofleute vorüber gehn die des Bancbanus spotten.
Otto kömmt. Es ist Streit zwischen seinen Leuten und den Ungarn ausgebrochen in den Gesindestuben. Bancbanus geht um zu schlichten. Erny will ihm folgen. Otto bedeutet ihr, daß die Königin nach ihr verlange. Bancbanus heißt sie dem Befehle folgen.
Da Erny nach den Zimmern der Königin gehen will, erklärt Otto das Ganze für eine List um sie ohne Zeugen zu sprechen.
Erny zeigt ihm ihren Unwillen.
Otto. Verstellt euch nicht, ich habe bemerkt wie eure Blicke auf mir hafteten. Ihr seid nicht so fühllos als ihr scheint.
Erny. verwirrt.
Otto. Ich weiß ihr meidet mich, Ihr haltet mich für lasterhaft. Ich bins, ich war es. Aber habe ich die Tugend je gekannt. Wäre sie mir in eurer Gestalt erschienen, wie gern hätte ich mich ihr hingegeben. O daß ich euch nicht kannte, als ihr noch frei wart, als noch diese

ungleiche widernatürliche Verbindung nicht geschlossen war. Er zeigt sich bekannt [mit] der Geschichte ihrer Verheiratung. Nehmt euch meiner an. Würdigt mich mich auf den Pfad zurückzuführen, der euch so leicht wird, und auf dem mich eure vor mir herschwebende Gestalt erhalten wird. Ich verlange nichts Unerlaubtes von euch. Nur daß ihr mich anhört, nur ein freundliches Wort gönnt, mich zurechte weist wo ich irre. Gewährt mir das, auf meinen Knieen beschwöre ich euch.
Erny macht ihn auf das Unschickliche des Ortes aufmerksam. Er bittet sie um eine Zusammenkunft von einer halben Stunde. An keinem verfänglichen Orte, im Garten, im Beisein einer vertrauten Zeugin, wie sie wolle, wie sie wähle.

Am Schlusse des 2 Aktes, da Otto Ernyn im Getümmel der fortgehenden Gäste einige Worte zuflüstert, sagt sie zu ihm: Geht, ich verachte euch! und mischt sich unter die Fortgehenden. Otto durchbricht die Menge, faßt Ernyn an der Hand, führt sie in den Vorgrund und ruft: Warum verachtet ihr mich? Die Gäste bleiben erstaunt stehn, die Königin tritt unwillig auf ihn zu. Warum verachtet ihr mich? wiederholt Otto. Da die Gäste fort sind und die Königin die, halb begleitend, der Türe zugewandt war, nach vorne sich kehrt, hat sich Otto auf die Kniee geworfen, das Haupt über einen Stuhl gebeugt. Er antwortet auf keine Frage. Sprecht nicht, laßt mich sterben, ruft er mit schwacher Stimme, sich ganz auf den Boden sinken lassend. Der Vorhang fällt.

III *Otto*. Ich verlange nicht daß ihr euch gebt, nur daß ihr sagt, daß ich euch nicht gleichgiltig bin.
Erny. Ihr seids auch nicht! Gleichgiltig? Ich veracht' euch.
Otto. So sei es denn, so tobe Raserei [4].

Andreas, König.
Gertrude, vornehm, stolz. (Graf Stadion) Ihrem Bruder leidenschaftlich, bis zur Verliebtheit und Eifersucht [5] zugetan. Sie hat anfangs an der Liebe ihres Bruders zu Bancbanus Frau kaum etwas auszusetzen, und wenn Erny einwilligte, so fände sie alles ganz natürlich.

4 dreimal unterstrichen und am Rand vermerkt: NB.
5 Am Rand vermerkt: NB. III Akt.

Als aber Otto Widerstand findet und seine Liebe in körperliche Krankheit überzugehen anfängt, tadelt sie ihn heftig, zürnt über seine Schwäche, gibt aber zuletzt doch aus übertriebner Zuneigung nach.

Bancbanus. kleine, hagere, etwas gekrümmte Figur, starker Schnurbart und ziemlich graue Haare. Mehr Geschäftsmann als Krieger. Erny jung, schön, hohe Gestalt, volle Formen, blond, weiße Haut, gefärbt, mehr regelmäßige als interessante Züge. Kühles Temperament. Bancbanus war der Freund ihres Vaters. Als sie ihn als verlassene Waise heiratete, fühlte sie die innigste Achtung für ihn, die Verehrung eines Kindes, sie liebt ihn aber auch. Otto bringt zwar (angedeutet schon im I Akt, stärker 5. 6. 7. 8. Szene des II Akts) Gefühl und Sinn in Aufregung, es braucht aber nur jenes Zuges von Vertrauen von Seite ihres Mannes (wo er ihr den verlorenen Zettel zurückgibt) um alle Eindrücke aus ihrer Seele wegzuwischen.

Otto von Meran. Eigentlich charakterlos. Aimable roué. Nicht ohne Sinn für Tugend, aber als Aufwallung.

Wenn Graf Peter und Simon ihm von des Prinzen Bewerbung um seine Frau erzählen, so ruft er sich unterbrechend immer auf die Supplikanten zurück, und stellt Fragen an sie.

II Erny verspricht dem Prinzen zu schreiben, sie will es tun, dann kommt Bancbanus, sie steckt das Papier in den Busen, von dem Bewußtsein gefoltert gibt sie ihm – das leere Blatt so zerknirscht wie über die verdächtigsten Worte, weil sie ja doch darauf schreiben *wollte*.

II Sie willigt ein dem Prinzen zu schreiben, weil es ein offner Saal ist in dem sie sprechen, weil der Prinz sich auf die Kniee wirft, weil sie jeden Augenblick gesehen werden können.

Das Berührtsein[6] des Prinzen für den 3 Akt aufsparen. Im 2t Akt noch ungestüm, durch die Verlegenheit wirken wollend.

6 unterstrichen; am Rand vermerkt: NB.

Sie allein. Hilflosigkeit, bei jedem Geräusch glaubt sie, der Prinz kehre wieder. Sie setzt sich zu schreiben. Die Gedanken versagen ihr. Der Prinz schleicht aus dem Zimmer und überwacht sie.

Sie muß nicht ganz ohne Schuld sein, damit Bancbanus durch sein Vertrauen gerade das bewirke, was vielleicht die geschärfteste Aufmerksamkeit nicht bewirkt hätte. Auch muß in dieser Szene Bancbanus ganz [?] auftreten, damit sein Charakter nicht Indolenz scheine. (HKA I, 18, 405 ff)

Notizen Spätsommer 1827

Es ist vor allem nötig ihren Charakter, das Besonderste ihrer Lage und Gemütsverfassung festzusetzen. Liebt sie den Prinzen? – Nein. Hat sie ihn nie geliebt? – Nein. War er ihr immer ganz gleichgiltig? – Hier muß ebenfalls wieder mit Nein geantwortet werden.

Es ist hier zweierlei zu berücksichtigen. Sie sich selbst treu bleiben zu lassen, und das Interesse des Stückes zu bewahren. Ist in ihrem ganzen Zustande keine Berührtheit, nichts was eine Gefahr für ihren Gatten in sich schließt, so handeln die 3 ersten Akte, und somit das ganze Stück de lana caprina[7].

Vielleicht wäre der Begebenheit mit dem Bilde jene vorzuziehen, wo der Prinz, *bald nach seiner Ankunft am Hofe*, ein wildes Pferd im Angesicht seiner Schwester und ihres Hofes zureitet. Das Tier bäumt sich. Blasses Schrecken ergreift die Frauen alle. Aber nur eine schreit laut auf und tritt zwei Schritte vor. Es war Erny.

(HKA I, 18, 418 f)

Notizen Herbst 1827

Ein klein wenig was *wildes*. [nachgetragen:] störrisch, trotziges. Vor Leuten *scheu*. *Stolz* auf ihre Abkunft?

Kalt, kalt. Kaltes Temperament, und der Prinz hat wirklich in der frühesten Zeit Eindruck auf sie gemacht. Das sind die beiden Angeln ihres Benehmens.

7 Um den Bart der Ziege, d. h. umsonst; nach einem Horaz-Zitat.

Diese Kälte schließt jedoch einen Grad von Zornmütigkeit nicht aus.

Die große Wirkung auf den Prinzen entsteht daher, daß er sich die Eroberung gar *so leicht* vorgestellt hatte.

Wie, wenn er im 3 Akt wirklich eine Anmahnung von besseren Gesinnungen hätte, und durchaus aber nicht glauben könnte, daß sie wirklich ihren Mann liebe? (HKA I, 18, 419)

Tagebuch Ende September 1827

Wenn nicht aus dem Betragen Erny's hervor geht, daß sie früher doch einiges, wenngleich unschuldiges, Wohlgefallen an dem Prinzen gehabt, so handeln die ganzen 3 ersten Aufzüge de lana caprina. [Am Rand nachgetragen:] Zum treuen Diener seines Herrn.

(Tgb 1619. W IV, 434)

Tagebuch Ende 1827

Ich habe das Trauerspiel: ein treuer Diener seines Herrn der Theaterdirektion übergeben. Der Theatersekretär Schreyvogel besteht darauf, daß ihm das Stück nicht gefalle. Ich halte viel auf des Mannes Urteil, und mein innerstes Gefühl gibt ihm recht. Aber mißfällt mir jetzt das Stück, so war es ja doch einmal anders. Als ich es schrieb – freilich kann das täuschen! Auch bin ich mir bewußt, während der Arbeit am Plane geändert zu haben, und da kann leicht etwas Unübereinstimmendes in die Teile gekommen sein. Ich fühle meine Kraft versiegen. Mein Herz ist betrübt bis in den Tod[8].

'Αλλα ἐπιχειϱοῦντι τοῖς καλοῖς, καλῶς καὶ πάσχειν ὁτι ἀν τῷ ξυμβῆ παϑεῖν[9]. (Tgb 1620. W IV, 434)

8 Anklang an »Ein treuer Diener«, V. 1556: Mein Innres ist betrübt bis in den Tod!

9 Dem, der sich am Schönen versucht, dem geht es gut, was ihm auch immer zustößt.

Wien, 3. Dezember 1827

Grillparzer an Peter Wilhelm Graf Hohenthal[10]

Ich habe in neuer Zeit ein Stück geschrieben, mit Rücksichten auf Verhältnisse, Zensur, also schlecht. Ich bitte ihn[11] im voraus in meinem Namen um Verzeihung zu bitten, wenn ihm das Machwerk je zu Gesichte kommen sollte. (W IV, 783)

Grillparzer an Julie Löwe Wien, 7. Januar 1828

Sie haben mir die Ehre erwiesen, sich im Namen Ihres Herrn Bruders in Beziehung auf die von ihm darzustellende Rolle des Otto von Meran in dem Trauerspiele: ein treuer Diener, an mich zu wenden. Zur Gewinnung von Raum und Zeit bin ich so frei, ohne weitern Eingang hierüber folgendes zu bemerken. Der Grundzug dieses Charakters ist Übermut, aus zweifacher Quelle: als Prinz und als Liebling der Frauen. Von Kindheit an gewöhnt, allen seinen Neigungen gehuldigt zu sehen, bringt ihn jeder Widerstand außer sich. An den Hof seiner Schwester gekommen, in ein Land, *dessen Bewohner er verachtet,* von langer Weile gedrückt, sind ihm die Zeichen einer aufkeimenden Neigung in der Gemahlin des alten Bancbanus höchst willkommen. Sie ist schön; daß nie eine Gelegenheit sich darbietet, ihr allein zu nahen, reizt ihn. Doch ist er der Meinung, daß diese Gelegenheit nur erscheinen dürfe, um seines Sieges gewiß zu sein. Er schätzt Erny'n gering, wie alle Bewohner Ungarns, wie – alle Weiber. Als er, statt Liebe, Verachtung findet, bricht der Ungestüm seines Wesens übermäßig hervor, und Wut, Trotz, Rachedurst, ja die Spuren einer, durch den Widerstand erst mehr zum Bewußtsein gekommenen Neigung für die Widerstrebende versetzen ihn in jenen Zustand, in welchem wir ihn am Schlusse des zweiten, vornehmlich aber zu Anfang des dritten Aufzuges erblicken. In der darauf folgenden Szene mit Erny durchläuft er alle Tasten der Empfindung, durch die er Eindruck auf die Eingeschüchterte zu machen hofft. Trotz eines, alle seine Reden begleitenden schadenfrohen Lauerns, ist er in dieser Szene doch nur

10 Intendant des Leipziger Theaters.
11 Heinrich Blümner, Inspektor des Leipziger Theaters.

halb ein Heuchler. Wenn Erny ihn erhört hätte, würde er durch längere oder kürzere Zeit an ihre Seite, mit allem Behagen eines Feinzünglers, die halbvergessenen Genüsse der Unbefangenheit und Unschuld geschmeckt haben, bis lange Weile oder ein stärkerer neuer Reiz ihn in die alte Wüstheit zurückgezogen. Als sie noch immer widersteht, erwacht sein Grimm wieder, durch das demütigende Gefühl, wie viel er sich vergeben, aufs äußerste gesteigert. Die Würkungen desselben zeigt das Stück.

Der vierte Akt ist der schwierigste, und am meisten dem Vergreifen ausgesetzt. Unter zehen Schauspielern werden neun uns den Prinzen als einen eigentlich Wahnsinnigen geben. Das ist er aber nicht. Fast würde vorübergehender Blödsinn eher seinen Zustand bezeichnen. Es ist eine dumpfe Abspannung, die notwendig eintritt, wenn im Zustande der höchsten Aufregung ein entsetzliches Ereignis die Lebensgeister, die den höchsten Grad der Steigerung bereits erreicht haben, von diesem Gipfel in den entgegengesetzten Zustand hinabwirft. Ein *guter* Mensch würde vielleicht wahnsinnig geworden sein, Otto wird stumpf; was jedoch einzelne Fieberanfälle von Schreck und Reue nicht ausschließt. Das Vorhergegangene schwebt ihm wie ein Traum vor, und nur das Gefühl der gegenwärtigen Gefahr ist in ihm lebendig. Eine klanglose Stimme, ein dumpfes Vor-sich-hin-Stieren, im Sitzen den Kopf zwischen die Schultern gezogen, würde die beste Haltung nach außen hin sein. Wenn sein Schreck sich bis zur Gespensterfurcht steigert, wird er klagend, hilflos, kindisch fast. Er weiß nicht wie schuldig er ist, das Ereignis von Ernys Tode hat sein Leben in zwei ungleiche Hälften geteilt und die erstere liegt ihm im Dunkeln.

Hat jener erste Schlag ihn sich selbst entfremdet, so geben die Ereignisse am Schlusse des 4t Akts und in dem Zwischenraume bis zum 5ten, ihn der Besinnung wieder. Mit Hunger und Kälte kämpfend, von Feinden verfolgt, in Feld und Weinbergen umherirrend, ward sein Geist genötigt das Faulbette des gedankenlosen Brütens zu verlassen und selbsttätig das Bewußtsein zurückzurufen. Im 5n Akte ist er zertreten, zerknirscht, aufs äußerste herabgekommen. *Keine Spur von Irrsinn mehr!* Letzteres ist der Schlüssel, die Grundbedingung der Zulässigkeit des letzten Aktes. Wie könnte Bancbanus einem bösartigen Wahnsinnigen das Kind anvertrauen? und

wenn es hundertmal der einzige Mensch in der Nähe, der nahe Verwandte des Kindes selbst wäre.
So viel, glaube ich, dürfte zum Verständnis dieser äußerst schwierigen Rolle hinreichen. Ich wünsche Ihrem Herrn Bruder Glück, das Bedürfnis einer nähern Verständigung gefühlt zu haben.
(W IV, 783 ff)

Grillparzer an Josef Schreyvogel Wien, 24. Januar 1828
Die Besetzung der Rollen im: treuen Diener seines Herrn, dürfte vielleicht am zweckmäßigsten so sein:
König ... Heurteur. / Königin ... die Schröder. / Herzog Otto ... Löwe. / Bancbanus ... Anschütz. / Erny ... die Pistor. / Simon ... Wilhelmi. / Peter ... Fichtner (?) / Schloßhauptmann ... Pistor. / Erster Anführer des königlichen Heeres ... (Ist diese Rolle wohl Herrn Lembert zuzumuten?) / Zweiter Anführer ... Mayerhofer. / Befehlshaber der Rebellen ... Vollkomm. / Erster Begleiter des Prinzen ... Weber? / Zweiter ...? / Erster Diener des Bancbanus ... Laroche. / Zweiter ...? / Erster Diener der Königin (II. Akt: Nur dieser erste, auf dessen Diskretion man sich verlassen könnte, müßte wirklich *lachen* und *tätig* seinen Spott zeigen, der zweite Diener hätte sich bloß passiv zu verhalten) ... Wagner. / zweiter Diener ...?
Der kleine Bela, ein hübsches Kind von 6 Jahren. Der Prinz ist zwar freilich jünger gemeint, aber kleinere Kinder sind gar zu unbeholfen. Älter als 6 Jahre müßte er mehr sprechen, als er im Stücke tut.
Ich habe zwar in dem Stücke noch einige geringe Änderungen, oder vielmehr Wiederherstellungen im Sinne, wodurch widerliche Härten und gefährliche Situationen annehmbarer gemacht werden. Da sie aber, wie gesagt, nicht bedeutend sind, so ist auch noch später Zeit dazu.
Und so: Vogue la galère [komme was wolle]! Mißlingt der Versuch, so ist nicht viel daran gelegen; gelingt er, so ist damit eine ganze Zukunft gewonnen. Il faut remplir sa destinée [man muß sein Schicksal erfüllen]. (W IV, 785 f)

Tagebuch[12] 1828

Löwe. [Darsteller des Herzog Otto]
III Er ist auf gutem Wege in seine gewöhnliche Spötterlaune zu verfallen.
IV. Er ist in einem Zustande der Abspannung, der manchmal an Wahnsinn grenzt, das meiste aber mit eigentlichem *Blödsinn* gemein hat. Letzteres ist das bezeichnende Wort. Er muß sich wie ein Blödsinniger benehmen.
Stellung im Sessel
IV Wenn die Gewappneten auf Erny losgehen, soll er auch einige Schritte gegen sie machen

Schröder [Darstellerin der Gertrude]
III »Was sagt dies arme Herz« Nicht so sehr markieren.
IV. Weiter seitwärts nach den Kulissen zu fallen.

Anschütz. [Darsteller des Bancban]
V. Szene mit der Wache *nicht* kräftig. – Mürrisch, zurechtweisend. Nicht wie einer der der Gefahr trotzt, sondern wie einer, der ganz von ihr abstrahiert.

Pistor. [Darstellerin der Erny]
Nicht zu vergessen, daß sie einem ungebildeten halbwilden Volke angehört.
»allein da harre du« allein das soll er nicht.

Fichtner [Darsteller des Schloßhauptmanns]
Kontrast mit Simon.
So stürmen wir – so stürmen sie das Schloß.

(Tgb 1676. W IV, 438 f)

Tagebuch 28. Februar 1828

Aufführung von: »ein treuer Diener seines Herrn«. Stürmischer Beifall. Es ist gut, wenn wirkliche Dichter von Zeit zu Zeit dem Publikum zeigen, daß sie die sogenannten Theaterwirkungen hervorzubringen verstehen, damit dasselbe einsehen lerne, daß wenn sie ein

12 Notizen Grillparzers während einer Probe zu »Ein treuer Diener seines Herrn« am Burgtheater.

andermal diese Wirkungen bei Seite lassen, es auch Absicht und höhern Zwecken zu Liebe geschehe, nicht aber aus Unvermögen. Man wird das Bunte dieser Produktion sehr tadeln, aber, außer dem schon angegebenen Grunde, trieb auch noch der Umstand zu dieser Art der Behandlung, daß ich seit einiger Zeit eine Abnahme an intensiver Kraft der Phantasie bei mir zu bemerken glaubte, und ich mich daher gewissermaßen probieren wollte, wie weit sich die Spannung noch treiben lasse. Auf dem Wege fortzufahren wäre freilich nicht rätlich. (Tgb 1623. W IV, 440)

Tagebuch 5. März 1828

Gestern vormittags ließ mich der Polizeiminister zu sich entbieten. Um 2 Uhr ging ich hin. Ich hatte früher schon vernommen, daß der Kaiser sich höchst günstig über den treuen Diener seines Herrn ausgesprochen; ich machte mich daher auf eine Belobung gefaßt. Doch war ich schon zu oft in der Höhle gewesen, zu der viele Fußstapfen hin führen, wenige aber zurück, als daß sich nicht unheimliche Besorgnisse in meine Stimmung gemischt hätten. Ich trat ein. – Seine Majestät hieß es, hätten mein Stück mit großem Wohlgefallen gesehen, und befohlen mir deren volle Zufriedenheit anzukündigen. Nur hegten Sie in Bezug auf dasselbe noch einen Wunsch. – Welchen? – Das Stück ausschließlich zu besitzen. – Ich war wie vom Donner gerührt. – Ich möchte angeben, welche Vorteile ich mir von der Aufführung außer Wien, von dem Honorar für den Druck erwarte, Se Majestät seien bereit mir jeden Schaden zu vergüten. Sodann aber würde die Handschrift in Dero Privatbibliothek aufgestellt werden, keine Kopien genommen, nirgends außer Wien aufgeführt, niemanden mitgeteilt, der Druck bis auf weiteres untersagt. In Wien selbst werde es in längern und längern Zwischenräumen wieder gegeben werden, dann aber allmählig verschwinden. Nicht Zensursrücksichten verlangten dies, denn da brauchte man ja nur geradezu zu verbieten, sondern – es sei der Wunsch Sr Majestät alleiniger Besitzer dieses ihm wohlgefallenden Stückes zu sein. – Meine erste Einwendung brachte die Antwort: daß es sich hier nicht um das *ob* handle, sondern nur um das *wie*. Ich möchte meine Bedingungen nicht ängstlich ansetzen, Seine Majestät seien zu Opfern bereit. Sie hätten sich mit väterlicher Güte über mich

und mein Stück geäußert, das Ihnen sehr gefallen; aber Ihr *Wunsch* bleibe derselbe. Man gab mir einen Tag Bedenkzeit und ich ging. Das ist die mildeste Tyrannei von der ich noch gehört!
Was sollte ich tun? Die Erfüllung verweigern? In ihren Händen waren alle Mittel sie zu erzwingen. Ich schrieb daher einen ostensibeln Brief an den Polizeiminister, in dem ich alles anführte, was Menschlichkeit und Billigkeit gegen einen solchen *Wunsch* einwenden können. Ich setzte, – nachdem ich beteuert hatte, die freie Schaltung über mein Werk jedem erdenklichen Gewinne tausendmal vorzuziehen – die Entschädigung, nicht unmäßig, aber doch so hoch an, daß die bekannte Sparsamkeit des Kaisers davor zurückschrecken konnte. – Sie wollten mich doch nicht plündern, hoffte ich! – Ich erklärte, daß wenn der Kaiser auf seinem Verlangen bestünde, nur der Gedanke, daß, nach dem Vorübergehen gebietender, mir verborgner Umstände, die Bekanntmachung meines Werkes ohne weitere Umstände werde erfolgen können, mich zu einer notgedrungenen Einwilligung bewegen könnte. Und so gab ich das Blatt heute dem Minister in die Hände. Er schien zufrieden, und fand die angesetzte Entschädigungssumme *mäßig*. Begreife das wer kann! Ich muß nun abwarten was erfolgt. Ende die Sache aber auch wie immer; die unsichtbaren Ketten klirren an Hand und Fuß. Ich muß meinem Vaterlande Lebewohl sagen, oder die Hoffnung auf immer aufgeben, einen Platz unter den Dichtern meiner Zeit einzunehmen. Gott! Gott! ward es denn jedem so schwer gemacht, das zu sein, was er könnte und sollte! (Tgb 1624. W IV, 440 f)

Grillparzer an Josef Graf von Sedlnitzky Wien, 5. März 1828
Durch Hochdieselben von dem, einem Befehle gleichgeltenden Wunsche Seiner Majestät unterrichtet, der alleinige Besitzer des von mir verfaßten Trauerspieles: »ein treuer Diener seines Herrn« zu sein, ward ich zugleich aufgefordert, mich zu erklären, wie hoch ich ungefähr den, durch die unterbleibende Verbreitung jenes Stückes mir entgehenden pekuniären Vorteil angeben zu können glaubte.
In glänzender Unwissenheit über die Ursachen dieser an mich ergangenen Aufforderung, muß ich mich lediglich auf genaue Befolgung der erhaltenen Andeutungen beschränken, und erlaube mir demnach folgendes zu bemerken: Die Honorierung solcher Werke

von Seite des Buchhändlers geschieht nach Auflagen, über deren jede besonders kontrahiert wird. Der hiesige Buchhändler Wallishausser hat mir für 2 aufeinanderfolgende Auflagen meines Trauerspieles: *Ottokar,* in einem und demselben Jahre, und zwar für die *erste* Auflage 1500 fl K.M., für die *zweite* 1200 fl K.M. bezahlt. Die Zahl der Auflagen bei einem mit Glück aufgeführten Stücke in einer Reihe von Jahren auf *zwei* anzunehmen ist keinesfalls überspannt, da meine beiden Trauerspiele: »Die Ahnfrau« und »Sappho« gegenwärtig in der *vierten* Auflage im Umlaufe sind. Als Honorar der Aufführung von den verschiedenen Theatern Deutschlands habe ich bei einzelnen meiner Stücke: von Berlin 50 fl, von Hamburg und München 30 fl, von Stuttgart und Leipzig 20 fl bis 25 fl u. s. w. erhalten. Das Honorar für die Aufführung außer Wien ist daher mit 100 fl gleichfalls nur mäßig angenommen. Wenn ich unter diesen Umständen von meinem letzten Trauerspiele, die Aufführung in Wien abgerechnet, einen Ertrag von 3000 fl K.M. erwartete, so glaubte ich nicht mich einer leeren Hoffnung überlassen zu haben.

Diese meine Angaben sind natürlich keine Bedingungen, sondern Erfüllung der an mich ergangenen Befehle. Weit entfernt hier einen Vorteil zu suchen, würde ich, bei ganz freier Wahl, tausendmal die ungehinderte Verbreitung meines Stückes, wenn auch nur bei *halben* Geldgewinne, jedem möglichen Geldgewinne vorziehen. Ich hätte gesagt: *ohne* allen Geldgewinn, wenn ich nicht durch mehrfache Umstände, namentlich durch die Unterstützung eines mit Weib und Kind als Lokalaufseher in Not schmachtenden Bruders, in wirklichen Geldbedarf geraten wäre. Aber auch so, wenn Seine Majestät für gut fänden, jede meiner Erwartungen auf äußern Vorteil überschwenglich zu erfüllen, würde ich immer nur durch die Hoffnung aufrecht erhalten, daß, nach dem Vorübergehen gebietender, mir zur Zeit unbekannten Umstände, die Verbreitung meines Stückes ohne weitere Anstände werde erfolgen können. Der Tadel Esaus würde gleich groß sein, wenn er seine Erstgeburt, statt um ein Linsengericht um Tonnen Goldes hingegeben hätte.

Sobald mir übrigens der Wille Seiner Majestät hierüber bestimmt bekannt geworden sein wird, verpflichte ich mich mit meiner Ehre, niemanden, zu was immer für einem Gebrauche, eine Abschrift dieses meines Stückes mitzuteilen, noch zu gestatten, daß eine solche

Abschrift von wem immer genommen werde. Hierüber will ich mich nur noch gegen die Möglichkeit verwahren, daß, da ich in der Notwendigkeit war, mein Stück vor der Aufführung zweimal kopieren zu lassen, schon damals, ohne mein Vorwissen Abschriften vom Kopisten heimlich gemacht und für sich behalten werden konnten. Für den Mißbrauch solcher heimlich genommener Abschriften, könnte ich natürlich nicht verantwortlich sein. Was meine eigenen Handlungen und Unterlassungen betrifft, so ist, wie ich hoffe, mein Ehrenwort ein unantastbarer Bürge. Daß ich selbst im Besitze eines genau zu verwahrenden Exemplars bleibe, ist natürlich und billig.
Diese meine Gesinnungen bitte ich Seiner Majestät zu Füßen zu legen, mit der Versicherung, daß, wie schwer mir auch manches in der Erfüllung dieses höchsten Befehles fallen mag, mir doch die milde schonende Art, in der es gegeben wird, ewig unvergeßlich sein wird. (W IV, 786 ff)

Tagebuch April/Mai 1828

Sie sind auf ihrem Theater an den prächtigen Wortschwall gewohnt; die Handlung mit unbedeckter Blöße ärgert ihr keusches Auge. Ich fühle mich aber gerade jenes Mittelding zwischen Goethe und Kotzebue, wie ihn das Drama braucht. Die Deutschen könnten vielleicht ein Theater bekommen, wenn mein Streben nicht ohne Erfolg bleibt. Mir selbst ist die Schaubühne verhaßt. Was das Theater leisten kann, ist für mein individuelles Gefühl zu wenig zugleich und zu viel. Ich bin Deutscher genug, um mich daran zu ärgern, wenn ich den Theatereffekt erreicht habe. Und doch kann ich nicht anders; eine innere Notwendigkeit hält mein Wesen auf diesen Bahnen. Wenn jene, die mir Streben nach Effekt vorwerfen, wüßten, wie ich gerade von diesem Effekt machenden 3ten Akt glaubte, er könne nur eine widerliche Wirkung hervorbringen, wie gerade er und der ähnliche 4te die Ursache waren, daß ich mein Stück 1 Jahr lang im Pulte behielt und der Aufführung mit eigentlichem Widerstreben entgegensah. Wenn sie wüßten, wie dieser wirkungslose 5te Akt bestimmt war jene widrigen Eindrücke wieder gut zu machen, und die Handlung in das menschliche Geleise zurückführen sollte. Wenn sie wüßten! aber sie wissen nichts.

(Tgb 1626. W IV, 442)

Tagebuch April/Mai 1828

So absurd ist die Zusammensetzung meines Wesens, daß wenn jemand mir meine letzte dramatische Arbeit als das Meisterstück der Poesie gepriesen hätte, es mir kaum so viel Vergnügen gemacht haben würde, als daß heute der Regens Chori der Kirche am Hofe mir versicherte: ich hätte eine klingende Stimme, und sänge sehr gut. Es steht meiner Entwicklung als Dichter unendlich im Wege, daß die Ausübung der Poesie mir nur ein Neben-Zweck, oder vielmehr ein *Teil*-Zweck ist. Ich bin ein Geistes- und Gemüts-Egoist, wie es Gewinn- und Vorteils-Egoisten gibt. Die harmonische Ausbildung der eigenen Empfänglichkeit für das Gute und Große ist der Zweck und das Bedürfnis meines Lebens; seit ich durch einige gelungene Arbeiten mich einmal nach außen von dem Gemeinen und Gewöhnlichen abgesondert habe, was der glühende Wunsch meiner Jugend war, fühle ich kaum mehr ein Bedürfnis zu produzieren. An die Stelle der Begeisterung droht immer mehr und mehr sich ein gewisses Gefühl zu setzen, daß es Pflicht jedes Menschen sei nach Kräften tätig zu sein. Dieses Gefühl wird noch lebendig sein, wenn vielleicht das Vermögen der Ausübung längst erschlafft ist, und ich bin daher in größerer Gefahr als jemand, nach und nach vom Kulminationspunkte immer tiefer herab zu steigen. Ein ungetrübter Beifall hätte mich sicher zum großen Dichter gesteigert; das ewige Markten und Quängeln der Kritik aber, läßt meiner Hypochondrie einen zu großen Spielraum und führt mich immer wieder von neuem einer mit Mühe bekämpften Neigung zum passiven Geistesgenuß in die Arme. (Tgb 1627. W IV, 442 f)

Tagebuch Dezember 1831

Die Nachricht bestätigt gehört, daß die Theaterdirektion beabsichtigt den: treuen Diener wieder aufzunehmen, nachdem man ihn 3 Jahre liegen lassen, und daß Schwarzens Tochter[13] die Königin spielen soll. Will man diese Schauspielerin unter dem Deckmantel eines halbneuen Stückes durchschlüpfen machen, oder soll das Stück an dem Widerwillen des Publikums gegen die Schauspielerin Teil nehmen? Ich weiß es nicht. Die Sache ist entweder boshaft oder ungeschickt. (Tgb 1938. W IV, 479)

13 Julie Litomisky, welche diese Rolle schließlich ablehnte.

Grillparzer zu Adolf Foglar 30. Oktober 1842

Der »treue Diener seines Herrn« wurde mit großem Beifalle gegeben. Gleich am ersten Abende ließ der Kaiser mir seine allerhöchste Zufriedenheit bezeigen, – aber am folgenden Morgen wurde ich zum Polizeipräsidenten berufen, um mit ihm über die Bedingungen zu unterhandeln, unter denen ich gegen mein Ehrenwort versprechen sollte, dieses Werk weder drucken, noch irgendwo aufführen zu lassen. Natürlich fügte ich mich einem solchen Begehren nicht! (HKA I, 18, 368 f)

Aus der »Selbstbiographie« 1853

In Wien angekommen, beschloß ich sogleich an ein neues dramatisches Werk zu gehen, das ich statt eines langweiligen Verkehrs durch Briefe, Goethen zueignen wollte. [. . .] Daß ich vor allen denjenigen Stoff wählte, der mir die wenigsten Zensur-Schwierigkeiten darzubieten schien, war, nach den gemachten Erfahrungen, natürlich. Es war die Sage vom Palatin Bancbanus, dem treuen Diener seines Herrn, obwohl der Stoff mich vielleicht weniger anzog als die übrigen. Ich war auf ihn folgender Weise gekommen.

Als die damals regierende Kaiserin zur Königin von Ungarn gekrönt werden sollte, kam ihr Obersthofmeister Graf Dietrichstein zu mir und forderte mich im Namen der Kaiserin auf, ein Stück zu schreiben, das bei ihrer Krönung in Preßburg gespielt werden könnte. Mir war nicht unlieb durch einen solchen Anlaß von außen aus meinem Schwanken von einem Stoff zum andern und überhaupt zur Tätigkeit gebracht zu werden. Ich nahm daher die ungarischen Geschichtschreiber Bonfinius und Istvanfius vor und hatte auch bald eine passende Fabel gefunden. Es war die Geschichte jenes Aufruhrs der gegen den König Stephan und seine baierische Gemahlin Gisela, teils wegen der Bemühungen dieser letzteren für das Christentum, teils aus alter Abneigung gegen die Deutschen, entstand. Alles Licht wäre auf die Königin Gisela gefallen, die bei der Stillung des Aufruhrs, wobei sie sich auch die Liebe des Volkes erwarb, eine ähnliche Rolle gespielt hätte, wie im »treuen Diener« der Palatin Bancbanus.

Als ich jedoch die Sache näher betrachtete, fanden sich bedeutende Schwierigkeiten. Einmal schien es wunderlich, zur Feier eines Krönungsfestes die Geschichte eines Aufruhrs zu wählen. Dann wären in meinem Stücke zwei Kalender-Heilige vorgekommen: der heilige König Stephan und sein Sohn Emeram; eine Profanation, welche die Zensur nie zugegeben hätte. Ich erklärte daher dem Grafen Dietrichstein auf seine Anfrage: ich hätte keinen passenden Stoff gefunden. Man ließ demnach für die Gelegenheit von einem höchst subordinierten Schriftsteller[14] ein anderes Stück schreiben, dessen loyale Anspielungen sehr beklatscht wurden.

Bei Durchgehung der ungarischen Chronisten geriet ich auf den Palatin Bancbanus, dessen Geschichte ich darum eine Sage genannt habe, weil dasselbe Ereignis in zwei Epochen mit geringen Verschiedenheiten zweimal vorkommt, und daher wahrscheinlich nichts als eine Einkleidung für die Abneigung der Ungarn gegen die Deutschen ist.

Man hat dem Stücke vorgeworfen, daß es eine Apologie der knechtischen Unterwürfigkeit sei; ich hatte dabei den Heroismus der Pflichttreue im Sinn, der ein Heroismus ist so gut als jeder andere. Im französischen Revolutionskriege ist die Aufopferung der Vendeer so erhebend als die Begeisterung der Republikaner. Bancbanus hat dem Könige sein Wort gegeben die Ruhe im Lande aufrecht zu erhalten, und er hält sein Wort, trotz allem was den Menschen in ihm wankend machen und erschüttern sollte. Seine Gesinnungen können übrigens nicht für die des Verfassers gelten, da Bancbanus bei allen seinen Charakter-Vorzügen zugleich als ein ziemlich bornierter alter Mann geschildert ist.

Das Stück erfuhr gar keine Hindernisse von Seite der Zensur und wurde, ohne daß fast ein Wort gestrichen worden wäre, mit ungeheuerm Beifall aufgeführt. Am Schluß des dritten Aufzuges begehrte das Publikum den Verfasser. Als dieser nicht erschien, währte das Klatschen und Rufen, beinahe bis zur Respektwidrigkeit gegen den anwesenden Hof, den ganzen Zwischenakt hindurch. Nach dem vierten Aufzuge ließ mich der Oberstkämmerer und als solcher, oberster Leiter des Theaters, Graf Czernin rufen um mir im Auftrage Seiner Majestät zu sagen, daß dem Kaiser mein Stück sehr

14 Karl Meisl, der ein historisches Schauspiel in drei Aufzügen: »Gisela von Bayern, erste Königin der Magyaren« verfaßte.

gefalle, und daß, wenn das Publikum mich am Schluß wieder zu sehen begehre, ich mich demselben zeigen sollte. So geschah es. Der Beifall wollte nicht enden, ich erschien auf der Bühne und stattete durch eine stumme Verbeugung meinen Dank ab. Meine Freude über den Erfolg war nur mäßig, da das Stück bei mir kein inneres Bedürfnis befriedigte.

Des nächsten Vormittags wurde ich zum Präsidenten der Polizeihofstelle Grafen Sedlnitzky berufen. Mir schwante nichts Gutes und ich ging. Der Graf empfing mich sehr freundlich, aber in einiger Verlegenheit. Er sagte mir, er habe den Auftrag von Seiner Majestät mir zu eröffnen, daß Höchstdenenselben mein Stück sehr wohl gefallen habe. Ich versetzte, daß ich dasselbe schon gestern durch den Grafen Czernin erfahren hätte. Graf Sedlnitzky fuhr fort: das Stück habe Seiner Majestät so sehr gefallen, daß sie alleiniger Besitzer desselben zu sein wünschten. Ich fragte: wie das zu verstehen sei? Die Antwort war: ich sollte mein ursprüngliches Manuskript abgeben, dem Theater würden die Souffleurbücher und einzelnen Rollen abgefordert und das Ganze in der Privatbibliothek des Kaisers aufgestellt werden, der alleiniger Besitzer des Stückes zu sein wünsche, weil es ihm gar so gut gefallen habe. Man werde mir jeden Vorteil ersetzen, der mir aus der Aufführung auf andern Bühnen oder aus der Drucklegung zufließen könnte, es wäre vielmehr die Meinung, daß ich in meinen Forderungen nicht allzu ängstlich sein sollte; seine Majestät seien sogar zu Opfern bereit. Auf meine Entgegnung: man werde mich doch nicht für so erbärmlich halten, daß ich eine meiner Arbeiten für Geld vom Erdboden verschwinden lassen wollte, erwiderte man mir: die Frage ob? wünschten Seine Majestät ganz außer der Verhandlung gelassen, es handle sich nur um das: Wie? – Ich führe das alles wörtlich genau an.

Da man mir mein Stück im Notfalle auch ohne Einwilligung wegnehmen konnte, dachte ich auf Auskunftsmittel. Ich sagte daher der Wahrheit gemäß, daß ich gar nicht mehr Herr über mein Stück sei. Ich selbst hätte mein Manuskript abschreiben lassen, beim Theater sei es wiederholt kopiert worden. Jedermann wisse, daß die mit der Kopiatur betrauten Souffleure der Theater einen heimlichen Handel mit widerrechtlich genommenen Abschriften trieben. Der Kaiser könne sein Geld ausgeben, ohne daß das Stück, und zwar

ohne meine Schuld, der Öffentlichkeit entzogen werde. Ich sah mit welcher Freude der Präsident diese meine Äußerung aufnahm, wie denn überhaupt in dem ganzen Vorgange ebenso gut ein Tadel gegen die Zensur, die mein Stück erlaubt, als gegen mich selbst, der es geschrieben hatte, verborgen lag. Er forderte mich auf, diese meine Bemerkungen schriftlich aufzusetzen und ihm zur weiteren Beförderung zu überreichen.
Das geschah. Ich setzte meine innern und jene äußern Gründe auseinander und übergab die Schrift dem Präsidenten. Als ich nach einiger Zeit wiederholt des Erfolges wegen nachfragen wollte, wurde ich nicht mehr vorgelassen, indes man mich vorher mit Zuvorkommenheit empfangen hatte. Die Sache war eingeschlafen. Das Stück wurde noch ein paarmal gegeben und dann zurückgelegt. Als ich es für den Druck einreichte, erhielt ich das Imprimatur ohne daß ein Wort gestrichen worden wäre.
Was dem Kaiser an diesem bis zum Übermaß loyalen Stücke mißfallen, oder wer ihm, nachdem er es selbst mit Beifall angesehen, etwas darüber ins Ohr gesetzt habe, ist mir bis auf diesen Augenblick ein Geheimnis geblieben. Personen, die, ohne zur nächsten Umgebung des Kaisers zu gehören, doch mit dieser Umgebung genau bekannt waren, haben nichts darüber erfahren können. Nur so viel weiß ich, daß der Polizeipräsident selber völlig im Dunkeln war, woher auch seine Verlegenheit entstand. Wie viel in dem ganzen Vorgang Aufmunterung zu künftiger poetischer Produktion lag, überlasse ich jedem zu beurteilen.
Bei meiner Zurückkunft aus Deutschland hatte ich mir vorgenommen, meine erste poetische Arbeit Goethen zuzueignen und deshalb unterlassen, ihm, nach seiner Erlaubnis, zu schreiben. Als es nun an den Druck des treuen Dieners ging, fand ich das Stück viel zu roh und gewalttätig, als daß ich glauben konnte, daß es auf ihn einen guten Eindruck machen werde. Ich unterließ daher die Dedikation.
(W IV, 151 ff)

Wilhelm von Wartenegg berichtet November 1860
[Zur Frage, weshalb Kaiser Franz das Stück kaufen wollte.] »Warum?« meinte Grillparzer, »das hab ich eigentlich auch nicht herausbringen können, doch vermut ich wohl – daß ein Aufstand in Un-

garn vorkommt, der berechtigt ist durch die schlechte Verwaltung des Reiches, das Benehmen der Königin und ihres Bruders als Grund des Aufstandes, mögen den Kaiser dazu veranlaßt haben, das Stück unterdrücken zu lassen.« (Gespr 1099)

Grillparzer zu Robert Zimmermann 6. Januar 1866

Mich hat mans entgelten lassen, was der Bankbanus spricht und tut! Und wenns wäre, was ist es denn? Der Bankbanus ist ein alter gutmütiger Kerl, der an seinem gegebenen Worte festhält. Draußen hat mans geschimpft wegen seiner Loyalität und drinnen hat mirs der Kaiser Franz abkaufen wollen, damits nicht aufgeführt wird. Ich sollte fordern, was ich wollte. Aber es war zu spät, es war schon an fünf Bühnen verschickt. (W IV, 972)

Grillparzer an eine unbekannte Adresse 25. Januar 1866

Ich schreibe heute morgens, denn wenn abends mein treuer Diener ausgepfiffen wird, oder im Theater eine Schlacht zwischen Ungarn und Deutschen, oder neuen freien Lumpen und alten kalten Dienern ihres Herrn entsteht, werde ich morgen viel zu traurig sein, um die Feder in die Hand nehmen zu können. (HKA I, 18, 373)

Auguste von Littrow-Bischoff berichtet Februar 1866

[Er sagte] wie er bedaure, daß den Kritikern und Rezensenten immer nur das dienstliche Verhältnis vorschwebe, während die Treue an sich als eine heilige Tugend unter den Menschen angesehen werde, der Pflicht, dem Schwur gegenüber eine ethische Geltung haben und behalten müsse, so lange überhaupt das gegebene Wort als bindend erscheine. Die Anfechtungen, welche eine solche Treue erfahre, seien in ihrer Art ebenso des Interesses würdig als die Gefahren, welche die Liebe zu bestehen hat.

Eine Treue zu bewähren, die nicht angefochten wird, das ist kein Verdienst; aber daran festhalten wie der Bancban trotz allem und allem, nachdem sein Innerstes getroffen, sein Weib getötet, dieselbe Treue zu halten, die sie ihm hielt und die eigene Rache für den Schimpf nicht zu vermengen mit der Treue, die er dem Manne gelobt, der Krone, Reich, Weib, Sohn ihm anvertraut – das ist eine hohe, wie mich dünkt, eine erhabne Tugend – während die Rezensenten sie eine hündische nennen. – Seis. [. . .]

Zu streiten wäre wohl darüber, ob der Tod der Königin in dieser Weise gerechtfertigt ist, allein dieser ganze Stoff ist mir jetzt recht eigentlich zuwider und es ist schrecklich für mich, daß man dies Stück von mir – der ich die Ungarn nicht leiden mag, insbesondere seit sie den Nationalitätenschwindel in Österreich heraufbeschworen – nun wieder aufführt, ohne mich zu fragen. [...] Es ist ein Verhängnis, daß dies Stück, das ich auf besondere Veranlassung schrieb, ohne mich jemals für diese Leute zu interessieren, mir jetzt eine politische magyarenfreundliche Färbung gibt. Es wäre mir niemals eingefallen, einen Vorwurf aus der ungarischen Geschichte zu wählen, wenn die gute, liebe und gescheite Frau, die Kaiserin Karolina Augusta, Kaiser Franzens letzte Gemahlin, die ja noch lebt, mich nicht, da sie zur Königin von Ungarn gekrönt wurde, hätte auffordern und fragen lassen, ob ich zu dieser Festlichkeit nicht ein Stück schreiben wollte. [...] Ich brauche wohl auch nicht zu sagen, daß mir das Ungehörige dieses Gegenstandes zu dem beabsichtigten Gelegenheitsstücke sogleich ins Auge fiel, weil man nicht bei der Krönungsfeier einer Königin Aufruhr und den Mord einer Königin zur Darstellung bringen kann. Das Gelegenheitsstück unterblieb. Allein ich hatte den Stoff einmal im Kopfe und arbeitete ihn aus, unbedacht, ob Ungarn oder weiß Gott was für Leute dessen Träger wären. [...]
Dieser Prinz von Meran ist ein Graf von Meranien und Meranien war ein Teil von Dalmatien und Kroatien. Es taugte mir eben, die Königin und ihren Bruder, diese beiden Höherstehenden, als Fremde zu bezeichnen, gleichviel, ob sie *ihre* Nationalität oder irgendeine auch vollwichtig verträten, denn solche nationale und politische Hintergedanken hatten wir – wenigstens wir Österreicher – damals noch gar nicht. Übrigens hat das Stück auch schon seinerzeit beim Publikum kein rechtes Gefallen gefunden. Es wurde bald zurückgelegt aus allerlei Ursachen, und es gab damals eine kompetente und bestimmte Kritik, welche seit dem Jahre 1848 aufgehört hat.

(Gespr 1182)

Die Ahnfrau
Entstanden 1816
Erstdruck Wien 1817
Uraufführung am 31. Januar 1817 im Theater an der Wien

Tagebuch 7. [?] März 1817

Woher kömmt wohl die unbeschreiblich widerliche Empfindung, die mich abhält, oder es mir vielmehr unmöglich macht, noch einmal einer Vorstellung meiner Ahnfrau beizuwohnen? Teilweise lassen sich wohl Erklärungen geben, aber ganz vermag ich es nicht. Ich werde in meinem Leben nicht vergessen, wie mir bei der ersten Vorstellung zu Mute war. Ich denke wenn man mir unvermutet mein eigenes lebensgroßes Bild, in Wachs geformt nach der Natur bemalt und doch in seiner ganzen toten Starrheit, vor die Augen brächte, würde mein Gefühl viel ähnliches mit jener Empfindung haben. Die Gestalten die man geschaffen und halb schwebend in die Luft gestellt hat, vor sich hintreten, sich verkörpern zu sehen, den Klang ihrer Fußtritte zu hören ist etwas höchst Sonderbares. Die Aufführung meines Stückes hat auch offenbar mein Schamgefühl verletzt. Es ist etwas in mir, das sagt, es sei ebenso unschicklich das Innere nackt zu zeigen als das Äußere. (Tgb 204. W IV, 267 f)

Ende März 1817

Erklärung gegen die Kritiker des Trauerspieles »Die Ahnfrau«

Das Publikum hat sich wahrscheinlich mit mir darüber gewundert, daß über eine dramatische Arbeit, die bei so vielem Beifall zugleich so viele Gegner gefunden hat, als mein Trauerspiel: Die Ahnfrau, in den allzeit rüstigen Blättern des Tages, außer namenlosen, oberflächlichen Klatschereien und Schmähungen, bisher so gar nichts erschienen ist, was der Aufmerksamkeit nur einigermaßen wert wäre, und auch nur den geringsten Schein von Gründlichkeit für sich hätte. Diesem Mangel ist gegenwärtig abgeholfen. In der Nummer 24 der Wiener Moden-Zeitung hat Herr Alois Jeitteles das Schwert gezogen und die arme Ahnfrau mit einem gewaltigen Hiebe ecrasiert. (Ich entlehne dieses Wort ausdrücklich aus den weiland französischen Bülletins, da ich in der deutschen Sprache vergeblich nach einem gleich kräftigen gesucht habe.) Mir ist die Existenz nur eines einzigen Alois Jeitteles bekannt, desjenigen nämlich der durch eine im Jahrgange 1816 der Wiener Modenzeitung eingerückte, im – daß es Gott erbarme! – Fouqué'schen Tone herabgeleierte Erzählung: *Der Schloßhauptmann von Coucy* aufs bündigste erwiesen hat, wie der Geist aus dem ansprechendsten Stoff durch eine geistlose Behandlung mit Erfolg gebannt werden könne. In der Voraussetzung nun, daß der neu bestallte Kritiker Alois Jeitteles mit dem Verfasser jener Erzählung eine und dieselbe Person ist, richte ich – ohne ihn übrigens darum als Gegner anzunehmen, da nach Duellgesetzen sich nur Ebenbürtige schlagen – an ihn folgende, redlich gemeinte Worte: Lieber junger Mensch, ich finde es sehr recht getan, daß du Schlegels Werke[1] über dramatische Kunst und Literatur eifrig liesest; einmal weil in denselben, auch für denjenigen der in manchem von den Meinungen des Verfassers abweicht, sehr viel Schönes und Lehrreiches enthalten ist; dann besonders aber weil für denjenigen, der seinen eigenen Füßen nicht trauen kann, und doch einmal mitlaufen will, kein anderes Mittel ist, als sich nach einem tüchtigen Laufzaum umzusehen. Wenn du aber deine *Lesefrüchte* dem Publikum darbietest, so hüte dich künftig vor zweierlei. Gewöhne dir ab zu sprechen: Ich sage, sondern sprich: *Schlegel* sagt, wobei du nebst anderm auch noch den Vorteil haben wirst, daß der autoritätssüchtige Teil des Publikums anstand nehmen wird über deine Aussprüche zu lachen. Ferner mische nicht deinen eigenen Unsinn den Ideen eines Mannes bei, dessen Talent selbst da, wo er einseitig wird, noch achtungswert bleibt.

[...] Übrigens, lieber Freund, lerne einsehen, daß deine zusammengestoppelte Bücher-Weisheit, verkleidete Torheit ist; gewöhne dich die Kunst mit der vollen Kraft des Gemüts statt mit dem grübelnden Verstande aufzufassen, und du wirst einsehen lernen, daß nicht theoretisch erwiesene, sondern praktisch vorhandene Grundlagen es sind, die das Wesen der dramatischen Kunst ausmachen, ja der Kunst überhaupt, deren oberster Begriff, der der Schönheit nämlich, schon ein dunkler ist. Tritt hinaus ins Leben, laß Kummer und

1 August Wilhelm Schlegel, »Ueber dramatische Kunst und Literatur. Vorlesungen von August Wilhelm Schlegel.« Heidelberg 1809–1811.

Leiden gegen die unbewehrte Brust anstürmen, und es wird dir mit Haarsträuben klar werden, *was* der Ahnfrau zu Grunde liegt, und daß dieses *etwas,* wenigstens subjektiv, kein leeres Nichts sei. Übrigens hüte dich künftig vor vorlautem Wesen und unberufenem Schwatzen, lerne anspruchsloses, bescheidenes Streben an andern schätzen, und ahme ihnen lieber nach als sie mutwillig und (bei deiner Unfähigkeit) nutzlos in ihrem stillen Wirken zu stören. Vor allem aber hüte dich in einem entscheidenden Tone zu sprechen, da was du sprichst nichts entscheidet. Und somit denn, Gott befohlen? Wir beide werden uns, wie ich hoffe, nicht mehr sprechen. Dein Tadel ist mir gleichgültig, deine Schmähung verachte ich, dich selbst bedaure ich.

Und nun weiter. War mein Erstaunen über Herrn Jeitteles hirnverbranntes Gewäsch groß gewesen, um wie viel ward es gesteigert, als ich weiter las und fand, Herr Hebenstreit teile diese Ansichten. Herr Hebenstreit der sich in seinen Theater-Anzeigen (Kritiken hat er bis jetzt nicht gegeben) immer durch ein gutes Teil gesunden Menschenverstandes auszeichnete, solchen Menschenverstandes nämlich wie ihn etwa der bessere Teil des zuschauenden Publikums hat, und von dem freilich bis zum Kunsturteil noch ein großer Abstand ist, dieser Herr Hebenstreit unterschreibt, ohne Beschränkung, die Ausgüsse eines träumenden Knabenverstandes? Er hatte mir zwar schon seit längerer Zeit durch verstohlene Ausfälle gezeigt, daß er meinem Trauerspiele oder mir selbst nicht wohl wolle, aber ich hätte nie gedacht, daß ihn seine bisherige Urteils-Scheu so sehr verlassen, und er sich durch blindes Unterschreiben einer, und einer solchen Meinung dem Spotte preis geben würde. Übrigens danke ich ihm für alles was er sonst zu meinem Lobe gesagt habe, und bedaure nur, daß ich die hämischen Neckereien in frühern Blättern nicht vergessen kann, ich würde sonst wahrscheinlich seinem treuherzigen Tone geglaubt haben.

Nun noch ein Wort an das Publikum, den eigentlichen Zweck der gegenwärtigen Erklärung. Aus der Art wie mich meine Gegner angreifen, sollte jeder Unbefangene meinen, ich sei ein eitler aufgeblasener Tor, der in seinem Trauerspiele ein Meisterwerk geliefert zu haben glaubt, jeden Tadel zurückweist, und daher auch Züchtigung verdient; so daß nur geschicktere Exekutoren zu wünschen

wären, um sie ihm auch wirklich zu geben. Von allen solchen Einbildungen bin ich nun himmelweit entfernt. Ich berufe mich auf das Zeugnis aller derjenigen, die mich kennen, mit welchem peinigenden Gefühle ich unmittelbar nach dem Erkalten der mit dem ersten Hervorbringen notwendig verbundenen Wärme die Fehler meines Werkes eingesehen, wie ich selbst der Darstellung auf der Bühne mich so lange widersetzt habe, bis mich erfahrene Freunde überzeugten, der erste Schritt wolle getan sein; kein Anfänger habe noch Fehlerfreies geliefert und – so glaubten sie – mein Trauerspiel enthalte mit allen seinen Fehlern doch auch manches um für diese zu entschädigen; endlich, das Publikum werde einem Anfänger nicht jene Nachsicht entziehen, die von seinen Veteranen so häufig in Anspruch genommen wird. Ich habs gewagt, und bedauere es nicht. Daß Unfähigkeit, Mißgunst und Neid gegen mich ankämpfen ist in der Ordnung. Ich werde mich durch ihr Geschrei nicht irre machen lassen, meinen Weg fortgehen, eingeschlichene Irrtümer durch eigene Beobachtung berichtigen und mich übrigens fern von dem Treiben einer faselnden, frömmelnden, geistlosen Schule halten, die, wenn sie nicht bald in sich selbst zerfällt, unsere deutsche Poesie in ihr ehemaliges Nichts zurückführen wird, und deren Impotenz und Unfruchtbarkeit am Tage liegt.
So will ichs halten und dann sehen wie weit sichs bringen läßt. Am Schlusse verspreche ich dem Publikum noch, es künftig mit allen weitern Behelligungen, Klagen, Streitschriften und dergleichen verschonen zu wollen. Mir ist derlei Geschreibe verhaßt, und wenn ich gegenwärtig meinem sonstigen Grundsatze entgegen gehandelt habe, so geschah es nur darum, um meinen Gegnern zu zeigen, daß ich nicht aus Furcht schweige. Sollte es einem von ihnen gelingen, wie es bei langem Herumtappen nicht anders möglich ist, die partie honteuse meines Stückes auszufinden, so soll michs um der Sache willen freuen. Bisher ist es noch nicht geschehen. (HKA I, 14, 6 ff)

Tagebuch Ende Mai 1817

Wenn Müllners[2] Brief an *mich* gerichtet wäre und ich ihm antworten sollte, würde ich es ungefähr folgendermaßen tun: Sie

2 Adolf Müllner.

haben in Ihrer Beurteilung der Ahnfrau unwiderleglich bewiesen, daß keine der *allgemeinen* Ideen, die diesem Stücke zu Grund liegen könnten und, nach Angabe der Vorrede, wirklich zu Grunde liegen, ausgeführt und gehörig zur Anschauung gebracht seien. Das gebe ich gern zu, ich muß aber nur bemerken, daß die Ahnfrau in ihrer gegenwärtigen Gestalt nicht *meine* Ahnfrau, die Vorrede, so gut sie auch sein mag, nicht *meine* Vorrede ist, und daß bei diesem Stücke überhaupt, der ursprünglichen Anlage nach, von Realisierung einer abstrakten allgemeinen Idee nie eine Rede war. Um das alles begreiflich zu machen, muß ich den Hergang der ganzen Sache erzählen [...][3] (Tgb 222. W IV, 270)

»Zweiter Brief *Über das Fatum*« September 1817

Es ist in der neuesten Zeit so viel über *das Schicksal* und seine Anwendbarkeit oder Unanwendbarkeit für die neuere Tragödie, gesagt, und geschrieben worden, daß ich, da besonders mein Trauerspiel: Die Ahnfrau den Streit neu entzündet hat, es für meine Schuldigkeit achte, dem Publikum meine Ansichten von dieser vielbesprochenen Sache vorzulegen [...]

Der Begriff: Schicksal ist bei uns nicht eine Frucht der Überzeugung, sondern der dunkeln Ahnung. In allen andern Dichtungsarten spricht der Dichter selbst, was er sagt ist *seine* Meinung, und daher wäre ein auf die Idee des Fatums gegründetes neueres Epos ein Unding. Im Drama sprechen die handelnden Personen, und hier liegt es in der Macht des Dichters ihre Charaktere so zu stellen, den Sturm ihrer Leidenschaften so zu lenken, daß die Idee des Schicksals in ihnen entstehen muß. Wie das Wort ausgesprochen, oder die Idee rege gemacht worden ist, schlägt ein Blitz in die Seele des Zusehers. Alles was er hierüber in schmerzlichen Stunden ausgegrübelt, gehört, geahnet und geträumt, wird rege, die dunkeln Mächte erwachen und er spielt die Tragödie mit. Aber nie trete der Dichter vor und erkläre den Glauben seiner Personen für den seinigen. Dasselbe Dunkel welches über das Wesen des Schicksales herrscht, herrsche auch in seiner Erwähnung desselben; seine Personen

3 Die Notiz blieb Bruchstück; Grillparzer erzählt nur bis zur Entstehung der »Blanka von Kastilien«.

mögen ihren Glauben daran deutlich aussprechen, aber immer bleibe dem Zuschauer unausgemacht, ob er dem launichten Wechsel des Lebens oder einer verborgenen Waltung das schauderhafte Unheil zuschreiben soll, er selber ahne das letztere, es werde ihm aber nicht klar gemacht, denn ein ausgesprochner Irrtum stößt zurück.

Auf diese Art hat Müllner die Idee des Schicksals gebraucht, auf diese Art schmeichle ich mir sie gebraucht zu haben, und die Wirkung, die dieselbe auch auf den gebildeten Teil des Publikums gemacht hat, bekräftigt meine Meinung.

Mit dieser Erklärung werden vielleicht gerade die eifrigsten Verteidiger des Fatums am wenigsten zufrieden sein, die demselben einen großen Dienst zu erweisen glaubten, wenn sie es in Verbindung mit den Grundsätzen der christlichen Religion zu bringen suchten und der Tragödie wer weiß was für eine hohe, moralische Bestimmung anweisen. Aber sie mögen sich vorsehen. Das eben ist das Unglück der Deutschen, daß sie ewig all ihr Wissen zu Markte bringen, und nicht glauben eine rechte Tragödie gemacht zu haben, wenn sie nicht im Notfall zugleich als ein Kompendium der Philosophie, Religion, Geschichte, Statistik und Physik gelten kann, so daß man in ihren dramatischen Werken alles bis auf das Dramatische antrifft. Ich kann einmal nicht helfen, und alle eigentlich *produktiv* poetischen Köpfe werden mir hoffentlich beistimmen. Menschliche Handlungen und Leidenschaften sind der Vorwurf der tragischen Kunst, alles andere und wäre es auch das Höchste bleibt zwar nicht ausgeschlossen, aber ist – *Maschine.* Religion auf die Kanzel, Philosophie auf die Katheder, der Mensch mit seinem Tun und Treiben, Freuden und Leiden, Irrtümer und Verbrechen auf die Bühne.

Und somit genug. (W III, 308 ff)

Grillparzer in den »Xenien« 1817/18

Der Verfasser der Ahnfrau

Gleich dem schaffenden Geist kannst du blitzen und donnern und regnen,
Aber *erquicket,* wie seins, auch dein Gewitter die Flur?

An die Kritiker

Regellos scheltet ihr mich, weil mein Werk in die Regel nicht passet?
Aber versucht es! vielleicht passet die Regel ins Werk! (W I, 375 f)

Grillparzer an Adolf Müllner Wien, 21. Januar 1818

Schwer ward mirs aus dem dumpfig-warmen Medium das meine Phantasie brütend um sich geschaffen hatte hervorzutreten in den erkältenden aber zugleich erstärkenden Tag. Herrn Schreyvogels väterlicher Sorge gelangs mein Widerstreben zu besiegen. Aber als nun seine Vaterhand jenes beschrieene, in jeder Hinsicht zu früh geborne Wesen aus mir hervor gezogen hatte, und von allen Seiten die Hunde des kritischen Donnars heulend darüber herstürzten, da kehrten alle Qualbilder früherer Tage zurück da war ich verloren – vielleicht nicht ganz vor der Welt, aber vor mir, in mir selber verloren –, wenn nicht Sie, wenn nicht Ihr Wort mich aufgerichtet hätte. (HKA III, 1, 88)

Grillparzer an Caroline Pichler Rom, 9. April 1819

Die Reise nach Florenz, herrlich. Wir passierten die Apenninen bei Nacht. Warum habe ich meinen Jaromir nicht in die Apenninen statt nach Böhmen versetzt; mir tat es beinahe leid, daß wir nicht angefallen wurden, so notwendig schienen Räuber zu diesen wilden Klüften und Abstürzen zu gehören. (W IV, 750)

Tagebuch 1820

Du hast dir einen bequemen Armstuhl machen lassen, fast zu bequem. Erinnere dich, daß du die Ahnfrau auf einem elenden Rohrstuhl geschrieben, dessen geflochtener Sitz eingedrückt war, den du daher mit einem Brette bedecktest und dieses mit einer Decke um nicht gar so hart zu sitzen. Du warst damals der unbekannteste der Menschen, ohne Mittel, ohne Aussicht, ohne Freude ohne Hoffnung – jetzt bekannt, berühmt fast. – Deine Unzufriedenheit ist Verbrechen. (Tgb 602. W IV, 353)

Grillparzer an Kaiser Franz[4] Wien, 1. Dezember 1821

Der Schreiber dieses Gesuches, Franz Grillparzer, ist derselbe, der durch mehrere theatralische Arbeiten, als: Die Ahnfrau, Sappho, Medea, das Glück gehabt hat, die Aufmerksamkeit des Publikums auf sich zu ziehen, ja selbst die Teilnahme des Auslandes zu erwecken, was die Übersetzung dieser seiner Stücke in die meisten Sprachen des kultivierten Europa zu beweisen scheint. (W IV, 767)

Tagebuch 5. Mai 1822

Von Jugend auf war ich nicht frei von Gespensterfurcht, die aber von Zeit zu Zeit bei einzelnen Anlässen bis zum Törichten sich vermehrte. Z. B. als ich die Ahnfrau schrieb; nicht bei meines Vaters, wohl aber sehr bei meiner Mutter Tode.

(Tgb 1109. IV, 375)

Aus dem »Anfang einer Selbstbiographie« 1834/35

Der Plan zur *Ahnfrau* entstand in ihm während dieser Arbeit[5]. Nach seiner gewöhnlichen innerlichen Art aber, und seinen Vorsätzen getreu, dachte er aber nicht an die Ausführung. Da machte ihn der Zufall mit dem Theatersekretär Schreyvogel bekannt, dem er den Plan erzählte, und der ihn aufs dringendste zur Handanlegung aufforderte.

G. hatte wenig Lust dazu. Endlich aber schrieb er einmal abends vor dem Schlafengehen halb wider Willen die ersten Verse nieder, und in drei Wochen war das Stück fertig, das die ungeheuerste Wirkung auf allen deutschen Bühnen machte, die Lage des Verfassers aber nicht wesentlich verbesserte, da es ihm an Theater- und Buchhändler-Honorar kaum 100 Dukaten eintrug. (W IV, 18)

Tagebuch August 1836

Ich habe durch Schreyvogls Tod viel verloren. Nicht seinen Rat bei meinen eigenen Arbeiten. Ich habe nie mit jemanden meine Plane oder ihre Ausführung besprochen und nie, mit Ausnahme der Ahn-

4 Gesuch Grillparzers um Verleihung der Skriptorstelle in der kaiserlichen Privatbibliothek.

5 Übersetzung von Calderons »Das Leben ein Traum« (W IV, 69).

frau, an einem vollendeten Stücke etwas nach seiner [Schreyvogels] Meinung geändert. (Tgb 3168. W IV, 639)

Grillparzer zu Adolf Foglar 10. Januar 1843

Ich habe die beiden Stücke »Ahnfrau« und »Sappho« jedes in etwa drei Wochen vollendet – aus Geldmangel. Damals lebte noch meine Mutter. Scherzend pflegte ich oft zu ihr zu sagen: Die Ahnfrau hat der Georgi-Zins und die Sappho der Michaeli-Zins geschrieben.

(Gespr 770)

Grillparzer zu Adolf Foglar 11. September 1845

Wenn eine Ahnfrau erscheint, so muß ichs den Leuten glaublich gemacht haben, daß eine Ahnfrau erscheinen kann. (Gespr 868)

Aus der »Selbstbiographie« 1853

Er [Schreyvogel] fragte weiter: ob ich nicht in der Zwischenzeit Stoffe durchdacht hätte, ich möchte ihm derlei erzählen. Nun hatte ich gerade damals einen Stoff ganz gegliedert in meinem Kopfe. Damit ging es so her.

Ich hatte in der Geschichte eines französischen Räubers, Jules Mandrin glaub ich, die Art seiner Gefangennehmung gelesen. Von Häschern verfolgt, flüchtete er in ein herrschaftliches Schloß, wo er mit dem Kammermädchen ein Liebesverhältnis unterhielt, ohne daß diese, ein rechtliches Mädchen ahnte, welch einem Verworfenen sie Kammer und Herz geöffnet hatte. In ihrem Zimmer wurde er gefangen. Der tragische Keim in diesem Verhältnisse oder vielmehr in dieser Erkennung machte einen großen Eindruck auf mich.

Ebenso war mir ein Volksmärchen in die Hände gefallen, wo die letzte Enkelin eines alten Geschlechtes, vermöge ihrer Ähnlichkeit mit der als Gespenst umwandelnden Urmutter, zu den schauerlichsten Verwechslungen Anlaß gab, indem ihr Liebhaber einmal das Mädchen für das Gespenst, dann wieder, besonders bei einer beabsichtigten Entführung, das Gespenst für das Mädchen nahm.

Beide Eindrücke lagen längere Zeit nebeneinander in meinem Kopfe, beide in dieser Isolierung unbrauchbar. Im Verfolg des ersteren wäre mir nie eingefallen, einen gemeinen Dieb und Räuber zum Helden eines Drama zu machen; beim zweiten fehlte der gespensterhaften Spannung der sonstige menschliche Inhalt.

Einmal des Morgens im Bette liegend, begegnen sich beide Gedanken und ergänzen sich wechselseitig. Der Räuber fand sich durch das Verhängnis über der Urmutter eines Geschlechtes, dem auch er angehören mußte, geadelt; die Gespenstergeschichte bekam einen Inhalt. Eh ich aufstand und mich ankleidete, war der Plan zur Ahnfrau fertig.

An die Ausführung zu gehen, hinderte mich teils mein Entschluß der dramatischen Poesie für immer zu entsagen, teils ein Schamgefühl, einen Stoff zu behandeln, der höchstens für die Vorstadttheater geeignet schien und mich einer Klasse von Dichtern gleichzusetzen, die ich immer verachtet hatte; obwohl ich Poesie genug in mir fühlte, die Geistergeschichte so auszustatten, daß man ein Dummkopf oder ein deutscher Gelehrter sein müsse um viel dagegen einwenden zu können. Diesen Stoff nun erzählte ich Schreyvogel und zwar mit einer solchen Lebhaftigkeit und in einer solchen bis ins einzelnste eingehenden Folge, daß er, selbst Feuer und Flamme, ausrief: das Stück ist fertig, sie brauchen es nur niederzuschreiben. Meine Einwendungen ließ er nicht gelten und ich versprach darüber weiter nachzudenken. [...]

Die Ahnfrau war inzwischen [6] vergessen, auch hatte ich Schreyvogeln seither nicht besucht.

Da, am Ausgange des Sommers, begegne ich ihm auf einem Spaziergange am Glacis. Er ruft mir schon von weitem zu: wie stehts mit der Ahnfrau? Ich aber antworte ihm ganz trübselig: Es geht nicht! [...]

Als ich ihm nun sagte: Es geht nicht! erwiderte Schreyvogel: dieselbe Antwort habe ich einst Goethen gegeben, als er mich zur literarischen Tätigkeit aufmunterte; Goethe aber meinte: Man muß nur in die Hand blasen, dann gehts schon! – Und so schieden wir von einander.

Diese Worte des großen Meisters gingen mir gewaltig im Kopfe herum. Sollte es – bei allem Abstand der Begabung – andern so leicht werden, daß sie nur in die Hand zu blasen brauchten, und ich selbst brächte gar nichts zustande! Mein tiefstes Wesen fand

6 Grillparzer berichtet von seinem Eintritt in die österreichische Zollverwaltung.

sich empört. Meinen Spaziergang allein fortsetzend, dachte ich über die Ahnfrau nach, brachte aber nichts zustande, als die acht oder zehn ersten Verse, die der alte Graf zu Anfang des Stückes spricht und zwar in Trochäen, die mir meine Beschäftigung mit Calderon lieb gemacht hatte.

Man hat mich um dieser Versart und wohl auch der sogenannten Schicksalsidee willen als einen Nachahmer von Müllners »Schuld« bezeichnen wollen. Eigentlich war es aber wohl Calderon und namentlich dessen Andacht zum Kreuze, was mir unbewußt vorschwebte, nebstdem daß der Trochäus meinem erwachten Musikgefühle wohltat. Allerdings hätte ich ohne Müllners Vorgang wahrscheinlich nicht gewagt, eine neue Versart auf die deutsche Bühne zu bringen.

Als ich nach Hause gekommen war und zu Nacht gegessen hatte, schrieb ich ohne weitere Absicht jene acht oder zehn Verse auf ein Blatt Papier und legte mich zu Bette.

Da entstand nun ein sonderbarer Aufruhr in mir. Fieberhitzen überfielen mich. Ich wälzte mich die ganze Nacht von einer Seite auf die andere. Kaum eingeschlafen, fuhr ich wieder empor. Und bei alledem war kein Gedanke an die Ahnfrau, oder daß ich mich irgend meines Stoffes erinnert hätte.

Des andern Morgens stand ich mit dem Gefühle einer herannahenden, schweren Krankheit auf, frühstückte mit meiner Mutter und ging wieder in mein Zimmer. Da fällt mir jenes Blatt Papier mit den gestern hingeschriebenen, seitdem aber rein vergessenen Versen in die Augen. Ich setze mich hin und schreibe weiter und weiter, die Gedanken und Verse kommen von selbst, ich hätte kaum schneller abschreiben können. Des nächsten Tages dieselbe Erscheinung, in drei oder vier Tagen war der erste Akt, beinahe ohne ein durchstrichenes Wort, fertig.

Ich lief damit sogleich zu Schreyvogel um es ihm vorzulesen. Er war im höchsten Grade befriedigt und drang nur um so mehr in mich, doch ja fortzufahren. Ebenso schnell entstanden der zweite und dritte Akt. Noch erinnere ich mich, daß ich an der großen Szene wo Jaromir Berthan zur Flucht beredet, von 5 Uhr morgens bis fünf Uhr abends geschrieben habe, ohne Ruhepunkt und ohne etwas zu mir zu nehmen. Meine Mutter klopfte zur Zeit des Früh-

stücks und des Mittagmahles vergebens an die Tür. Erst abends ging ich hervor, machte einen Spaziergang über die Bastei und aß zur Nacht mein Mittagmahl.
Da fiel plötzlich kaltes Wetter ein und es war als ob mir alle Gedanken vergangen wären. Ich schlich ganz traurig zu Schreyvogel und klagte: ich hätte wohl vorausgesagt, daß es nicht ginge. Er meinte aber, es werde schon wieder kommen. Und so geschah es auch. Nach zwei- oder dreitägiger Unterbrechung vollendete ich das Stück mit derselben Raschheit mit der es begonnen war. In nicht mehr als fünfzehn oder sechzehn Tagen habe ich es geschrieben.
Es wurde nun Schreyvogeln übergeben, damit er über die Aufführbarkeit entscheiden möge. Als ich nach ein paar Tagen vorfragte, fand ich ihn beträchtlich abgekühlt. Schreyvogel war ein vortrefflicher Kopf, in gehörigem Abstande, allerdings eine Art Lessing. Nur hatte er, außer der logischen Schärfe, mit seinem Vorbilde auch das gemein, daß seine künstlerischen Grundsätze mehr das Ergebnis eines Studiums der Muster, als ein Erzeugnis aufquellender eigener Anschauungen waren. Er wußte nun nicht recht, wohin er mein Mondkalb anreihen sollte, und war ängstlich. Nicht als ob er den Gespensterspuk oder die sogenannte Schicksalsidee verworfen hätte, er verlangte vielmehr, daß letztere mehr herausgebildet werden sollte, namentlich der ganz unberührt gebliebene Umstand, daß das jetzt lebende Geschlecht geradezu die Frucht der Sünde der Ahnfrau sei. Als ich mich darein nicht finden wollte, erbot er sich sogar mein Stück zu überarbeiten, es sollte dann als unser gemeinschaftliches Werk erscheinen. Dagegen protestierte ich, es sollte entweder gar nicht aufgeführt werden, oder als mir angehörig.
Schreyvogel hatte bereits mit den Schauspielern gesprochen, denen er die Rollen zugedacht hatte. Madame Schröder wählte bloß vom Hörensagen das Stück zu ihrer Einnahme und für sich die Rolle der Bertha und des Gespenstes. Heurteur, der den Jaromir geben sollte, besuchte mich in meiner Wohnung in dem sogenannten »Elend«, wo er denn erstaunt war, den Dichter am Schreibtische in dem Rohr-Sessel seines Vaters sitzen zu sehen, auf welchem Lehnstuhle, weil das Rohr durchgesessen war, durch ein quer darüber gelegtes Brett ein neuer Sitz improvisiert war.
In diesem Getümmel verlor ich ganz den Überblick. Ich machte die

verlangten Änderungen, durch welche mein Stück nicht besser wurde, zum Teil auch darum, weil ich sie nur äußerlich anfügte.
Ich habe sogleich nach der Aufführung bemerkt, daß durch diese »tiefere Begründung« mein Stück aus einem Gespenstermärchen mit einer bedeutenden menschlichen Grundlage, sich jener Gattung genähert hatte, in der Werner und Müllner damals sich bewegten. Bei den späteren Auflagen wollte ich auch geradezu auf mein ursprüngliches Manuskript zurückgehen. Da ich aber bei der zweiten Redaktion, wie der Dichter soll und muß, zugleich manches in der Diktion und sonstigen Anordnung geändert hatte, welches alles mit Rücksicht auf jene Erweiterung der Idee geschah, so hätte es einer dritten Überarbeitung bedurft, was mir viel zu langweilig war. Jenes ursprüngliche Manuskript mit Schreyvogels Randbemerkungen wird sich, als Beweis dessen, unter meinen Papieren finden.
Nun kamen die äußern Verlegenheiten, die, wenn sie mir nicht von andern abgenommen worden wären, mich geradezu bestimmt hätten, mein Stück zurückzuziehen. Es wurde bei der Zensur eingereicht und verboten. Durch die Konnexionen der Schauspielerin Madame Schröder, die als zu einer Einnahme berechtigt, ein Wort mitreden durfte, wurde es erlaubt. Es ist aber nach dieser ersten Vorstellung zum zweitenmale verboten worden. Da trat denn der pensionierte Hofschauspieler Lange, der den Grafen Borotin gab, und die dritte Vorstellung zu seiner Einnahme geben wollte, in die Schranken und mit seiner Rührung als tragischer Vater brachte er die Erlaubnis auch für diese Vorstellung zuwege. Zuletzt kam der Eigentümer des Theaters an der Wien, Graf Palffy, mit utilitarischen Gründen und erklärte, wenn man ihm die Stücke, die Geld eintrügen, verbiete, müsse er sein Theater zuschließen. Das wirkte und Barrabas ward freigegeben.
Ich habe den Ereignissen vorgegriffen und kehre zurück. Die Schauspieler waren von ihren Rollen entzückt. Als ich auf den Proben erschien, wurde ich trotz meines fadenscheinigen Überrocks wie ein junger Halbgott empfangen. Zufällig fanden sich auch, mit Zuhilfnahme der Hofschauspielerin Madame Schröder und des pensionierten Hofschauspielers Lange, die Gastrollen gaben, alle Subjekte vor um das Stück so aufzuführen, wie es wohl auf keiner deutschen Bühne wieder gegeben worden ist. Es wurde darum auch dem

Theater an der Wien der Vorzug vor dem Hofburgtheater für mein erstes Erscheinen vor das Publikum gegeben.
Das alles geschah ohne mein Zutun, ja beinahe ohne mein Vorwissen. Da endlich kam der Tag der ersten Vorstellung. Meinen Namen auf den Zettel drucken zu lassen, war ich durchaus nicht zu bewegen. Die Ahnfrau, Trauerspiel in fünf Aufzügen, ohne Angabe des Verfassers, stand an den Straßenecken angeschlagen. Das gab keine gute Vorbedeutung und das Theater war schwach besucht, es gab eine schlechte Einnahme, was mir aber Madame Schröder, die Geld wahrlich brauchte, nie nachgetragen, sondern sich so gegen mich benommen hat, als hätte ich ihr Tonnen Goldes eingebracht. Mir waren von der Benifiziantin drei Sperrsitze in der ersten Galerie zugekommen, die ich mit meiner Mutter und meinem jüngsten, damals eilf- oder zwölfjährigen Bruder einnahm. Die Vorstellung, obgleich vortrefflich, machte auf mich den widerlichsten Eindruck, es war mir als ob ich einen bösen Traum verkörpert vor mir hätte. Ich faßte damals den Vorsatz der Vorstellung keines meiner Stücke mehr beizuwohnen, ein Vorsatz den ich bis heute gehalten habe. Die Haltung unserer Familie war höchst wunderlich. Ich selbst rezitierte, ohne es zu wissen, das ganze Stück leise mit. Meine Mutter, vom Theater ab und zu mir gewendet, sagte in einem fort: Um Gotteswillen, Franz, mäßige dich, du wirst krank, indes zu ihrer andern Seite mein kleiner Bruder unausgesetzt betete, daß das Stück gut ausfallen möge. Das Widerliche wurde dadurch vermehrt, daß auf der spärlich besetzten Bank hinter uns ein ganz gut aussehender Herr saß, der mich natürlich nicht kannte, und obschon ihn das Stück zu interessieren schien, sich doch nicht enthalten konnte, ein oft wiederholtes: grell, grell! an meinen Ohren vorbeitönen zu lassen. Es wurde viel geklatscht, aber durchaus nur an Stellen, wo die trefflichen Schauspieler ihre Glanzpunkte hatten. Als ich daher nach geendigter Vorstellung auf die Bühne ging, widersprach ich aufs bestimmteste der Meinung der Schauspieler, daß das Stück sehr gefallen habe.
Bei der Wiederholung am nächsten Abend hatte ich alle Ursache meine Ansicht für die richtige zu halten, denn das Theater war halb leer. Da meinte aber der Schauspieler Küstner: ich kennte ihr Theater nicht. Bei ihnen in der Vorstadt brauche es immer ein paar

Tage bis das Gerücht eines Erfolges im Publikum herumkomme. Und so war es auch. Bei der dritten Vorstellung fand sich das Theater wie belagert und das Stück machte in Wien und in ganz Deutschland die ungeheuerste Wirkung.

Ungeachtet dieses allgemeinen Anteils hat mir die Ahnfrau nicht mehr eingetragen als 500 f Papiergeld von der Theaterdirektion und ebenso viel vom Verleger, was beides ungefähr 400 f in Silber gleichkommt. Ich ließ nämlich das Stück, auf Schreyvogels Rat, unmittelbar nach der Aufführung drucken, weil die erschienenen Rezensionen den Inhalt und die Gesinnung aufs unverschämteste entstellten. So gaben es alle Theater in Deutschland nach dem gedruckten Exemplar und machten ungeheure Einnahmen, ohne daß es einem einzigen einfiel mir ein Honorar zu zahlen. Das in Wien Erhaltene diente übrigens dazu unserm Hauswesen aufzuhelfen. Wir bezahlten die fällige Wohnungsmiete und ich behielt für mich nur 50 f Papiergeld, um die ich mir die Braunschweiger Ausgabe von Shakespeare in englischer Sprache und die Heynesche Iliade anschaffte.

Mein Hauptgegner in der Journalistik war, weil ich jetzt mit Schreyvogel stand, derselbe Redakteur[7] der Modenzeitung, der mich einst gegen Schreyvogel benützt und damals ungeheuer gelobt hatte. Er veranlaßte sogar, ehe das Stück noch gedruckt war, einen damals beliebten Dichter in Salzburg, Weissenbach, eine verdammende Kritik, bloß nach den empfangenen brieflichen Mitteilungen, mithin ins Blaue zu schreiben, was mir der ehrliche Mann später abgebeten hat. Die Urteile waren, zufolge der unvertilgbaren Nationalität, beinahe so albern als was man in den heutigen Journalen, Kunstphilosophieen und Literaturgeschichten zu lesen bekommt. Da war nun von nichts die Rede als von Schicksal, daß Verbrechen durch Verbrechen gesühnt würden, und so weiter.

Genau genommen nun, findet sich die Schicksals-Idee gar nicht in der Ahnfrau. Wenn der Richterspruch gegen dieses geistige Wesen lautete, daß sie zu wandeln habe bis ihr Haus durch Verbrechen ausstürbe, so hätten diese Verbrechen allerdings eine Notwendig-

7 Wilhelm Hebenstreit, der Grillparzers Calderon-Übersetzung gefördert hatte.

keit; da aber das Ende ihrer Strafe nur bis zum Aussterben ihres Hauses, gleichviel wann und wie, bestimmt ist, so ist der Zeitpunkt und daß es durch Verbrechen geschieht, zufällig. Daß die Personen zufolge einer dunkeln Sage eines frühen Verschuldens sich einem Verhängnis verfallen glauben, bildet so wenig ein faktisches Schicksal, als einer darum unschuldig ist, weil er sich für unschuldig ausgibt.

Damit will ich nicht gegen das Schicksal eifern, sondern gegen sein krudes Vorkommen in der Ahnfrau. Die Poesie kann des Hereinspielens eines Übersinnlichen in das Menschliche nie entbehren. Da uns nun die Wissenschaft darüber gar nichts, oder wenigstens nichts Vernünftiges zu sagen weiß, die Religion aber leider mehr im »Bewußtsein«, als in der Überzeugung lebt, so bleibt uns nichts übrig, als diese Verbindung zweier Welten so zu nehmen, wie sie, einem Grundzuge der menschlichen Natur gemäß, in allen Zeiten und bei allen Völkern vorgekommen ist. Die Alten hatten die grandiose Gestalt des Schicksals; aber auch nur für die Poesie. Es wäre ihnen im wirklichen Leben nicht eingefallen, bei einer Gefahr die Hände in den Schoß zu legen, weil doch das Unvermeidliche nicht zu vermeiden sei, so wie der Richter einem Verbrecher ins Gesicht gelacht haben würde, wenn er sich auf ein Schicksal oder einen erhaltenen Orakelspruch berufen hätte. Diese großartige Gestalt ist allerdings durch die neuern Religionen zerstört worden, aber die Trümmer davon leben unvertilgbar als Vorbedeutung und Vorahnung, als Wirkung von Fluch und Segen, als Gespenster- und Hexenglauben fort. Als letztern hat ihn Shakespeare im Macbeth benützt. Wenn ihr mir sagt diese Hexen seien der eigene Ehrgeiz des Helden, so antworte ich euch, tut die Augen auf! Was ihr da vor euch seht, das sind Hexen und nicht der Ehrgeiz. So wie das Gespenst Banquos ein wirkliches Gespenst ist, weil ihr es mit euern eigenen Augen seht, indes der Gedankendolch vor dem Morde, nur ein Gedankendolch ist, denn nur Macbeth sieht ihn, ihr aber nicht. Meint ihr aber, diese Hexenfiguren bekämen ihren Wert für alle Zeiten dadurch, daß sie den Ehrgeiz Macbeths repräsentieren, so habt ihr vollkommen recht, dann denkt aber auch bei der Ahnfrau an den biblischen Spruch von der Strafe des Verbrechens an den Kindern des Verbrechers bis ins siebente Glied, und ihr habt einen

Akt geheimnisvoller Gerechtigkeit vor euch, statt eines Schicksals. Die Grundirrtümer der menschlichen Natur sind die Wahrheiten der Poesie, und die poetische Idee ist nichts anders als die Art und Weise wie sich die philosophische im Medium des Gefühls und der Phantasie bricht, färbt und gestaltet.

Auch hat man bei diesen ekelhaften Streitigkeiten nur immer von Werner, Müllner und der Ahnfrau gesprochen und sich nicht erinnert, daß Schiller in der Braut von Messina das Schicksal in seiner schroffsten Gestalt benützt und es auch theoretisch verteidigt hat. Nun gebe ich gern zu, daß Schiller sich geirrt haben kann, nur tritt diese Möglichkeit bei den Eintagsfliegen der Kritik und Literargeschichte im verdoppelten Maße ein. Zugleich sollten die Deutschen in ihrer abgeschmackten Gründlichkeit nie den Unterschied zwischen Poesie und Prosa, noch den Umstand vergessen, daß ein Trauerspiel, so traurig es sein mag, doch immer auch ein Spiel bleibt.

Ich bin gegen meine Absicht weitläuftig geworden, weil der widerliche Eindruck der damaligen Besprechungen sich mir in der Erinnerung erneuert. Es hat mir die Freude an dem Gelingen meines Werkes verkümmert. Zugleich aber, da immer von Räubern, Gespenstern und Knall-Effekten die Rede war, beschloß ich bei einem zweiten Drama, wenn es ja zu einem zweiten kommen sollte, den möglichst einfachen Stoff zu wählen um mir und der Welt zu zeigen, daß ich durch die bloße Macht der Poesie Wirkungen hervorzubringen imstande sei. (W IV, 71 ff)

Ludwig August Frankl berichtet [8] Januar 1860

Grillparzer erschien bei unserem, ihm zu Ehren gegebenen Festkapitel und sprach den Wunsch aus, unter dem Namen »Zdenko von Borotin«, an die Gestalt des Grafen in der »Ahnfrau« erinnernd, fortan der Ritterschaft angehören zu wollen. Laube, der an demselben Abend als Pilgrim erschienen war, sprach über die Bedeutung der »Ahnfrau« für die deutsche Bühne und über die Ver-

8 über die Feier von Grillparzers 69. Geburtstag im Januar 1860 durch die Ritterschaft der »Grünen Insel«, einer Literaten- und Künstlervereinigung.

ballhornung dieses Trauerspiels durch Schreyvogel-West, der den Dichter veranlaßte, die Schicksalsidee, die durch Werner und Müllner in Mode gekommen war, hineinzudichten. (Gespr 1507)

Grillparzer zu Wilhelm von Wartenegg 1. März 1860
Die Ahnfrau ist ganz das geworden, was ich machen wollte, und ich kann sie wirklich meisterhaft nennen [...]. Nicht Schicksalsstück! rief er, das wollt' ich, das habe ich nicht geschrieben. Das Ganze kann bestehn, auch wenn man die Ahnfrau herausnimmt. Ein Mädchen liebt einen jungen Menschen, ohne zu ahnen, wer er ist. Sie erfährt endlich alles. Das kann sein ohne Ahnfrau; doch ohne sie ist der Jaromir ein ganz gemeiner Räuber; durch das Gespenst erhält alles eine andere Färbung; ich liebe das; es ist die Poesie, in der man aufgewachsen ist, es ist ein altes Märchen von der Frau, die begangener Sünde halber wandeln muß, bis das ganze Geschlecht ausgestorben ist. Doch bedingt sie nicht das Fallen gerade dieser Personen, nicht die Verwicklung der Dinge. Es ist der Ort in keiner Prophezeiung, die Zeit, die Namen in keiner genannt, und eigentlich unabhängig von ihr sieht man das Aussterben dieses Geschlechtes. – Übrigens haben ja die Griechen auch schon ein Fatum in allen ihren Dramen angenommen. (Gespr 1088)

Grillparzer zu Robert Zimmermann 6. Januar 1866
Die Ahnfrau? ja, die Ahnfrau! die ist mir noch immer lieb, ich halte sie für ein gutes Stück: Was da vom Schicksal drinnen steht, das ist nicht von mir; ich verstand nichts vom Theater. Der damalige Theatersekretär Schreyvogel, der war ein großer Freund von Müllner, von der Schuld usw., der hat darauf gedrungen, daß es betont werden soll, der hat die Schuld vom Geschlecht her hineingebracht. Ich möchte es wohl einmal drucken lassen, wie es ursprünglich war. Aber so, jetzt bin ich nun einmal der Schicksalsdichter! Als ob es kein Schicksal gäbe? Sie, ich, jeder hat sein Schicksal. Ist denn die Vorsehung was andres? Ists denn nicht ein Beweis, daß alles aufs beste eingerichtet sein muß, weils überhaupt noch aushält! Und hat die Sappho etwa kein Schicksal? Aber das Gespenst in der Ahnfrau, das hat man mir nicht verziehn? Glaub ich etwa an Gespenster, weil die Personen im Stück daran glauben? In der Zeit, in der

das Stück spielt, hat man aber an Gespenster geglaubt. Und der Geist im Hamlet, und der Schatten des Darius beim Aeschylus?

(W IV, 971 f)

Grillparzer zu Auguste von Littrow-Bischoff Dezember 1866

Meine Ahnfrau war ihm [Goethe] ein Greuel. Mir tut es doch nicht leid, daß ich sie schrieb – wohl aber, daß ich sie verdarb durch eine Umarbeitung, zu welcher ich mich durch Schreyvogel bestimmen ließ und durch welche die Konsequenz des Stückes brach und es verdorben wurde. (Gespr 1189)

Grillparzer zu Auguste von Littrow-Bischoff Winter 1866/67

Es war die erste Jugendarbeit, die dem Publikum zwar gefiel, doch aber die Mängel eines solchen ersten Anlaufes ebenso an sich trägt, wie das Gepräge einer Epoche, in welcher die sogenannte Schicksalstragödie noch an der Tagesordnung war. Wenn auch dieser Hintergrund nicht von mir ausging, so lag doch jene Richtung im Gange der Zeit. Ein ungeheurer Umschwung aller Verhältnisse durch die französische Revolution und was darauf folgte, hatte das Unmögliche möglich gemacht. Eine Art Glaube an Fatalismus, an Vorherbestimmung, welcher ja auch den ersten Napoleon beseelte, waltete in Leben und Dichtung, sich an die Poesie, an den Glauben der Alten, an das Fatum anlehnend. (Gespr 1190)

Grillparzer zu Ferdinand von Saar März 1867

Nun ja, nun ja, aber mir ist und bleibt doch die »Ahnfrau« das liebste meiner Stücke. (Gespr 1192)

Grillparzer zu Marie von Ebner-Eschenbach 18. März 1868

Das Stück ist gut. (Gespr 1739)

Grillparzer an Karl Goedeke Wien, 19. November 1868

Machen Sie gut,was die neuere deutsche Literatur an mir gesündigt. Wenn es aber scheint, daß Sie mir die »Ahnfrau« nur verzeihen wollen, so muß ich nur sagen: daß ich selbst auf diese »Ahnfrau« große Stücke halte, obwohl ich damals, bei meiner ersten Arbeit, durch eine wohlwollende, aber sachunkundige Hand veranlaßt worden bin, die sogenannte Schicksalsidee mehr herauszuarbeiten, als sie in meinem eigenen Manuskript enthalten und hier notwendig war. (W IV, 874)

Grillparzer an Gohon de Corval Wien, 22. Juni 1870
Wenn Sie die *Ahnfrau* ins Französische übersetzen wollen, so dürfen Sie weder von dem Verleger noch von mir einen Einspruch noch einen Anspruch auf Autor-Anteil befürchten. Betrachten Sie das deutsche Original wie Ihr Eigentum. Nur möchte ich Ihnen die Übersetzung selbst widerraten. Das Stück ist dem gegenwärtig in Frankreich herrschenden Geschmacke durchaus nicht angemessen. (HKA III, 5, 92)

Grillparzer zu Ludwig August Frankl 25. Januar 1871
Unter allen Huldigungen, die man mir[9] bis zur Erdrückung meiner restlichen Kraft darbringt, hat mich die Aufführung der »Ahnfrau« am meisten gefreut, und daß sie just auf der Bühne stattfand, wo sie vor einem halben Jahrhundert zu leben anfing und jetzt wieder lebt. So vielen literarischen Kummer mir dieses Stück auch bereitet hat, so liebe ich es doch ganz besonders, wie die Mütter ein körperlich mißratenes Kind am zärtlichsten lieben. (Gespr 1266)

Grillparzer zu Auguste von Littrow-Bischoff Februar 1871
Wenn ich meine »Ahnfrau« jetzt lese mit all den Gespenstern und Spukgestalten, so bin ich wohl geneigt, den Kritikern recht zu geben, die diese Hinneigung zum Übernatürlichen tadeln; aber die Wirklichkeit und die wirklichen Menschen waren mir zum großen Teil unerträglich; ich mußte mich in eine andere Welt flüchten und mir eine neue Umgebung erschaffen, die mich entschädigen sollte für die wirkliche, in der ich es nicht aushielt. (Gespr 1270)

Grillparzer zu Heinrich Laube 1871
Was ich je hinterher verändert habe, das hat Verschlechterung hervorgebracht. (Gespr 8)

9 zum 80. Geburtstag.

Emilie von Binzer berichtet 1872

Grillparzer sagte mir in der Zeit seines späten Ruhms: »Die Leute sagten damals, ich hätte ein Schicksalsstück geschrieben, und ich habe eine Gespenstergeschichte, die auf einer Familiensage beruht, dramatisieren wollen.« (Gespr 12)

Heinrich Laube berichtet[10] 1872

Diese Verwahrung[11] war fruchtlos geblieben: man nannte ihn nach wie vor einen Schicksalstragöden. Ärgerlich lachend darüber, sagte er deshalb schon vor Jahren einmal zu mir: »Wenn Sie einst nach meinem Tode noch leben, und eine Sammlung meiner Schriften herausgeben – ich selbst will nichts mit solcher Aufgabe zu tun haben – so nehmen Sie doch Notiz von dem Originalmanuskript meiner ›Ahnfrau‹. Sie finden darin Anmerkungen von Schreyvogel, dem damaligen artistischen Leiter des Burgtheaters, und werden aus diesen Anmerkungen ersehen, daß *er* die Veranlassung gewesen ist zu denjenigen Stellen in der Ahnfrau, welche mich in den Geruch des Schicksalstragöden gebracht haben.« (Gespr 1535, V)

Die Jüdin von Toledo
Entstanden 1816 – etwa 1855
Erstdruck Stuttgart 1872
Uraufführung am 21. November 1872 in Prag

Tagebuch Anfang 1816

Alphons VIII von Kastilien verliebt sich in eine Jüdin. Seine Großen, die ein ihm zugestoßenes Kriegsunglück dieser verdammlichen Liebe zuschreiben, lassen das Mädchen ermorden. Alphons wird darüber wahnsinnig. I. J. 1194. (Tgb 152. W IV, 266)

10 in der ersten Gesamtausgabe von Grillparzers Werken, 1872.
11 in der Vorrede zur »Ahnfrau«.

Tagebuch 1824

Die Jüdin von Toledo. Trauerspiel. Die Geschichte Alonso des Guten von Kastilien und jener Rahel, die ihn, nicht ohne *Verdacht der Zauberei,* so lange umstrickt, und die zuletzt von den Großen des Reichs im Einverständnisse mit der Königin, ermordet wurde. Alonso, jünger aufgefaßt, als er, nach der Geschichte, zur Zeit jenes Liebesverhältnisses eigentlich war, ein, im guten Sinne des Wortes wohl erzogener Prinz; ohne die Liebe eigentlich je zu kennen, schon früh mit einer Prinzessin vermählt, in der er für alles Befriedigung findet, was der Umkreis seiner Wünsche bisher erreichte. Ein Herz und eine Seele mit ihr, beide gutartig, edel, vornehm, wohlerzogen, wie Bruder und Schwester. Das Volk betet ihn an, die Großen sehen mit scheuer Ehrfurcht was er ist, und was er zu werden verspricht, er selbst fühlt sich glücklich in dem ungestörten Gleichgewichte seines Wesens. Was er tut ist kräftig, denn er hat noch nie die Erfahrung einer demütigenden Unzulänglichkeit gemacht; was er spricht ist Weisheit, aber erlernte, Bücher-Weisheit, die Welt hat ihn noch nicht in ihre strenge Lehre genommen. Alles ist gut. Da erscheint jene Jüdin, und ein Etwas wird in ihm rege, von dessen Dasein er bis jetzt noch keine Ahnung gehabt: *die Wollust.* In seinem Garten spazieren gehend, an der Seite seiner Gattin, von Großen und Volk umgeben, Worte der Güte und Weisheit ausspendend, fällt, von Gartenknechten verfolgt, die das Volk der Ungläubigen abzuhalten Befehl haben, fällt die schöne Jüdin zu des Königs Füßen; ihre Arme umfassen seine Füße, ihr üppiger Busen wogt an seine Kniee gepreßt und – der Schlag ist geschehn. Das Bild dieser schwellenden Formen, dieser wogenden Kugeln (unter diesem Bilde sind sie seinen Sinnen gegenwärtig) verläßt ihn nicht mehr. Ungeheure Gärung in seinem Innern. Alles was er ist und war lehnt sich auf gegen das neue, überwältigende Gefühl. (Tgb 1330. W IV, 381 f)

Alfred Klar berichtet 1891

Der Anblick einer schönen Jüdin im Prager Ghetto, das Grillparzer am 24. August 1826 besuchte, soll sich so tief in das Gedächtnis des Dichters eingeprägt haben, daß ihm noch Jahrzehnte später die Züge unserer Heimatsgenossin bei der Gestaltung seiner Rahel vorschwebten. (W IV, 921)

Rahels Verhältnis zum König gewissermaßen Bezauberung. Als er im 4 Akt schon bereit ist die Jüdin zu entfernen und die Königin von ihm verlangt, er solle ein Bild Rahels, das er an einer Schnur um den Hals trägt, von sich tun, ist er dazu bereit. Aber wie er das Bild ansichtig wird, versinkt er in Anschaun und seine alte Leidenschaft kehrt zurück.

Garceran mit dem Könige erzogen. Er wirbt um Donja Clara eine besondre Begünstigte der Königin. Ein ärgerlicher Auftritt in diesem Verhältnisse (dem Anschein nach ist er irgend einmal dringlicher geworden, als recht schien) vermochte den König, ihn auf ein Grenzschloß zu verbannen, wo er gegen die Mauren zu Felde liegt. Er kommt im ersten Aufzuge mit Nachrichten von Bewegungen dieser Feinde des Landes an den Hof.

Die Königin schüchtern, scheinbar kalt, eine Engländerin. Als aber die Sache aufs äußerste kommt, ist sie die kühnste. Die Großen glauben sich mit der Entfernung der Jüdin begnügen zu können, die Königin fordert ihren Tod.

Garceran, Mann von Ehre, im französischen Sinne des Wortes. Seine Ehrenhaftigkeit hindert ihn nicht, dem Könige, der nebstdem sein Jugendfreund ist, Gelegenheit zu machen. Von der Königin und seinem Vater aber (IV Akt) beim point d'honneur gefaßt, bietet er willig die Hände, auch mit eigener Gefahr, alles wieder gut zu machen. [Später hinzugefügt:] Übrigens zu Scherz geneigt als Weltmensch.

D[onja] Klara so schüchtern und unselbständig, und gleich anfangs der schüchternen und leidenschaftlosen Königin in relief zu geben. Rein passiv in Bezug auf die Begebenheit.

Soll im 4 Akt die Königin nicht in Trauer gekleidet sein: *weil sie ihren Gatten verloren hat?*

Im 3 Akt unter den übeln Nachrichten, die eintreffen, auch die des Anfalls des Königs von Navarra in Kastilien, wobei die Anekdote von jenem Abt von Cardeña der ihm mit der Fahne des Cid entgegen geht und ihn so zum Rückzuge bewegt. (HKA I, 21, 369 f)

Las pazes de los Reyes.[1] Eines der besten Stücke von Lope de Vega. Leider hat er sich hinreißen lassen, auch die Jugendgeschichte König Alfonsos mit aufzunehmen. Ich sage: leider, weil, ungerechnet die Unzukömmlichkeit dieselbe Person als Mann auftreten zu sehen, der im ersten Akt als Kind erschien, diese Ausdehnung der Fabel ihm den Raum genommen hat, die Haupthandlung: das Liebesverhältnis zur Jüdin von Toledo, mit gebührender Ausführlichkeit zu behandeln. Der erste Akt, der die Einführung König Alfonsos als Kind in die von den Truppen seines Oheims besetzte Stadt und die Gewinnung von Toledo für ihn zum Gegenstande hat, bewegt sich fast ganz in patriotischen Erinnerungen. Doch ist hineingestreut eine vortreffliche Szene ehelicher Zärtlichkeit zwischen dem Befehlshaber des befestigten Schlosses Lope de Arena, einer vollkommenen Nebenfigur, und seiner Gattin. Lope de Vega wirft häufig seine Perlen so am Wege hin. Im zweiten Akte, bereits Mann geworden und mit der englischen Prinzessin Leonore vermählt, verliebt er sich in die Jüdin von Toledo, die er beim Baden im Flusse überrascht. Es ist dafür gesorgt, daß dieses Vergehen, das unmittelbar nach der Vermählung eintritt, dem Könige nicht gar zu hoch angerechnet werde, denn die Jüdin spricht schon bei ihrem ersten Auftreten von der Kälte des englischen Blutes der Königin, und den Zeitgenossen Lopes mochte eine spanische Jüdin für jeden Fall anziehender vorkommen als eine Königin aus dem Stamme der verhaßten englischen Elisabeth. Nichtsdestoweniger vertritt ihm aber doch ein Engel den Weg als er sich nachts zu seiner geliebten Jüdin begeben will, die er in dem Palast Galiana eingeschlossen hält, so wie später ihm ein zweiter Engel erscheint, als er nach der Ermordung der Jüdin Wut und Rache gegen seine Großen und die Königin schnaubt. Auf Aufforderung dieser letzern nämlich wird die Jüdin Rahel überfallen und getötet.

Nun kommt der übervortreffliche Schluß des Ganzen, so vortrefflich daß ich ihm an Innigkeit beinahe nichts im ganzen Bereiche der Poesie an die Seite zu setzen wüßte. Der König, der an den Hof

1 »Die Versöhnung der Majestäten oder die Jüdin von Toledo«; Grillparzer übernahm von Lope de Vegas Drama zahlreiche Anregungen für seine eigene Arbeit.

zurück will und die Königin, die ihrem Gatten entgegen reist, treffen, ohne voneinander zu wissen, in einer Kapelle zusammen, in der ein wundertätiges Bild der Muttergottes zur Verehrung aufgestellt ist. Sie knieen voneinander entfernt nieder und fangen an in lauten, sich durchkreuzenden Worten ihr Herz vor der Gnadenmutter auszuschütten. Der König, der sich dadurch in seiner Andacht gestört findet, schickt seinen Kämmerling, die fremde Dame um Mäßigung ihres lauten Gebetes zu ersuchen. Die Königin lehnt die Botschaft ab. Sie habe ihren Gatten verloren und sei in ihrem Rechte zu klagen. Indes ist ihr Kammerfräulein zu dem Kammerherrn des Königs hingekniet, die Erkennungen tauschen sich aus und das fürstliche Ehepaar feiert seine Versöhnung vor dem Altare der Gebenedeiten.
Merkwürdig ist übrigens, daß Lope de Vega sich so ziemlich auf die Seite der Jüdin stellt. Sie ist durchaus edel gehalten und selbst den Makel des Judentums nimmt er für den Zuseher dadurch hinweg, daß sie vor ihrem gewaltsamen Tode begehrt eine Christin zu werden. Wieder ein Beweis von seiner Vorurteilsfreiheit. Ja selbst in dem Titel: las pazes de los Reyes liegt vielleicht eine versteckte Ironie. Im ersten Akte wird der Friede des Königreichs durch die verräterische Ermordung Lope de Arenas geschlossen; im dritten ist das Pfand des Friedens der Tod der von allen am wenigst schuldigen Jüdin.
Lope de Vega kommt in der Maske des Gärtners Velardo diesmal völlig deutlich vor. (W III, 526 f)

Heinrich Laube berichtet 1875
Er hielt die drei nachgelassenen Stücke »Libussa« – »Die Jüdin von Toledo« – »Den Bruderzwist in Habsburg« nicht für ganz fertig, also auch nicht für ganz gelungen. Melancholisch schüttelte er das Haupt, wenn man ihn danach fragte. Positiv nein sagte er, wenn man von einer Aufführung sprach. (W IV, 969 f)

Sappho
Entstanden 1817
Erstdruck Wien 1819
Uraufführung am 21. April 1818 am Wiener Hofburgtheater

Notizen 29. Juni 1817

Es ist noch die Frage ob es angenehm in der Nähe des geliebten Gegenstandes zu sein. Man denkt es sich oft so angenehm ihn essen, trinken, schlafen zu sehn, doch sieht man ihn alles dies verrichten, so findet man derlei der hohen Idee unwürdig.

3 *Akt* Er erinnert sich seiner Eltern, die er verlassen. Begriff seines Vaters von den Dichtern und von Sappho insbesondere.

(HKA I, 17, 173 f)

Notizen 30. Juni 1817

Sie zürnt anfangs nur auf Melitta, ohne sich einfallen zu lassen, daß Phaon es ernstlich gemeint haben könne. Bittet ihn sogar mit Melitten nicht zu scherzen, da diese zum Scherz zu gut sei. Erst im 3 Akt bemerkt sie's.

1 *Akt.* mit Melitta Was soll ich tun ihm zu gefallen?

(HKA I, 17, 174)

Grillparzer an Karl August Böttiger[1] Wien, 20. Februar 1818

Ich hatte mich auf das Urteil der Dichter, der Denker, der Altertumsforscher über meine Sappho, auf jedes insbesondere, gefürchtet; wie glücklich mußte es mich machen, von all diesen verschiedenen Seiten so mit *einemmale* Beruhigung zu erhalten.

Übrigens bin ich nicht so töricht zu glauben, daß, weil Sie keinen wesentlichen Fehler *gerügt,* sie auch deren nicht *gefunden.* Meine hohe Meinung von Böttigers Kunstsinn, und die geringe vom Kunstwerte meiner Sappho gestatten mir nicht Ihr gütiges Lob in seinem ganzen Umfange mir zuzueignen. Ihr eigenes Schreiben deutet an: »es gäbe noch Gewichtigeres zu besprechen, zu befragen.«

1 Archäologe und Oberinspektor der Antikenmuseen in Dresden.

– O daß Sie doch sprächen! Daß Sie mir aus dem Schatze Ihrer Ansichten, Ihrer Erfahrungen, Ihrer Kenntnisse mitteilten, was davon auf mich und mein Werk Bezug haben kann, und was, wenn es auch zur Rettung Sapphos zu spät kömmt, doch bei meinen künftigen Hervorbringungen mich leiten könnte! [...]
Was den hellenischen Ton in meinem Gedichte betrifft, so würde ich mich glücklich schätzen, wenn davon auch nur die Hälfte soviel darin wäre, als Sie gefunden zu haben mir schmeicheln. An Lektüre der Griechen habe ich es nicht fehlen lassen, aber dennoch scheint mir, besonders in den mittlern Aufzügen, nur zu häufig das nordische Gespenst vorzugucken. [...]
Die Aufführung der Sappho dürfte hier sich noch länger verzögern, da die Schröder beträchtlich krank ist und das Bette hüten muß. Die energische Frau hat ihre Rolle vor sich auf dem Bette liegen und scheint vor Begierde zu brennen, die Sappho und dabei zugleich ein bißchen auch sich selbst zu spielen. Die Verzögerung ist mir um so unangenehmer, als, dem Vernehmen nach die »Geister, die verneinen« und ihr Oberhaupt, der »Fliegengott« des Wiener Moden-Journals[2] sich zu gewaltigen Angriffen rüsten. (HKA III, 1, 92 ff)

Wien, Ende Februar/Anfang März 1818

Grillparzer an Adolf Müllner

Als ich die Sappho schrieb, hatte ich im Grunde eine doppelte Absicht. Erstens lebte der Stoff wirklich in mir und zwang mich ihn nach außen hinzustellen, zweitens wollte ich mir dabei selbst eine Aufgabe machen. Ich konnte mir nicht verhehlen, daß dasjenige was die Ahnfrau für die meisten anziehend gemacht hatte, größtenteils rein subjektive Ausbrüche, daß es immer mehr die Empfindungen des Dichters als die der handelnden Personen gewesen waren was die Zuschauer mit in den wirbelnden Tanz gezogen hatte, so daß zuletzt alles tanzte und der Ballettmeister, nach weggeworfnem Taktmesser auch. Ich schämte mich. Ich nahm mir vor mein nächstes Produkt ein Gegenstück dieses tollen Treibens werden zu lassen, und suchte daher, mit absichtlicher Vermeidung mancher, lange vorbereiteter Stoffe, nach einem solchen, der es mir

2 Wilhelm Hebenstreit.

möglich machte, in der Behandlung eine Ruhe walten zu lassen, die mich vor der Gefahr des Selbstmitspiels bewahrte, die mir des Strebens um so würdiger schien, je mehr ich verzweifelte sie je zu erreichen. Schon in früher Zeit hatte mich Sapphos Ende begeistert, doch war ich nie dazu gekommen, auf eine Dramatisierung zu denken. Jetzt kam ich darauf zurück. Ein Charakter, der Sammelplatz glühender Leidenschaften, über die aber eine *erworbene* Ruhe, die schöne Frucht höherer Geistesbildung, den Szepter führt, bis die angeschmiedeten Sklaven die Ketten brechen und dastehen und Wut schnauben, schien mir für meine Absicht ganz geeignet. Dazu gesellte sich, sobald das Wort: *Dichterin* einmal ausgesprochen war, natürlich auf der Stelle der Kontrast zwischen Kunst und Leben (wenn die Ahnfrau unwillkürlich gewissermaßen eine Paraphrase des berüchtigten d'Alembertischen malheur d'être[3] geworden ist, so dürfte wohl die Sappho ein in eben dem Sinne wahres malheur d'être poète[4] in sich fassen). Mit einem Worte, der Gedanke ergriff mich und ich war, als ich zur Ausführung ging begeisterter als je in meinem Leben. Aber ich glaubte mich zurückhalten zu müssen. Ich habe die beiden ersten Akte und die erstere Hälfte des 3ten mit einer Besonnenheit, mit einer Berechnung der kleinsten Triebfedern geschrieben, die mir Freude machen würde, selbst wenn ihre Frucht mißglückt wäre, bloß durch das Bewußtsein, daß ich ihrer fähig bin. Gegen das Ende des 3t Aktes ward ich krank. Ich mußte mir einen Zahn ausziehen lassen. Dadurch ward mein Ideengang auf einmal zerrüttet. Ich ging wieder über mein Trauerspiel; aber nun beinahe als ein ganz anderer. Gerade da wo ich stehengeblieben, war der von vorn herein beabsichtigte Wendepunkt in Sapphos Benehmen. Ich konnte nicht dazu gelangen den Faden da wieder aufzunehmen, wo ich ihn fallen gelassen, und Sappho ward dadurch im 4ten Akte vielleicht etwas *nordischer,* als sie wohl sonst geworden wäre. Die Schlußszene des 3t Akts und der größte Teil des fünften war mir schon beim Anfange zu deutlich, als daß meine veränderte Stimmung darauf einen wesentlichen Einfluß hätte nehmen können.

3 Unglück des Seins; Ausspruch des franz. Mathematikers und Philosophen Jean Lerond d'Alembert.
4 Unglück, ein Dichter zu sein.

Ich gestehe gern, daß es den beiden ersten Akten an dramatischer Beweglichkeit, dem ersten wohl gar eigentlich an dramatischen Leben (insofern dieses im Gegensatz der Lyra darin besteht, daß die Gesinnung nur als Substrat der Handlung erscheinen darf), daß es sage ich, an diesem dramatischen Leben zum Teil mangle, aber – der Meister schafft, der Schüler löst Aufgaben! Ich habe mir eine solche Aufgabe gemacht, und war überglücklich in dem Gefühl, sie nicht ganz außer meinem Bereich gefunden zu haben.
Aber selbst in *dramatischer* Beziehung läßt sich, wie mir dünkt, manches zu Gunsten der Art sagen, auf welche die ersten Akte behandelt sind. Wenn die Idee, deren Versinnlichung ich mir vorgenommen hatte, gehörig herausgehoben werden, wenn das Ende Sapphos all den Eindruck machen sollte, den ich mir vorgesetzt hatte, so mußte ihr erstes Auftreten in der Fülle aller innern und äußern Bedingungen geschehen, welche das Glück des Menschen sonst begründen. Daher der Triumphzug, daher der Jubel des Volks, daher diese gesättigte Ruhe mit der sie auftritt. Auf diese Höhe hat sie die Bildung ihres Geistes, die Kunst gestellt; sie wagt einen Wunsch an das Leben und ist verloren. Weiter! Sappho ist Dichterin! Daß *das* hervorgehoben werde ist durchaus nötig, die Wahrscheinlichkeit der Katastrophe hängt, wie ich glaube wesentlich davon ab. Ein Meister hätte vielleicht verstanden, Sappho selbst im Sturme der Leidenschaften die Farbe, die die Dichtkunst ihrem *Charakter* gab, sichtbar zu machen; ich, weniger geschickt, mußte *vor* dem Sturme eine Kraft anschaulich machen, die mit unter die erregenden Kräfte des Sturms selber gehört. Die Dichtungsgabe ist kein in der gewöhnlichen Menschennatur liegendes Ressort, sie mußte daher herausgehoben werden. Ferner! Sappho ist in der Katastrophe ein verliebtes, eifersüchtiges, in der Leidenschaft sich vergessendes Weib; ein Weib das einen *jüngern* Mann liebt. In der gewöhnlichen Welt ist ein solches Weib ein ekelhafter Gegenstand. War es nicht durchaus notwendig, sie noch vor dem Sturm der Leidenschaften so zu zeigen, wie sie in ihrem gewöhnlichen Zustande war, damit der Zuseher die Arme bemitleide, statt sie zu verabscheuen. Wenn es mir gelungen ist, den Zuschauer, so sehr er in der Mitte des Stücks geneigt sein muß die Partie des unschuldigen Paares zu nehmen, dennoch mit seinem Interesse auf Sappho fest

zu halten, so gebührt ein Teil des Verdienstes vielleicht auch dem ersten Akt. – Wie ermüdend lange braucht es, bis in Sappho die Eifersucht Oberhand gewinnt! Das *Ermüdende* daran ist offenbar meine Schuld, daß es *lange* braucht, bis der Widerstand ihres Geistes gebrochen wird, dünkt mich gut.
Ferner – Phaon und Melitta haben die Partie des Lebens. Es lag in meinem Plane nicht die Mißgunst, das Ankämpfen des Lebens gegen die Kunst zu schildern wie in Correggio oder Tasso, sondern die natürliche Scheidewand, die zwischen beiden befestigt ist. Ja selbst aus dramatischen Grunden mußten Phaon und Melitta rein gehalten werden. Das konnte nur geschehen, wenn sie über ihre Empfindungen gegen Sappho und gegen sich so lange ohne Klarheit blieben, bis ihre Empfindungen eine Stärke erreicht hatten, die, bei nicht außergewöhnlichen Menschen ein Vergessen höherer Rücksichten verzeihlich macht, bis Sapphos Eifersucht, die in ihrer Überlegenheit zuerst zur Klarheit kommt, eine Stärke gewonnen, die durch verletzende Einwirkung den Trotz Phaons zum Auflehnen bringt, und ihn durch die bei Menschen so gewöhnliche Verwechslung glauben macht, weil er Sapphon Unrecht tun sieht, sie sei von jeher gegen ihn im Unrecht gewesen.
Phaon kämpft eigentlich noch nicht, als er auftritt, er ahnet noch nicht, daß die sonderbaren Gefühle seiner Brust *je* zu einem Kampfe führen könnten. Von Sapphos Ruhm begeistert wirft er sich in ihre Arme. Der Beifallruf des Volkes in Olympia, die Reise an ihrer Seite, ein fortgesetzter Triumphzug, erhalten ihn im Taumel. Nur in Minuten der Einsamkeit fühlt er etwas in sich, das er, weit entfernt es auf den Gegenstand seiner Liebe zu beziehen, auf seine Liebe selbst, auf einen Mangel an Gefühl, an Sinn für wahre Seeleneinheit schiebt. Der Jubel des Empfangs auf Lesbos regt seine Phantasie von neuem auf. Sie macht ihren letzten effort in der 3t Szene des 1t Akts wo – absichtlich – auch nicht ein Zug vorkommt, der auf eigentliche Liebe schließen läßt, obschon er darin begeistert genug ist, um Sapphos Träume wach zu erhalten. Selbst als er Melitten schon geküßt hat, ist ihm seine neue Leidenschaft noch nicht klar, erst Sapphos Äußerung bei der Erzählung seines Traumes hellt ihn auf, und seine Liebe tritt heraus als er Melitten vor Sapphos Dolche schützt.

Ein Gleiches gilt von Melitten. Die vorletzte Szene des 1ten Akts ist vielleicht die müßigste von allen. Ich wollte jedoch hier, nachdem sich Phaon in der vorigen Szene ausgesprochen, auch Sapphos Erwartungen und Besorgnisse über ihr Verhältnis laut werden lassen, und durch die Art, auf welche Sappho, obgleich poetisierend, ihre Stellung gegen Phaon mit Bangigkeit betrachtet, auf den folgenden Ausbruch vorbereiten. Auch dünkte es mich gut, den Kontrast zwischen Sappho und Melitta deutlich hinzustellen. Ob der unglückliche »weinbegossene Estrich«, – der wohl füglich hätte wegbleiben können wenn ich was Besseres dafür gewußt hätte – eine eigene Motivierung durch den Scherz über das Niederschlagen der Augen verdient, weiß ich nicht.

Der Schlußmonolog des ersten Aktes könnte leicht mehr dramatisches Leben haben, aber ich konnte der Versuchung nicht widerstehen, die zweite der beiden übriggebliebenen Oden Sapphos, die mir zu passen schienen, in dem Stücke, das ihren Namen führt aufzunehmen, damit man mir doch nicht sagen könnte, es sei *gar nichts* von ihrem Geiste darin.

Die Szene an der Tafel während des Zwischenaktes hat die Liebe noch nicht in Melitten erregt. Sie diente nur dazu die Aufmerksamkeit des jungen Paares aufeinander rege zu machen, und sie in jenen Zustand des Berührtseins zu bringen, das der Liebe den Weg bereitet. Darum machte ich mir auch keine Skrupel die Szene dazu hinter den Vorhang zu verlegen. Auch reizt er die sanfte Melitta gegen die verletzende Gebieterin, was für die Folge nicht ohne Nutzen ist. Melitta ist bei ihrem Auftreten im 2. Akt in jenem dumpfen Staunen, das (um mich so auszudrücken) der Dunstkreis der Leidenschaft erregt, eh ihr eigentlicher Körper uns berührt. Sie denkt nicht an die Liebe. Das Gespräch mit Phaon, der Kuß, den er ihr gibt, ist der Pfeil des Liebesgottes und man muß so unschuldig ja *geistesarm* sein als Melitta, um noch nicht zu merken woran man ist. Ich wage es kaum zu gestehen, daß ich mir auf den zweiten Akt was eingebildet habe. (W IV, 741 ff)

Grillparzer an Karl August Böttiger Wien, 16. Mai 1818

Somit bin ich denn bei meiner Sappho. Das Ding ist hier aufgeführt worden und hat 100 mal mehr Beifall erhalten, als ich erwartete, und zehnmal mehr als es verdient. Ob die Schauspieler ihre Schuldigkeit getan haben, kann ich am wenigsten beurteilen; denn einmal habe ich nur der ersten Vorstellung beigewohnt, und das noch dazu hinter den Kulissen, von Furcht und Freude bewegt, und – da ich mich sehr zurückgezogen hatte – bloß aufs Hören beschränkt; dann ist ja wohl überhaupt der Dichter selbst die letzte Person, deren Urteil hierüber zu entscheiden hat. Wenn man bedenkt, wie weit bei jedem Gedichte die Ausführung hinter der Idee zurückbleibt, und daß demungeachtet der Dichter, voll von seiner Idee, von dem Schauspieler die Wirklichmachung seines – vielleicht verfehlten – Ideals verlangt, indes der Schauspieler sich doch natürlich an das wirklich Gegebene halten muß, so hat man mit einemmale den Grund des ewigen Zwistes erklärt, der zwischen Dichtern und Schauspielern herrscht, und die Ursache angegeben, warum ich über die Aufführung der Sappho andere Leute urteilen lassen will. Männer von Geist und Einsicht waren mit der Vorstellung zufrieden und – ich bin es auch. (W IV, 746)

Aus Caroline Pichlers »Denkwürdigkeiten« 1818

Die Sappho war nun vollendet und sollte gegeben werden. Ein Zug, der Grillparzers Gemütsstimmung treu abspiegelt, war ein Traum, den er uns damals erzählte. Er träumte nämlich, er befände sich bei der ersten Aufführung der Sappho im Theater; das Stück mißfiel gänzlich, und er sah, wie ich und meine Tochter in einer Loge durch Lachen und spöttische Mienen in das allgemeine Urteil einstimmten und uns über das Stück lustig machten. Dieses Traumbild war nichts anderes als der *Unfrieden,* wie er ihn selbst in einem spätern Gedichte nennt; dies tückische Gespenst, das aus seinen Werken, sowie sie vollendet sind, hämisch herausblickt und ihm sagt, daß sie nichts taugen; es war die Stimme des Hypochonders in ihm, welche ihm im voraus schon jede Freude verleidet.

Bei der Aufführung ging es ganz anders, als der mißmutige geglaubt hatte, die Sappho fand ungeheuern Beifall und wir erfreuten uns bei der ersten Vorstellung von ganzem Herzen des Triumphs, den der Dichter feierte. (W IV, 892)

Grillparzer an Josef Schreyvogel Baden, 18. Juni 1818
Einen Vorteil hat mir meine Entfernung von Wien für jeden Fall verursacht. Ich habe die Sappho samt ihren Kritikern und Kritiken rein vergessen, und zwar in dem Grade, daß ich das Stück und seinen Verfasser manchmal mit recht fremden Augen betrachtete. Das wäre ganz gut, aber was für Hoffnung ist bei dieser dumpfen Bewußtlosigkeit für eine neue Hervorbringung? Ich verzweifle fast!
(HKA III, 1, 138)

Grillparzer zu Eduard von Bauernfeld 22. Mai 1829
Noch mehr gleiche die Sappho der Corinne[5], durch die er vielleicht dazu angeregt worden sei. (Gespr 512)

Grillparzer an die Studienhofkommission[6] Wien, 20. Mai 1834
Ich weiß nicht, ob mich die Eitelkeit zu weit führt, wenn ich glaube, es werde keinem gebildeten Östreicher gleichgiltig sein, ob der Verfasser der Sappho und Medea ferner literarisch tätig ist oder nicht. (W IV, 798)

Aus »Anfang einer Selbstbiographie« 1834/35
Indem die albernste und mitunter boshafteste Kritik[7] ihm die Freude an diesem Gelingen nur zu sehr verbitterte, trieb der Ekel vor den dabei zu Tage gebrachten Ideen ihn bei seiner zweiten Arbeit auf einen dem frühern geradezu entgegengesetzten Stoff. Er schrieb ein Jahr darauf (1818) [gemeint: 1817] sein Trauerspiel Sappho, das, wo möglich, noch größeren Beifall erhielt, und von der Gilde nicht weniger verketzert wurde. (W IV, 18 f)

Grillparzer zu Adolf Foglar 19. Februar 1844
Was man meiner Sappho zum Vorwurf machte, ist vielmehr ein Vorzug des Stückes – daß ich nämlich mehr das liebende Weib als ihr poetisches Element hervorhob. (Gespr 814)

5 Roman der Madame de Staël, den Grillparzer 1816 las.
6 Gesuch Grillparzers um die Stelle eines Vorstehers der Wiener Universitätsbibliothek.
7 an der »Ahnfrau«.

Grillparzer zu Gräfin Luise Schönfeld-Neumann Vierziger Jahre
Sie [Melitta] ist ein dummes Mädel. (Gespr 934)

Anonym r Bericht Vierziger Jahre
Ich habe mir überhaupt lange und lange überlegt, ob ich diese Melitta nicht ganz aus dem Spiele lassen soll, aber ich mußte doch dem Phaon etwas für seinen Schnabel geben! (Gespr 935)

Grillparzer zu Ludwig Goldhann Etwa 1850
Als ich in Ihren Jahren war, diente ich als kleiner Beamter bei der Hofkammer. Und eben damals machte ich meine besten Sachen, und zwar gerade in meinem Bureau. Da hatt' ich nun freilich auf meinem Tische die Kameralakten liegen, aber drüber ein paar Bogen Papier, auf die ich meine Verse schrieb. Hörte ich nun draußen manchmal die Türe knarren, aus welcher der Herr Chef kam, um bei mir nachzuschauen – flugs ins Ladel mit der Sappho und eifrig in den Akten studiert! (Gespr 1494)

Aus der »Selbstbiographie« 1853
Zugleich aber, da immer von Räubern, Gespenstern und Knall-Effekten[8] die Rede war, beschloß ich bei einem zweiten Drama, wenn es ja zu einem zweiten kommen sollte, den möglichst einfachen Stoff zu wählen um mir und der Welt zu zeigen, daß ich durch die bloße Macht der Poesie Wirkungen hervorzubringen imstande sei.
Ich fand keinen solchen Stoff, vielleicht nur darum weil ich keinen suchte. Mein Gemüt war verbittert. Ich merkte wohl, daß ich als der letzte Dichter in eine prosaische Zeit hineingekommen sei. Schiller [...] war tot, Goethe hatte sich der Wissenschaft zugewendet und förderte in einem großartigen Quietismus nur das Gemäßigte und Wirkungslose, indes in mir alle Brandfackeln der Phantasie sprühten. So verging Frühling und Sommer in träumerischem Nichtstun. Gegen Anfang des Herbstes machte ich einen Spaziergang längs der Donau in den Prater. Bei den ersten Bäumen begegnet mir ein noch jetzt lebender Doktor Joel, der mich auf-

8 in der »Ahnfrau«.

hält und mir sagt, wie der Kapellmeister Weigl lebhaft einen Operntext wünsche. Meine Poesie in Verbindung mit Weigls Musik – und so weiter. Er selbst habe einen vortrefflichen Opernstoff gefunden. Obwohl ich nicht die geringste Lust hatte einen Operntext zu schreiben, fragte ich doch nach diesem Stoffe. Er nannte Sappho. Ich versetzte augenblicklich, das gäbe allenfalls auch ein Trauerspiel. Er dagegen meinte, dazu seien denn doch zu wenig Begebenheiten. So trennten wir uns, er ging nach der Stadt und ich dem Prater zu.

Der Name Sappho hatte mich frappiert. Da wäre ja der einfache Stoff den ich suchte. Ich ging weiter und weiter in den Prater und als ich spät abends nach Hause kam, war der Plan zur Sappho fertig. Ich ließ mir nur noch des andern Tages in der Hofbibliothek die erhaltenen Fragmente ihrer Gedichte geben, fand das eine der beiden vollständigen, an die Liebesgöttin, ganz für meinen Zweck geeignet, übersetzte es auf der Stelle und ging schon des nächsten Morgens an die Arbeit.

Wir hatten zu dieser Zeit von der Wohnung einer gleichfalls verwitweten, aber ungleich besser gestellten Schwester meiner Mutter, im Schottenhofe zwei Zimmer zur Aftermiete bezogen. Daß sie im ersten Stocke, gerade über der Backstube eines unten wohnenden Bäckers lagen, schien kein Anstand, da der Sohn meiner Tante mehrere Jahre lang in dem Zimmer geschlafen hatte, das für mich bestimmt war. Bald zeigte sich aber ein bedeutender Unterschied in unserm verwandtschaftlichen Nervensystem. Ich konnte nämlich der dumpfen Wärme und des leisen Hantierens der Bäckersknechte wegen in der Nacht kein Auge schließen. Da erbot sich eine zweite, gleichfalls im Schottenhofe wohnende Tante, eine noch jetzt im hohen Alter lebende, vortreffliche Frau, mir ein Zimmer ihrer Wohnung, das sie nur bei Tage benützte, nachts zum Schlafen zu überlassen. Ich nahm mit Vergnügen an und wanderte nun täglich im Finstern, während alles im Hause schon schlief, nach meinem subsidiarischen Schlafgemache, wo ich mich leise zu Bette legte, um des nächsten Morgens so früh als möglich aufzustehen und bei einem schlechten Tintenzeuge auf grobem Konzept-Papier an meinem Stücke zu arbeiten. Ich legte mir, obwohl der Stoff mich anzog, doch ein tägliches Pensum auf, dem ich umsomehr treu blieb, als unsere wieder dringend gewordenen häuslichen Bedürfnisse einer Nachhilfe dringend bedurften. Auch die Sappho wurde in weniger als drei Wochen[9] vollendet.

Mein Freund und früherer Ratgeber Schreyvogel war während dieser ganzen Zeit auf einer Reise in Deutschland abwesend, wo er taugliche Subjekte für das Hofburgtheater aufsuchte. Als ich ihm bei seiner Zurückkunft das Stück fertig übergab, schien er anfangs nicht sehr erbaut; erwärmte sich aber nach und nach, ohne daß von Änderungen oder Verbesserungen auch nur die Rede war, die ich auch nicht zugegeben hätte. Ja eines Tages sagte er mir: Sie haben einen großen Begünstiger ihres Stückes gefunden. Es war dies der Schauspieler Moreau, der auch als Komparsen-Inspizient fungierte und dem das Manuskript zur Herbeischaffung und Abrichtung der erforderlichen Sklaven und Sklavinnen übergeben worden war. Er hatte sich geäußert, das Stück gefalle ihm besser als »die Schuld« was damals kein kleines Lob war, und woran Schreyvogel vor der Hand zu glauben schien.

Nun ging es an die Besetzung der Rollen. Madame Schröder in deren Fach die Sappho gehörte, befand sich in Folge eines ihrer immerwährenden Kriege mit der Direktion im Auslande und drohte nicht wiederzukommen. Man ward aber genötigt auf eine in andern Fächern vortreffliche Schauspielerin Madame Löwe zu denken, die aber dieser Rolle nicht gewachsen war. Herr Korn war Phaon. Für die Rolle der Melitta hatte ich zu allgemeiner Verwunderung die Gattin dieses letztern bezeichnet, die höchst liebenswürdig in den sogenannten Ingénues, nie in versifizierten Stücken, vor allem aber nicht in der Tragödie gespielt hatte. Endlich kam Madame Schröder zurück, bemächtigte sich der Hauptrolle, war Feuer und Flamme, und steckte jedermann mit ihrer Begeisterung an.

Es kam zu den Proben. Damals war es mit diesen Vorübungen im Hofburgtheater sehr schlecht bestellt. Besonders bei Stücken wo nur drei oder vier Rollen, und diese in den Händen von als vortrefflich anerkannten Schauspielern, vorkamen, verliefen die beiden ersten Proben in Verabredung über das Rechts oder Links des Auf-

9 vom 1. 7.–25. 7. 1817.

tretens, die Feststellung der Plätze und der Grade der Annäherung oder Entfernung. Die Rollen wurden beinahe nur gemurmelt, um so mehr als die Schauspieler ihrer noch gar nicht mächtig waren. Bei der dritten und letzten Probe endlich mußten sie doch mehr aus sich herausgehen. Da machte denn Madame Korn als Melitta solche Wunderlichkeiten, war so manieriert und unwahr, daß mich Schauder befielen. Ich saß im finstern Parterre allein auf einem Sperrsitze und dachte, die kleine Person allein reicht hin um das ganze Stück umzuwerfen. Da, während des vierten und fünften Aktes, wo man mit Vorrichtungen für den Sturz vom leukadischen Felsen längere Zeit hinbrachte, raschelt es plötzlich neben mir. Ein Frauenzimmer hat sich neben mich gesetzt, sie fängt an zu reden, es ist Madame Korn. Sagen Sie mir doch, hebt sie an, haben Sie sich denn die Melitta so gedacht? Aufrichtig gesagt, erwiderte ich: Nein! Aber wie soll ich sie denn sonst spielen? fährt sie fort. – Ich glaubte, Sie würden sie spielen wie Sie Ihre übrigen Rollen spielen. – Aber mein Mann und die Schröder sagen, im griechischen Trauerspiele müsse alles gehoben sein. – Da haben Ihr Gemahl und die Schröder allerdings recht, aber der Vers, die Umgebung – ich hätte hinzusetzen können: Ihr unvergleichliches Talent – werden schon die nötige Hebung hineinbringen, ohne daß Sie sich deshalb besondere Mühe zu geben brauchen. – Aber, sagte sie weiter, das Stück wird morgen schon gegeben, wie soll ich denn die ganze Rolle umlernen? – Das wußte ich freilich nicht, meinte aber, sie sollte wenigstens so viel als möglich von ihrem natürlichen Tone hineinbringen. – Damit ging sie fort, warf über Nacht die ganze ihr aufgedrungene Ansicht der Rolle von sich, und war bei der Aufführung so über alle Beschreibung liebenswürdig, daß sie die Krone des Abends davontrug.
Das Stück machte unglaubliche Sensation. Ich selbst befand mich, meinem Vorsatze getreu, nicht unter den Zusehern, sondern auf der Bühne. Meine Mutter aber, die einen Sperrsitz in der dritten Galerie inne hatte, wurde von einigen erkannt und sonach vom Publikum umringt, die ihr zu ihrem Sohne und seinem Erfolge Glück wünschten, so daß die gute Frau vor Freude weinend nach Hause kam.
Mit der Kritik kam ich diesmal sehr gut zurechte. Damals herrschten noch Lessings, Schillers, Goethes Ansichten in der deutschen

Poesie, und daß menschliche Schicksale und Leidenschaften die Aufgabe des Drama seien, fiel niemand ein zu bezweifeln. Das Antiquarische, Geographische, Historische, Statistische, Spekulative, der ganze Ideenkram, den der Dichter fertig vorfindet, und von außen in sein Werk hineinträgt, ward dadurch von selbst zur Staffage und ordnete sich dem Menschlichen unter. Höchstens meinten einige, das Stück sei nicht griechisch genug, was mir sehr recht war, da ich nicht für Griechen sondern für Deutsche schrieb. Ebenso war es mit einem weitern Tadel: ich hätte in Sappho mehr das Weib als die Dichterin geschildert. Ich war nämlich immer ein Feind der Künstler-Dramen. Künstler sind gewohnt die Leidenschaft als einen Stoff zu behandeln. Dadurch wird auch die wirkliche Liebe für sie mehr eine Sache der Imagination als der tiefen Empfindung. Ich wollte aber Sappho einer wahren Leidenschaft und nicht einer Verirrung der Phantasie zum Opfer werden lassen. Von allen Kritikern zeigte sich nur Müllner erbost und ungerecht [...]

Schreyvogel stand mit Müllner in Briefwechsel, er schickte ihm die Sappho im Manuskript. Da erhalte ich denn ein Schreiben von Müllner, in dem er in den gesteigertsten Ausdrücken seine Billigung des Stückes ausspricht, nur sollte ich den ersten Akt weglassen, meinte er. Ich schrieb ihm, in dem Tone wie es dem Jüngern gegen den Ältern zukommt, die Gründe warum mir dieser Akt notwendig scheine. Darüber wurde nun der Mann so erbost, daß er in seinem Mitternachtsblatte eine Kritik erscheinen ließ, die über das Stück von Anfang bis zu Ende den Stab brach. Ich hätte nichts gebraucht, als seinen frühern lobenden Brief drucken zu lassen, um ihn durch sich selbst zu widerlegen. Ich tat es nicht, wie ich denn überhaupt auf Kritiken nie geantwortet habe, nicht aus Ängstlichkeit, sondern aus Verachtung.

Der Ertrag meines Stückes war wieder höchst unbedeutend. Die Theater in Deutschland honorierten damals äußerst bettelhaft, ja ich erinnere mich, daß eine königliche Hofbühne für die Sappho, die in ganz Deutschland mit Enthusiasmus aufgenommen und unzählige Mal gegeben wurde, mir drei, sage: drei Dukaten bezahlte, welche ich nur darum nicht zurückwies, weil eine Kompensation mit der Forderung eines dortländigen Dichters an das Wiener Hoftheater dabei ins Mittel trat.

Für den Druck des Stückes erhielt ich Anträge von den meisten deutschen Buchhandlungen; ich gab es aber für ein höchst mäßiges Honorar demselben Wiener Buchhändler[10], der die Ahnfrau gedruckt hatte, größtenteils aus einem vaterländischen Gefühle, weil es mich verdroß, daß ein östreichischer Dichter durchaus eine fremde, wenn auch deutsche Protektion nötig haben sollte. Ich tat unrecht, denn die Verbreitung meiner Arbeiten in Deutschland wurde sehr durch die mißliebige Wiener Firma beschränkt und gehemmt. (W IV, 80 ff)

Aus der »Selbstbiographie« 1853

Er[11] erwähnte meiner Sappho, die er zu billigen schien, worin er freilich gewissermaßen sich selbst lobte, denn ich hatte so ziemlich mit seinem Kalbe gepflügt. (W IV, 147 f)

Grillparzer zu Robert Zimmermann 6. Januar 1866

Mir ists lieb zu hören, daß die Sappho solche Wirkung macht. Als ich sie schrieb, war mir eigentlich nichts an der Sappho gelegen. Ich wollt eben nur etwas machen, was ganz was anderes wäre als die Ahnfrau.

Ich könnte nur Schauergeschichten schreiben, hieß es. Nun die Sappho ist keine Gespenstergeschichte [. . .] Der Abstand[12] soll zu klein sein zwischen der Sappho und der Melitta; den kann ich nicht groß genug haben. Die Leute wollen immer Ideen haben in meinen Stücken; nun, Ideen habe ich auch, freilich nur solche, wie sie die Fiaker auch haben. Sehen Sie, die Sappho, die ist so eine Fiakeridee, da heißts: gleich und gleich gesellt sich gern! Der Phaon ist ein halb poetisch gestimmter, aber doch nur ein junger Mensch; die Melitta ist ein albernes Mädel. Das begreift sich, die Sappho muß um ein gut Stück älter aussehen und doch nicht übel sein. Nun 's freut mich, 's muß doch was dran sein, wenns heute noch Effekt macht! (W IV, 973)

10 Johann B. Wallishausser.
11 Goethe, den Grillparzer am 29. 9.–3. 10. 1826 in Weimar besuchte.
12 bei der kürzlich erfolgten Wiener Aufführung.

Grillparzer zu Auguste von Littrow-Bischoff Frühjahr 1866

So hat man gemeint, ich hätte mich bei der Sappho an Corinna, die Heldin des Romans der Madame Staël gehalten, obschon keine Spur der Ähnlichkeit vorhanden ist. Aber Sappho springt ins Meer, weil Phaon ihr die Gegenliebe weigert; das konnte keinen triftigern Grund haben, als weil er eine andere liebte, und damit ist alles gegeben. Auch kann man jede Liebesgeschichte auf eine andere zurückführen, namentlich jede antike. Da gibt es nur geringe Abwechselungen – ein Liebespaar, wo entweder zwei Helden ein Weib lieben, oder zwei Weiber, die einen Helden lieben wie in der Sappho. Das Liebespaar bleibt am Leben und wird glücklich, oder es stirbt, oder eines der beiden Liebenden stirbt und das andere bleibt am Leben. (Gespr 1185)

Grillparzer zu Auguste von Littrow-Bischoff Winter 1866/67

Es war dem Geiste des Stücks entgegen, daß ältere oder reizlose Frauen diese Rolle spielten, weil Entsagung in der Liebe von seiten der Frau in reiferen Jahren allzu sehr in der Ordnung der Natur liegt, als daß dadurch das Hauptinteresse nicht von der Heldin abgleiten und auf die jüngere Melitta übergehen mußte, so daß diese und Phaon dadurch das Liebespaar wurden, welches das Interesse des Publikums in Anspruch nahm, und nicht Sappho. (Gespr 1190)

Das goldene Vlies

Entstanden 1817–1820
Erstdruck Wien 1822
Uraufführung am 26. und 27. März 1821 am Wiener Hofburgtheater

Tagebuch Oktober 1817

Wenn ich, was ich wohl Lust hätte, ein Trauerspiel *Medea* schreiben sollte, würde ich in Medeen Haß gegen ihre Kinder durch deren Anhänglichkeit an den milderen Vater zu erregen suchen.

(Tgb 274. W IV, 273)

Als Medeen, bei ihrer Ankunft zu Korinth, der Becher der Freundschaft gereicht wird, will sie sich mit ihren Dolche den Arm aufritzen um Blut in den Wein fließen zu lassen und so nach ihres Vaterlandes Weise den Bund zu besiegeln. Abscheu der Korinther. Scham des Jason.

Kreusa singt und spielt. Medea zeigt Verachtung dieser Spielereien. Sie zerbricht die Laute.

Kreusa fühlt Mitleid mit den Kindern, Medea dadurch beleidigt. Die Kinder, von ihrer Mutter gescholten, fliehen zu Dirzen [= Kreusa], Medea schleudert sie zurück.

Vorspiel.
Der Gastfreund.

1. Medea, Jungfrauen mit Bogen und Pfeilen. Lob der Jagd, des Umherschweifens. Zauberei.
2. Nachricht, daß ein Schiff mit Fremden gelandet. Glanz und Schätze, die sie bringen.
3. Acetas kommt. Er ist lüstern nach des Fremden Schätzen, aber die Zahl seiner Begleiter schreckt. Er fordert Medeen auf, ihn durch Schmeicheln zu entwaffnen. (Er spricht noch durch nichts seinen Entschluß aus ihn zu töten.)
4. Phryxus kommt, das goldne Vlies, in Form eines Paniers auf der Lanze vor sich hertragend. Acetas begrüßt ihn und beut ihm Gastrecht. Phryxus erzählt, wie er den Nachstellungen seiner Stiefmutter entflohen mit vielen Schätzen. Wie er im Tempel Jupiters auf seiner Flucht gebetet; Wie er entschlafen und ihm im Traume ein Mann erschienen, ehrwürdigen Ansehns, ganz nackt nur um die Schultern mit einem goldenen Widderfell bedeckt, der ihm befohlen, ihm zu folgen. So habe er ihn geführt durch Nacht und Sturm, so daß er nichts gesehen als das goldene Fell, das wie ein Stern leuchtend ihm den Weg gezeigt. Endlich am Rand eines tiefen Abgrunds sei er erwacht. Als er die Augen emporhob, sieh da stand ober ihm in einer Nische das

nackte Bild eines Mannes, mit einem goldnen Fell um die Schulter; am Fußgestell stand geschrieben Sieg und Rache. Er nahm das Fell heimlich und entfloh. Wie ihn das Vlies, an den Mast des Schiffes gebunden, glücklich bis nach Kolchis geleitet, und er es bewahre, als das Pfand seiner Sicherheit. Des Phryxus Gefolge wird in das Haus geführt. Medea, von ihrem Vater ermuntert, fordert den Phryxus auf, sein Schwert abzulegen. Dieser tut es und geht den Seinen nach ins Haus.

5. Diener tragen noch immer Phryxus Schätze ins Haus. Acetas erklärt seinen Entschluß, denselben zu töten, um sein Gut zu bekommen, das er für gute Beute hält. Medea, ohne sich gegen den Mord überhaupt zu äußern, erinnert ihn an das Gastrecht. Acetas glaubt, daß dieses einem Hellenen, einem Feinde nicht zu halten. Ihn locken die Schätze, besonders aber das Vlies – Der Gott, der es gegeben, werde den Mord rächen – Nicht gegeben ward es, geraubt, vom Altar geraubt. Ich erkenne in der nächtlichen Erscheinung den Schutzgott unseres Volkes, den Erderschütterer Peronto. Nackt schreitet er einher und ein Widderfell deckt seine starken Lenden. Er sendet mir den Fremden und jenes Siegeszeichen.
6. Phryxus kommt aus dem Hause. Seine Gefährten sind bezecht. Das heimliche Flüstern der Kolcher erweckt ihm Argwohn. (Der König und Medea haben sich zurückgezogen.) Nichts bleibt übrig als die Flucht. Er will fort; da treten von allen Seiten bewaffnete Kolchier hervor, die ihn zurückweisen. [...] (HKA I, 17, 281 ff)

Notizen Juli/August 1818

Jason ein *glänzender Held*. Ungefähr wie Theseus[1] in seiner Gesinnung gegen die Weiber. Medea gefällt ihm als Weib und wie ein liebenswürdiger Trotzkopf gefällt. Er ist heftig und zornmütig, hat aber doch im Ganzen eine gewisse ruhige (griechisch antike) Haltung im Gegensatz der barbarischen Medea. Erinnere dich immer der griechischen Heroenstatuen und denk dir ihn nackt bloß den Helm auf dem Kopfe und das Schwert in der Hand.

1 in Thomas Corneilles Stück »Ariane«.

Um ein sichtbares Bild der Medea vor Augen zu haben, stelle dir die Mechetti[2] mit aufgelösten Haaren vor.

Vergiß nicht, die Medea, sobald der Entschluß sich zu rächen in ihr fest geworden ist, wieder in ihren barbarischen Charakter zurückfallen zu lassen und ihr eine hündische Demut zu geben, aus der nur manchmal der Groll emporblitzt. (HKA I, 17, 284)

Notizen Ende August 1818

Die Medea muß damit beginnen, daß Medea das Vlies eingräbt oder in die See versenkt. In der Folge wird es wieder gefunden.

Medea

1 Akt. Die Ankunft: die Szene ganz vor den Toren von Korinth. Vergraben des goldenen Vlieses. Jason Medea. Kreon kommt mit seiner Tochter.
2 Akt. Medea, Kreusa. Unbehilflichkeit der erstern in feinen Sitten. Jason dazu / Kreusa singt. u. s. w.
3 Akt. Medea fängt an auszubrechen.
4 und 5 Akt begreift die Handlung des Euripides in sich. (Jason fühlt sich in seiner Tatkraft durch sie gehemmt / Sie betrachtet ihn als die Quelle ihrer Leiden.)

Auf die Idee Kreusen zu töten (aus der dann die übrigen Mordgedanken fließen) kommt sie erst als sie an der Brust eines ihrer Kinder das Bild Kreusens erblickt, sie reißt es herab und zerschmettert es auf dem Boden. (HKA I, 17, 286)

Tagebuch Anfang Oktober 1819

Die Ursache, warum das Gräßliche nicht auf der Bühne erscheinen darf, ist, weil es durch seine, ich möchte sagen: physische Wirkung auf die Nerven sich als ein *Wirkliches* darstellt. Selbst das Tragische

2 Therese Mechetti, geb. Rothmann, verheiratet mit dem Kunsthändler Peter Mechetti.

müßte von der Bühne verbannt bleiben, wenn nicht das Bewußtsein, daß es erdichtet sei, es immer begleiten könnte.

(Tgb 585. W III, 300)

Notizen Anfang Oktober 1819

König Strenge Gesetzlichkeit. Die Ehe eines Griechen mit einer Barbarin ist ihm ein Greuel. Alle Milderungsgründe für Medeens Benehmen sind für ihn nicht da.

Kreusa Fast überirdisch rein. Leidenschaftslos. Ihre Neigung zu Jason, macht kaum das Zünglein an der Richtwage ihres Betragens schwanken. Sie nähert sich Medeen, da sie alles verläßt, mitleidig und weil sie *Jasons* Weib ist, die Mutter von Jasons Kindern. Hauptsächlich beschäftigt sie sich mit letzteren, anfangs kennt sie auch das Ganze von Medeens Begebenheiten nicht genau. Da sie es kennt zieht sie sich voll Schauder zurück.

Jason ist anfangs zweifelhaft. Aus Mitleiden will er Medeen eines der Kinder mitgeben. Medea fordert die Kinder, die sich an Kreusa schmiegen, auf, welches mit ihr gehen will. Die Kinder fliehen sie beide entsetzt.

Sie hat Medeen griechisch angezogen.

Sie muß in der größten Hilflosigkeit, Mutlosigkeit sein. Sie ist keine Zauberin mehr, alle ihre Macht ist dahin. Da kommt die vergrabene Kiste mit dem Vlies und dem Zaubergerät.

Medea durch die Drohungen des Herolds empört zieht den Dolch und bricht in ihre natürliche Wut aus.

Sie weist den Jason, der sie zur Ruhe bringen will, von sich, und gegen Kreon und Kreusa bricht, da die Bewegung des Augenblicks jede Zurückhaltung aufhebt ihre Wut los, daß sie ihr Jason rauben wollen.

Jason mit Kreusa redend, achtet Medeens nicht. Sie wirft das Saitenspiel krachend zu Boden.

Gora muntert sie zur Rache auf. Medea [:] ich bin hilflos ohne Macht. Ihr Zaubergerät ist fort. Immer brennt der Gedanke ihr Herz, daß ihre Kinder sie fliehen.

Jason will das Vlies, als das einzige Zeichen seines Ruhms, das allein ihm noch Achtung in der Welt verschaffen kann, das ihm Selbstvertrauen geben kann bei der allgemeinen Verwerfung.

Jason läßt Medeens Kinder in Kreons Palast bringen; dort tötet sie Medea. Nein[3].

Kreusa und die Kinder sind getötet und Kreon hat im Angesicht des flammenden Palastes den Jason verbannt und vertrieben. Jammernd über seinen Verlust sitzt dieser am Wege. Da kommt Medea, das Vlies wie einen Mantel um ihre Schultern hängend und spricht mit ihm, etwa wie ein abgeschiedener Geist über das Ereignis reden könnte, etwa wie der Chor bei den Alten; den ungeheuren Schmerz im Busen tragend, aber besonnen. Sie trägt das Vlies nach Delphi.

Jason hat damals, als Pelias seinen Vater vom Reiche vertrieb mehrere Jahre bei Kreon gelebt. Daher noch der warme Anteil mit dem ihn Kreusa betrachtet. Jetzt kommt er zurück von seinem Zuge, den er als der Erste der griechischen Jünglinge begonnen, voll glänzender Hoffnungen, es einst noch einem Alcides gleich zu tun, und alles ist verschwunden. Aus seinem Vaterlande vertrieben, von seinem Volke verflucht, ohne Stätte, ohne Aussicht, Gatte einer Barbarin, deren Anblick ihm alle Greuel zurückruft, durch die er sie erlangt; Vater von Kindern, denen er nichts hinterlassen kann als sein Elend. Gebeugt, beschämt naht er sich bei der ersten Zusammenkunft dem Creon. *Creon* Dahin ist es gekommen u. s. w. Und man sagt, ein Weib führest du mit/dir, erzeugt in jenem Land des Fluchs und fluchenswert wie ihr/Vaterland, Medea! – *Jason* Hier steht sie. Kreusa ist die einzige, die teils aus Mitleid, teils aus Neigung zu Jason sich mit Medeen beschäftigt. Sie liebkost Jasons Kinder, wie man *Waisen* liebkost.

Jason hört von den Taten jener Helden, die *unter* ihm den Argonautenzug mitmachten und jetzt die Welt mit ihrem Ruhm erfüllen, indes er um alle seine Hoffnungen gebracht ist.

Sein geheimer Schauder vor Medeen.

3 später hinzugefügt.

Medea anfangs demütig, aber wie sie jemand auch nur leise verletzt, hochfahrend und stolz. Es empört sie in Geheim, daß man sie entweder geringschätzig oder bedauernd als eine vaterlandslose Barbarin betrachtet, indes sie sich als Königstochter und als Medea fühlt. Sie ist nur demütig um Jason alles Frühere vergessen zu machen, um das Geschick um die Strafe zu betrügen. Sie möchte gern das Vergangne ungeschehn machen und begraben wie das Vlies.

Als Medea von dem Tode ihres Bruder und den Verwünschungen ihres Vaters weg in das Schiff gebracht wurde, floh sie entsetzt die Gesellschaft Jasons und aller andrer, verweigerte Nahrung zu sich zu nehmen und wollte sterben. Die Enge des Schiffes, die eine strenge Absonderung unmöglich machte, das Dringen Jasons, auf dessen Neigung das Unbeschäftigte einer langen Seefahrt vermehrend einwirkte, ihre Verlassenheit, ihre Liebe endlich brachten sie zum Nachgeben. Sie ward sein Weib. Vorher aber mußte er das Vlies, das als Wimpel am Mast des Schiffes aufgehangen war, ihr übergeben, damit sie es verwahre und das Zeichen von dem Unheil der Ihrigen ihren Blicken entzogen werde. Heimlich des Nachts warf sies ins Meer, froh des schrecklichen Zeugen los geworden zu sein. Aber es ging nicht unter. Früh des andern Morgens schwamm es neben dem Schiffe und ward wieder aufgefangen und auf ihr Bitten Medeen noch einmal übergeben. Sie wirfts ins Feuer. Die Flamme zischte und dampfte, aber das Vlies verbrannte nicht. Da schloß sie es sorgfältig ein, mit der Absicht es zu vergraben, wenn sie ans Land kämen.

Vier Jahre dauert die lange Überfahrt, durch Unkenntnis der Meere und mannigfache Hindernisse verzögert. Sie kommen endlich in Thessalien an; mit 2 Kindern die Medea geboren. Jason stolz als Sieger, Medea als Königstochter und Geberin des Siegs. Pelias, der den Jason schon tot geglaubt empfängt sie mit schlechtversteckten Grimm. Er fordert das Vlies. Jason dagegen die Erbschaft seines von Pelias beraubten Vaters. Pelias spricht die Verbannung über sie aus und sucht das Vlies Medeen zu rauben, die es verwahrt. Er überfällt sie des Nachts in einem Haine, wo sie eben geheimnisvollem Dienste oblag und ihre Geister um Rat in der dringenden Not fragte. Was hier geschehn, ward nie klar. Medea schweigt darüber, Jason ahnet nur. Am Morgen ward Pelias tot gefunden, versengt wie ein vom Blitz erschlagener, seine Adern geöffnet und ohne Blut. Das Volk, das ihn früher anbetete, aber schon durch Medeens geheimnisvolle Nähe schüchtern gemacht, ihn mit geheimen Grauen betrachtete, vertreibt durch Akastos, des Getöteten Sohn, aufgeregt, das Paar aus Pherä und Akastos klagt über den Mord seines Vaters bei dem Gerichte der Amphiktyonen, das damals seine Sitzungen zu Delphi hielt. Jason und Medea fliehen von Stadt zu Stadt, überall verweigert man ihnen die Aufnahme, alles flieht Medeen, wie eine Verpestete.

4 *Akt.* am Schluß. Der Palast des Königs ist erleuchtet. Man hört zu Zeiten darin Jubel und Becherklang. Man ruft: Jason hoch! Jason und Kreusa!

4 *Akt.* Sie fürchtet sich, daß sie *eines* der Kinder zurücklassen muß. Nun will keins mit ihr. Wie sie am Ende des 2 Aktes im höchsten Trotz ist, so am Ende des 3t ganz niedergetreten. Mutterschmerz Verlassenheit.

4 *Akt.* Gora erzählt die Geschichte der Althea, triumphierend, daß so wieder einer der Argonauten ein gräßliches Ende gefunden.

2 *Akt.* Als Kreusa Medeen auf griechische Art angekleidet hat, besieht sich diese und sagt: Gut, aber eine Krone will ich tragen im Haar.

2 *Akt.* Und was entsetzest *du* dich? Kamst du nicht auf die Nachricht, daß er krank sei, zu mir und sagtest: ich wollte, er begehrte von *mir* einen Heilungstrank?

Vergiß nie, daß der Grundgedanke des letzten Stückes *der* ist, daß Medea, nachdem sie Kolchis verlassen, *tadellos* sein *will*, aber es nicht sein kann.

Das Vlies ist das ungerechte Gut. und die böse Tat[4].

4 später hinzugesetzt, dann wieder gestrichen.

Gegensätze.

Jason. Der Jüngling – der Mann
Medea. Tiefes Gemüt, gerade durch die Gewalt ihrer mehrseitigen Richtungen auf Irrwege gebracht. – Kreusa. Geschützt durch hohe *Einfach*heit ihres Wesens. »Das Rechte blind erfassend mit dem Griff«
Kolchis – Griechenland.
Die Könige gottesfürchtig. Aietes als Wilder, Kreon als Grieche.

Kreusa, Naivetät; aber nicht Naivetät der Kindlichkeit, sondern Naivetät der Reinheit.
Der König. Die Rechtlichkeit, die Klugheit, der ruhige Verstand. Als solcher ist er sogar hart gegen Medeen, deren Verirrungen er nicht begreift, da ihm die Motive Rätsel sind.

Gora ist Kolchis.

Halte dir immer gegenwärtig, daß das Stück eigentlich nichts ist als eine Ausführung des Satzes: Das eben ist der Fluch der bösen Tat, daß sie, fortzeugend, Böses muß gebären. Dieser Satz ist so wichtig als irgend einer in der Welt. Das Vlies ist nur ein *sinnliches Zeichen* dieses Satzes. Es ist da nicht von *Schicksal* die Rede. Ein Unrecht hat ohne Nötigung das andre zur Folge und das Vlies *begleitet* sinnbildlich die Begebenheiten ohne sie zu *bewirken.*

Der Herold verlangt das Vlies für Akastos. Kreon will, Jason soll es behalten, als Zeichen seines Sieges.

Phryxus Fluch ist nicht um ein Haar wirksamer, als der Margarethens in Richard III. (1 Akt). (HKA I, 17, 294 ff)

Notizen November 1819
Medea kommt mit Jason zurück nach Pherä. Dort geht ihr jedermann scheu aus dem Wege. Der König begehrt das Vlies. Medea hält es verwahrt und verweigert es. Um dieses Vlieses willen starb ihr Vater, ihr Bruder. Die Argonauten kamen nur deswillen und all ihr Unglück fing damit an. Sie kann sich selbst das Drohende der Zukunft nicht verbergen und ein Zeichen all dieses Unheils ist ihr das Vlies.

Medea betrachtet Jason mit Grauen, als den der ihr Vater und Bruder raubte und der noch einmal den Fluch ihres Vaters an ihr vollstrecken wird. Und doch liebt sie ihn und möchte gar zu gern durch Anhänglichkeit durch Fügen in ein einfaches häusliches Verhältnis das Vergangene vergessen machen und sich ein künftiges Dasein bereiten.

Jason graut vor Medeen als einer Zauberin, als einer die, wenn auch schuldlose Ursache an ihres Vaters und Bruders Tode war; er fühlt Ingrimm gegen sie, da um ihrentwillen ihn seine Landsleute verfolgen, da er um ihrentwillen allen seinen Aussichten entsagen mußte. Und doch fühlt er, bis der Mord an Pelias bekannt wird, Mitleid mit ihr, wegen ihres Unglücks.

Als Jason eintritt wendet er sich zu Kreusen und spricht mit ihr von den Erinnerungen, die ihm, die Stadt durchwandelnd, der Anblick erweckt. Medea will ihm ihr Lied vorspielen er hört sie nicht und spricht immer mit Kreusen fort, da, als er aber Kreusens Hand faßt zerbricht Medea krachend die Laute. Jason wendet sich erzürnt hin. Kreusa faßt besänftigend Medeens Hand und sagt: wir sind Freundinnen geworden. *Jason.* Das verhüten die Götter. Wir können nichts gemein haben mit dir. Könnten wir vor dich hintreten wie 2 Unglückliche, schuldlos verfolgt, aber [bricht ab].

Das Verhältnis muß schon als gebrochen erscheinen, eh der Herold noch kommt, sonst fehlt es an organischer Entwicklung aus sich selbst.

Jason soll gedrückt kommen, melancholisch.

III. Akt Medea anfangs streng, ernst, besonnen.
Ihre Rache nur erst Ingrediens des Gedankens was sie überhaupt tun soll.

Wenn im 3 Akt die Kinder mit Kreusen kommen, muß Medea das Herz der Kleinen schon dadurch abwenden, daß sie, ehe noch die Wahl geschieht, empört ihre Kinder an der Seite ihrer Feindin zu sehen, ihnen hart zuspricht. (HKA I, 17, 302 ff)

Notizen Dezember 1819

Was fehlt an den 2 ersten Akten.

1. Medea muß, besonders in dem 2t Akte mehr *als Wilde* markieret sein, damit der Mord des Pelias weniger frappiert.
2. Kreusa weniger naiv sein als einfach.
3. Kreusa als eine durch das Beisammenleben mit guten, frommen Menschen *Gebildete,* Medeen entgegen stehn,
4. Der Herold soll die Greueltat nicht so umständlich erzählen.
5. In Jason muß mehr die Prosa des Mannesalters hervortreten, gegen seine phantastische Jugend auf dem Argonautenzuge.

III Akt. Jason Medea. Er anfangs hart streng, sie ernst. Ob er nicht Teilnehmer an allem gewesen? Daß sie den Pelias nicht getötet. *Jason* Wenn auch / die Götter haben unsern Bund verflucht, die Menschen. Du sagst du habest mich geliebt. Zeig es jetzt. Verlaß mich. Jetzt empört sie die Kälte Jasons. Manchmal bricht ihr Haß durch die angenommene Ruhe. Jason verspricht ihr 1 der Kinder, das ihr der König vorher abgeschlagen.

Als er anfängt klug zu reden, *Medea.* Laß mich dich ansehn ob du es bist, mit dem ich rede: dem mit mir spricht gab ich mich nicht hin, bezwungen von seines Andrangs Gewalt. Wo bist du Jason, komm starker Held und befreie mich von diesem Klügler. *Jason.* Ich war jung und ein Tor. Jetzt bin ich ein Mann. *Medea.* So hältst du dein Wort wie ein Mann. (HKA I, 17, 304 ff)

Tagebuch Ende 1819

Noch vor Beendigung dieses Aufzuges[5] wurde ich durch die Krankheit und den Tod meiner geliebten Mutter von meiner Arbeit abgebracht. Ich ging nach Italien, sah dort das Herrlichste der Welt und die neuen großen Eindrücke verlöschten beinah die Erinnerung an das Wundervlies. Aber, nach rund halbjähriger Abwesenheit zurückgekommen, stellten die alten Bilder sich wieder ein und meine vom Vater ererbte Hartnäckigkeit konnte sich mit dem Gedanken nicht vertragen, das Begonnene aufzugeben. Ich begann von neuem. Gebe Gott, daß die Wirkung der langen Störung nicht so unglücklich sei, als es die Ursache war. (Tgb 4399. W IV, 350)

5 III. Aufzug der »Argonauten«.

Tagebuch Mitte Dezember 1819

Hier[6] wurde ich über 4 Wochen unterbrochen, durch den Verdruß über die Übergehung in der Beförderung, die mir zukam und die mir die Hofkammer aus altem Groll verweigerte. Ich wollte die Staatsdienste verlassen, aber der wackere Graf Stadion widerriet mirs und gab mir Urlaub auf 3 Monate, in welcher Zeit ich wohl meine Arbeit zu beendigen hoffe. (Tgb 4400. W IV, 350)

Notizen Januar 1820

Medeens Gefühl gegen ihre Kinder muß gemischt sein aus *Haß* gegen den Vater, Jason, von dem sie weiß, daß er die Kinder liebt und ihr Tod ihm schmerzlich sein wird; aus *Grimm* gegen die Kinder, die sie flohen und ihren Feinden den schmerzlichsten Triumph über sie verschafften; aus *Liebe* gegen diese Kinder, die sie nicht mutterlos unter Fremden zurück lassen will; aus *Stolz*, ihre Kinder nicht in der Gewalt ihrer Feinde zu lassen.

Gora, die anfangs trotziger als Medea ist, muß immer schwächer werden, je näher es zur gräßlichen Tat kommt; Medea immer stärker.

Medea muß schon von vornherein in höchste Wut geraten, nur der Gedanke, daß sie ohne Macht ist, schlägt sie wieder nieder, so daß sie demütig ist, da der König kommt. Der Anblick ihres Zaubergerätes bringt sie endlich zum vollen Ausbruch.

Weich wird sie wieder dadurch, daß sie sagt, wenn man ihr die Kinder gegeben wäre sie gegangen.

Merk dir, was dich an der Medea verletzt ist das zu starke Hervortreten des Vlieses. Das läßt sich aber leicht ändern, wenn das Ganze dasteht.

Es muß weniger von den Personen ausdrücklich Bedeutung auf das Vlies gelegt werden, als sich aus dem Ganzen von selbst ergeben.

Wie? wenn du dein Porträt stechen ließest, und dich hierauf mannigfache Strafen der Eitelkeit träfen, bei jedem einzelnen Falle aber gerade zufällig das gestochene Bild dir im Auge hinge. Auf einer ähnlichen Verbindung beruht das Vlies.

6 Ende des I. Aufzuges der »Medea«.

Als sie die Kinder erblickt sieht sie Kreusas Bild an ihrem Halse.

Sie soll Gora ums Vlies schicken, damit die Tat nicht als außer ihrem Willen erscheint.

Als Jason auftritt glaubt er, man habe Medea gefangen.

Das Ganze ist die große Tragödie des Lebens. Daß der Mensch in seiner Jugend sucht, was er im Alter nicht brauchen kann. Jason hat mit seiner Phantasie geworben, jetzt ist er ein Mann, er will Haus, Herd ein Los. (HKA I, 17, 306 ff)

Tagebuch Anfang 1820

Wenn ich mir recht überlege, warum mir nur Arbeiten, die sich rasch in einem Zuge vollenden lassen, gelingen, hingegen andere, von größerer Ausdehnung, zu deren Zustandebringung ein längerer Zeitverlauf erforderlich ist, so leicht mißraten, so finde ich den Grund in dem ewigen Wechsel der Empfindungen, dem mich mein reizbares unstätes Wesen aussetzt. Ich verliere bei lang anhaltender Beschäftigung mit einem Werke weder den Mut zur Vollendung noch den eigentlichen Faden der Verknüpfungen; aber, so wie jetzt dieser, jetzt jener Zustand des menschlichen Lebens mich am meisten interessiert, trage ich unbewußt so viel nur irgend möglich von jenem Interesse in meine Hauptpersonen und ihre Schicksale, und so kommt es, daß bei sonst unverrücktem Gang des Ganzen und Beibehaltung der Motive selbst, doch eine Ungleichheit im Ton entsteht, deren ich mir bald dunkel bewußt werde und die, zu Deutlichkeit gekommen, mir, und mit Recht, alle Lust und Freude an dem Werke nimmt. So ging es mir mit dem goldenen Vlies. Ich muß es für ein verunglücktes Werk halten, und weiß Gott ob es mir je gelingen wird, es mir wieder als ein Ganzes vor die Anschauung zu bringen und aus *einem* Gusse zu vollenden. Ich verzweifle daran. (Tgb 645. W IV, 351)

Notizen Mai 1820[7]

Erinnere dich, daß dein erster Plan war, die Argonauten abenteuerlich zu halten, ritterlich; die Medea hellenisch. Das muß dir ein

7 Nach der vollständigen Niederschrift der Trilogie notierte Grillparzer Ideen für Änderungen und Verbesserungen.

Fingerzeig sein. Wahrscheinlich war also dem Vlies, dem Wunder, nach dem ersten Plane kein Platz in jenem 3t Stücke eingeräumt, und nur gegen das Ende zu sollte es wieder eingreifen, beim Erwachen der Wildheit in Medeens Seele.

Der König soll das Vlies nicht begehren. Überhaupt soll von demselben keine Rede sein, bis es gefunden wird und es Medea erkennt, als ein Zeichen der Verbindung in dem das was sie leidet steht mit dem was sie tat.

Warum mußt du die Umstände von Pelias Tode mildern, und so viel als möglich aus dem Auge rücken? Weil du sie nicht auf dem Theater darstellen und die Beweggründe und Umstände sinnlich machen kannst, sondern die Tat nur erzählen darfst und also der Zuschauer nicht stufenweise auf das Gräßliche vorbereitet werden kann, sondern es ihn, zurückstoßend, mit einem Schlage trifft.

Der Herold mag etwa das Vlies im Namen der Amphiktyonen begehren.

Jason mag die Ermordnung des Pelias dunkel ahnen, aber selbst jede Aufklärung fliehen.

Es kommt darauf an, das Vlies unter einer würdigen Gestalt vor die Augen zu bringen, damit es nicht als bloßer Begriff wirke. Jason mag es daher über seinen Schild hängen und nur mit dem Schilde komme es in der Folge vor.

Die Kiste wird gefunden und der König läßt sie zu Medeen bringen, der sie dem Scheine nach gehört, eben als diese über ihre Hilflosigkeit verzweifelt. Dann braucht er das Vlies nicht eigens zu begehren.

II Akt. 1 Szene. Folg deiner ersten Idee, daß Medea wie eine Wilde alles bewundert was ihr vorkommt, und sich auf diese Art in Abstich zeigt mit Kreusa.

Es hat noch niemand acht gegeben auf die Verwandtschaft der Rachsucht mit der Gerechtigkeitsliebe.

Es ist schon viel gewonnen, wenn die Nachricht von der Verbannung nicht von einem Herold gebracht wird, sondern von jemand anderm; dadurch wird das Ganze weniger auf die Spitze gestellt, und der, der *organischen* Entwicklung schädliche *äußere* Umstand, verliert, je weniger man Gewicht auf ihn legt, desto mehr von seiner störenden Wirkung.

Wie? wenn der Mord des Pelias gleich anfangs von Jason gewußt und eingestanden würde, so daß im zweiten Akt, in dem Augenblicke als Medea schon losgebrochen ist nicht die Nachricht von dem Anteil Medeens an jener Untat, sondern die von dem Ausspruch des Amphiktionengerichtes, welches die Verbannung verhängt, den Bruch veranlaßte?

Wie wenn Medea den Töchtern des Pelias nur im allgemeinen einen Heiltrank für den Vater auf ihr Bitten gegeben hätte, nach dessen Genuß er gestorben, ohne daß ausgemacht wäre, daß der Trank die notwendige Ursache gewesen sei.

Sie befiehlt, daß dem König die Adern geöffnet werden. Es geschieht und er schlummert ein. Da tritt sie zur Pfoste, nimmt das Vlies herab und wirfts ins Feuer des Opferherdes. Laut krachend tönts durchs Gemach. Der König springt auf und auf sie hin. Feuerflammen erfüllen das Zimmer und als jedes zu sich kommt, liegt der König verbrannt da, und Medea ist fort, mit ihr das Vlies.

Es muß so wenig als möglich geredet werden vom Tod des Pelias. Jason mag selbst, da ihm seine und Medeens Verbannung bekannt geworden ist, ausbrechen: Wohl ich will gehn, mein Vaterland verlassen, ich mit meinen Kindern, aber nicht mit dir, Urheberin meiner Qual! Dann erst soll der König einstimmen und, indem er Jason zu schützen verspricht, Medeen entfernen. (HKA I, 17, 309 ff)

Wien, 4. Oktober 1820

Grillparzer an Ignaz Karl Graf von Chorinsky [8]

Was ich geleistet habe, kennt ganz Deutschland. Bei meiner außerordentlich schwachen Körperbeschaffenheit, habe ich mich, leider!

8 Präsident der Hofkammer. Grillparzer bittet um Verlängerung seines Urlaubes.

an eine weitläuftige, aufreibende literarische Arbeit gewagt, die zu Ende geführt sein will, da sie einmal unternommen ist. Immer von Krankheitsanfällen gestört, durch den Tod einer geliebten Mutter beinahe durch ein halbes Jahr von jedem Gedanken daran entfernt, hat gegenwärtig nichts in meinem Inneren Raum, als der Wunsch das schon so weit Gediehene endlich einmal zu vollenden. Und ich bin nahe daran. Die eine Hälfte ist ganz fertig, die zweite ist es bis auf die letzte Hand. Ich arbeite nun, da ich es wieder körperlich imstande bin fleißig daran, aber ich brauche Zeit, ich brauche Ruhe! (W IV, 759)

Grillparzer an die Hoftheaterdirektion Wien, 8. November 1820

Mit Gegenwärtigem überreiche ich, dem eingegangenen Kontrakte gemäß, die nunmehr zur Reife gediehenen letzten Früchte meiner poetischen Beschäftigungen, bestehend aus 2 völligen Stücken, samt einem Vorspiele, unter dem gemeinschaftlichen Titel: Das goldene Vlies.

Ich glaube hierdurch nebst den ausdrücklichen Punkten auch den stillschweigenden Voraussetzungen meines Kontraktes Genüge geleistet zu haben, da ich nach einem *zwei*jährigen Stillschweigen nun auch *zwei* Stücke, das Vorspiel ungerechnet, überreiche.

Für den Fall, daß diese Stücke zur Aufführung geeignet gefunden und angenommen werden, habe ich nur zwei Erinnerungen zu machen, die zugleich als Bedingungen gelten sollen, bei deren Nicht-Eintreten, ich in die Aufführung nie willigen könnte, sondern meine Stücke mir zurück erbitten müßte, wobei sich jedoch von selbst versteht, daß ich der Direktion, die nun seit mehr als 2 Jahren bezogenen Bestallungs-Beträge als ehrlicher Mann zurückvergüten und sie jeder weiteren Verbindlichkeit für die Folge entlassen würde.

1tens Darf nicht etwa nur das eine oder das andere der beiden Stücke, sondern sie müssen *beide*, und zwar, bei der ersten Vorstellung ohne Zwischenraum, in zwei unmittelbar aufeinanderfolgenden Tagen gegeben werden. Dieses ist durchaus notwendig, damit das Gedicht als ein Ganzes erfaßt werde, und weil die beiden Abteilungen sich wechselseitig bedingen und erklären.

2tens muß ich verlangen, daß die Rollen ohne Ausnahme so besetzt werden, wie ich es nach meiner Kenntnis der Individuen unsers

Hoftheaters, und meines Stückes insbesondere für gut halte, ohne daß einem Schauspieler gestattet sei, die ihm zugedachte Rolle abzugeben, und sich der Mitwirkung zu entziehen. Hierbei versichere ich jedoch, daß keiner der ersteren Schauspieler zu unbedeutenden Rollen und überhaupt von den Regisseuren nur die Herren Korn und Koberwein gebraucht werden sollen. Für die gleich wichtige und schwierige Rolle von Medeens Amme, muß ich bitten, daß die Sängerin Madame Vogel, die, wie man mir sagt, zugleich fürs Schauspiel engagiert sein soll, als einzig dazu geeignet, beigezogen werde.

Einen gleichen Einfluß muß ich mir auf die Anordnung des Szenischen, besonders aber auf die Einführung der Komparserie vorbehalten, welche letztere durchaus nicht von Soldaten besorgt, sondern durch taugliche Statisten, die für geringes Geld leicht zu haben sind, versehen werden muß. Meine Ansichten, sowohl über den Geist und die Behandlungsart der einzelnen Rollen, als der Anordnung des Äußeren bin ich gesonnen, in einem eigenen Aufsatze der Hochlöblichen Direktion vorzulegen.

Was das Honorar betrifft, so verlasse ich mich, hinsichtlich des zweiten der beiden Stücke, der: Medea nämlich, (nach dem Urteile sachkundiger Richter des bei weitem bessern darunter) ganz auf die Großmut der Direktion, die mir in meinen bisherigen Verhandlungen mit ihr noch nie Anlaß gegeben hat, einen andern Stützpunkt, als eben diese Großmut zu wünschen. Für die erste Abteilung meines Gedichtes, bestehend aus dem: Gastfreund und den Argonauten, dem, wie man sagt, schwächeren Teile des Ganzen aber, bitte ich mich mit Überlassung der dritten Einnahme, als des gewöhnlich gewordenen Honorars besserer Dichterwerke zu belohnen. Ich glaube dieses letztere um so eher wünschen zu dürfen, als, wenn diese Abteilung wirklich die schwächere des Ganzen ist, der Direktion durch den Entgang der dritten Einnahme kein großer Verlust erwächst; da hingegen mir eine Gelegenheit erwünscht sein muß, wo die vielen Freunde und Gönner meiner Arbeit in den Fall gesetzt werden, mir ihre Gewogenheit werktätig beweisen und mir zur Grundlegung eines kleinen Spargutes behilflich sein zu können, dessen Notwendigkeit mir die traurigen Erfahrungen der letztverflossenen Zeit, nur zu eindringlich gelehrt haben.

Indem ich hier schließe, bitte ich das Gesagte nicht als die Forderung eines auf sein Verdienst Pochenden, sondern als die freie Erklärung eines Menschen zu betrachten, der, gewohnt offen zu reden und zu handeln, lieber seine Wünsche und Ansprüche gleich unverhohlen darlegt, als erst in der Folge durch Winkelzüge und Erschleichungen darauf zurückzukommen. (W IV, 759 ff)

Wien, 13. Januar 1821

Grillparzer an die Redaktion des Berliner Gesellschafters [9]

Was jedoch die Mitteilung von Probeszenen aus meinem neuen dramatischen Gedichte betrifft, so muß ich bemerken, daß die Bekanntmachung einzelner Szenen eines zur Aufführung bestimmten Stückes meinen Ansichten widerstreite. Man veranlaßt dadurch das Publikum sich nach den gegebenen Teilen ein Bild des Ganzen zu entwerfen, und das Nichteintreffen der so gebildeten Vermutungen wirkt leicht störend auf die Empfänglichkeit für die Darstellung selbst. Zudem sind meine Verhältnisse mit dem hiesigen Hoftheater von der Art, daß mir frühere Bekanntmachung durch den Druck leicht übel gedeutet werden könnte. (HKA III, 1, 248)

Wien, 22. August 1821

Grillparzer an Karl Friedrich Moritz Paul Graf von Brühl

Überdies ist es mir auch um die Aufführung gerade *dieser* Stücke so wenig zu tun, daß ich schon anstand, ob ich sie überhaupt nach Berlin schicken sollte, wenn nicht die Erinnerung an Eurer Exzellenz früheres gütiges Bezeigen, das ich aus Fahrlässigkeit, aus – ich weiß selbst nicht, aus was allem – gehörig zu erwidern versäumte, mir die Pflicht auferlegt hätte, die Aufführbarkeit des Stückes Ihrem Urteile zu unterziehen, und wenigstens über meine Bereitwilligkeit keinen Zweifel übrig zu lassen.

Weit entfernt, wie Müllner, die Nichtdarstellbarkeit eines Stückes unter seine Vorzüge zu zählen rechne ich es vielmehr zu den Mängeln und bin bereit, diesen Grundsatz auch auf mein Gedicht anzuwenden, wenn es für nicht darstellbar erkannt wird. Ob es nun die-

9 Die Zeitung wollte einige Szenen des »Goldenen Vlieses« abdrucken.

ses sei, kann ich selbst am wenigsten entscheiden, aber ich fürchte es beinahe. Manches Sonderbare in der Stellung des Ganzen, besonders des idealen Hintergrundes; die, aus Grundsatz gewagte, aber vielleicht hie und da doch zu weit getriebene Abweichung von der Art, wie man seit Goethes Iphigenie griechische Stoffe behandeln zu müssen glaubt (wie sie aber Shakespeare und Calderon *nicht* behandelt haben, und wie man wohl herrlich die ruhig schreitende Iphigenie, aber keineswegs all die reichere und bewegtere Stoffe des Altertums behandeln kann, weshalb man sich auch in der letztern Zeit kurz und gut entschloß sie ganz aufzugeben) – all die Freiheiten, die ich mir »im Übermut des Wagens und der Tat« [10] erlaubt habe, machen die Aufführung eines solchen Stückes gefährlich, wenn nicht der Ruf des Verfassers so gegründet ist, daß der Zuseher sich von ihm etwas bieten läßt und sich schon im voraus beschieden hat, daß der andere das Ding besser verstehe, als er selbst. Schillers Chor in der Braut von Mesina dünkte manchem anfangs fast lächerlich; gegenwärtig verfehlt er seine Wirkung nicht mehr, obschon er sich vielleicht wirklich nicht rechtfertigen läßt und gewiß nie nachgeahmt werden wird. Und im schlimmsten Falle! ubi plura nitent [wo mehreres gut ist] – Aber im jetzigen Augenblicke hoffe ich noch nicht durchzudringen, wenigstens kaum auf dem Theater, wo der Eindruck des Augenblicks entscheidet.
Zwar in Wien hat das Stück in der Aufführung (– die Journale mögen lügen was sie wollen) – außerordentlichen Beifall gehabt. Ich habe das unablässige Klatschen und Zurufen selbst gehört, daher muß ichs glauben. Aber wer weiß, wie viel da die Landsmannschaft beigetragen hat und dann war da die Schröder, die, wenn sie auch für die erste Hälfte der Rolle nicht paßte, doch im übrigen versteht, den Leuten die Skrupel und Zweifel aus dem Kopfe zu donnern.
So viel sage ich selbst gegen mein Stück. Eure Exzellenz mögen nun entscheiden. Sie werden mich aber auch nicht für unbescheiden halten, wenn ich ersuche, mir baldigst wissen zu lassen, nicht *wann* und *wie,* sondern nur überhaupt *ob* das Berliner Theater meine Stücke aufzuführen gedenkt. Denn wenn dies nicht der Fall

10 Selbstzitat aus »Medea« V 439.

wäre, würde ich mein Gedicht so bald als möglich drucken lassen, um doch endlich das Publikum in den Stand zu setzen, der Richter zwischen mir und diesen elenden Journalisten – den Weißenfelser an der Spitze[11] – sein zu können, die mir meine wenig verhehlte Verachtung gegen sie und ihr Treiben durch Verleumdungen aller Art entgelten zu lassen suchen. Die Aufführung in Wien hat in dieser Hinsicht wenig gefruchtet, weil keine wahre Nachricht davon durchdringen kann und nebstdem die hiesigen Journalisten so elend sind, daß selbst ihr Lob keinen Vorteil gewähren kann.

(W IV, 765 ff)

Tagebuch Sommer 1821

Ich hatte heute nacht einen sonderbaren Traum. Ich träumte ein Vorspiel zur Medea, von dem ich mich jetzt nur noch erinnere, daß es ganz allegorisch war, daß darin Medea auf einem bettartigen Wagen liegend erschien und von einer weiblichen Figur an einem Seile gehalten und geleitet wurde; auch, daß im Laufe des Stückes mich einmal als höchst passend überraschte, daß bei einer Stelle Medea mit den Händen eine Bewegung machte, als ob sie flöge oder schwämme. Das Ganze hatte mich entzückt, und nun träumte ich fort, ich sei erwacht, und bei dem Theatersekretär Schreyvogel, dem ich den Traum erzählte und meine Absicht, nach diesem mein Stück zu ändern. Ich konnte mich nicht mehr auf die einzelnen Umstände meines Traumgesichtes erinnern, dachte nach, suchte mirs zu vergegenwärtigen, fand endlich das Ganze wieder zusammen, und hatte die größte Freude darüber als höchst poetisch und sinnreich. Räsonierte auch mit einem scheinbar viel klarerem Bewußtsein über meinen Traum und Träume überhaupt, und das alles im Traum. Als ich aus diesem höchst lebhaften Traum erwachte, bemeisterten sich meiner zwei Empfindungen. Erstens kam mir mein wachender Zustand gegen den vorigen vor wie eine Zeichnung gegen ein Gemälde, ein neblichter Tag gegen einen sonnenhellen; dann hatte ich ein eigenes unangenehmes Gefühl der Zeitbegrenzung, da mir früher so vieles so im Flug, in so kurzer Zeit begegnet war.

(Tgb 931. W IV, 361)

11 Adolf Müllner.

Tagebuch Sommer 1821

Die Zweifel über den Wert meines goldenen Vlieses sind es offenbar, was diese drückende Schwere auf mich niederzieht. Daß ich sehen muß, wie es hie und dort wenig anspricht, daß ich voraussehe, wie man es von allen Seiten angreifen wird, und wie ich in meiner eigenen Meinung davon so gar keinen Trost gegen so mannigfache Übel finde, darin liegt der Knoten. (Tgb 938. W IV, 362)

Tagebuch März 1822

Wenn mir jemand den Bär in den Argonauten aufmutzen wollte, so will ich ihm dagegen Virgils afrikanische Hirsche in der Aeneide »tres littore cervos« vorführen. (Tgb 1043. W IV, 368)

Tagebuch 1822

Eine andere Erfahrung ist, daß, da die Ausführung matter als die Idee zu sein pflegt, und sich immer in der Folge das ausgeführte Werk an die Stelle der ersten Idee setzt, die letztere ihre ursprüngliche Lebhaftigkeit in der Erinnerung verliert. So konnte ich, als ich einmal die Medea aufführen gesehen, die Vorstellung der Person der Md. Schröder, nicht mehr aus dem Gedächtnisse bringen, obschon ich mir ursprünglich die Medea ganz anders gedacht hatte.
(Tgb 1079. W IV, 370)

Tagebuch 1822

Als Motto zum Vlies; die Stelle aus Rousseaus Confessions L.IX p. 226: L'on a remarqué que la plupart des hommes sont dans le cours de leur vie souvent dissemblables à eux mêmes, et semblent se transformer en des hommes tout différens[12]. (Tgb 1082. W IV, 370)

Tagebuch 1822

Ich habe seit dem Vlies eine eigene Hinneigung zu großen, zusammengesetzten, ins Weite gehenden Kompositionen. Davor muß ich mich hüten, das ist nicht meine Sache. Wenn meine Phantasie die Schranken nicht fühlt, geht sie aus dem Weiten ins Weitere, und er-

12 Man hat die Beobachtung gemacht, daß die meisten Menschen im Laufe ihres Lebens sich selber sehr ungleich sind und sich in ganz verschiedene Menschen umzuwandeln scheinen.

mattet sie bei der Länge des Weges nur für einen Augenblick, so faßt die Hypochondrie Posto, und zerstört mit ihrer Selbstkritik alles Gewonnene wieder. Man erzählt von einem General, daß er gesagt haben soll: Eine Armee von 24 000 Mann kann ich kommandieren, eine von 100 000 kommandiert mich.
Das sollte für alle Dichter gesagt sein, vornehmlich aber für mich. Die Ahnfrau, Sappho, das waren meine Stoffe!

(Tgb 1102. W IV, 371 f)

Tagebuch Herbst 1822

Das, worauf es bei dem goldenen Vlies ankömmt, ist wohl dieses: Kann das Vlies selbst als ein sinnliches Zeichen des Wünschenswerten, des mit Begierde Gesuchten, mit Unrecht Erworbenen gelten? Oder vielmehr: ist es als ein solches entsprechend dargestellt? Wenn es das ist, so wird dieses dramatische Gedicht mit der Zeit wohl unter das Beste gezählt werden, was Deutschland in diesem Fache hervorgebracht hat. Ist aber die Darstellung dieses geistigen Mittelpunktes *nicht* gelungen (und so scheint es mir) so kann das Gedicht als Ganzes freilich nicht bestehen, aber die Teile wenigstens werden noch lange dessen harren, ders besser macht. Ich weiß wohl, daß meine Gemütsstimmung jetzt getrübt ist, aber ich glaube doch, das Werk ist mißlungen.
Sollte ich jetzt hintreten, wie so mancher, und versuchen, den Leuten das Verständnis zu eröffnen, und sagen: so hab ichs gemeint, das habe ich mir dabei gedacht? Was heißt das! Eine Maschinerie an die man nicht *glaubt,* ist schon darum schlecht, denn sie ist *poetisch* unwahr, wäre sie auch metaphysisch unwiderleglich. Es bleibt nichts übrig, als zu warten, ob die Leute nicht selbst daran glauben wollen.

(Tgb 1241. W IV, 380)

Aus »Anfang einer Selbstbiographie« 1834/1835

Durch eine Eigenheit seiner Natur zur Lösung von Schwierigkeiten getrieben, führte ihn ein ungünstiges Geschick auf den Stoff seiner dritten dramatischen Arbeit, die unter dem Titel: das goldene Vlies, die Geschichte der Medea, von der Ankunft des Phryxus bis zum Kindermorde in drei Tragödien behandelte. Ich sage ein ungünstiges Geschick, weil bei der Unmöglichkeit, die ungeheure Aufgabe genügend zu lösen, die übelste Wirkung auf die Gemütsstimmung des Verfassers zu befürchten war. Bereits gegen den Schluß des zweiten Teiles der Trilogie, die Argonauten, vorgerückt, starb nach einer kurzen Krankheit Grillparzers Mutter, die er innigst geliebt, und die gleichsam der Schutzengel seines Lebens gewesen war.

(W IV, 19)

Grillparzer zu Adolf Foglar 10. Januar 1843

Die »Medea« hätte wohl mehr Einheit erhalten, wenn sie nicht schon im Anfang durch den Tod meiner Mutter unterbrochen worden wäre. (Gespr 770)

Aus der »Selbstbiographie« 1853

Hier[13] sollte ich, wieder durch einen Zufall, den Stoff zu meiner dritten dramatischen Arbeit finden. Wir waren in Baden angekommen, indes unser Gepäck noch zurück war. Das mir bestimmte Zimmer war von dem Sohne der Hauswirtin, einem Studenten bewohnt worden. Da meine Bücher noch nicht angekommen waren, ergriff ich einen von ihm zurückgelassenen Schweinslederband. Es war Hederichs mythologisches Lexikon. Darin herumblätternd fiel ich auf den Artikel Medea. Nun wußte ich, wie natürlich, die Geschichte dieser berüchtigten Zauberin sehr wohl, hatte aber die einzelnen Ereignisse in solcher Nähe auf einmal nie vor mir gehabt. Mit derselben Plötzlichkeit wie bei meinen frühern Stoffen, gliederte sich mir auch dieser ungeheure, eigentlich größte den je ein Dichter behandelt. Das goldene Vlies war mir als ein sinnliches Zeichen des ungerechten Gutes, als eine Art Nibelungenhort, obgleich an einen Nibelungenhort damals niemand dachte, höchst willkommen. Mit Rücksicht auf dieses Symbol und da mich vor allem der Charakter der Medea und die Art und Weise interessierte, wie sie zu der für eine neuere Anschauungsweise abscheulichen Katastrophe geführt wird, mußten die Ereignisse in drei Abteilungen auseinander fallen. Also eine Trilogie, obwohl mir die Vorspiele und Nachspiele von jeher zuwider waren. Demungeachtet fühlte ich mich zur Ausführung unwiderstehlich hingezogen und ich

13 in Baden bei Wien.

gab nach. Ich hatte darin doppelt unrecht. Einmal ist die Trilogie, oder überhaupt die Behandlung eines dramatischen Stoffes in mehreren Teilen für sich eine schlechte Form. Das Drama ist eine Gegenwart, es muß alles, was zur Handlung gehört in sich enthalten. Die Beziehung eines Teiles auf den andern gibt dem Ganzen etwas Episches, wodurch es vielleicht an Großartigkeit gewinnt, aber an Wirklichkeit und Prägnanz verliert [...] Außer diesen formellen Bedenken, hätte mich auch die Rücksicht auf die Natur meiner poetischen Begabung zurückhalten sollen. In mir nämlich leben zwei völlig abgesonderte Wesen. Ein Dichter von der übergreifendsten, ja sich überstürzenden Phantasie und ein Verstandesmensch der kältesten und zähesten Art. Nun war nicht zu hoffen, daß, meine schwankende Gesundheit in Anschlag gebracht, ich mich durch einen so langen Zeitverlauf als diese Ausarbeitung voraussetzte, immer auf dem Standpunkte der Anschauung werde erhalten können und sobald ich zur Reflexion Zuflucht nehmen mußte, war alles verloren. Dabei waren noch gar nicht hemmende und unglückliche Ereignisse in Anschlag gebracht, die in der Folge wirklich eintraten [...]
Es ging nun an die Ausführung des goldenen Vlieses. Nie habe ich an etwas mit so viel Lust gearbeitet. Vielleicht war es gerade die Ausdehnung und Schwierigkeit der Aufgabe, die mich anzog. Die ersten beiden Abteilungen sollten so barbarisch und romantisch gehalten werden als möglich, gerade um den Unterschied zwischen Kolchis und Griechenland herauszuheben, auf den alles ankam. Ich erhielt mich glücklich auf der Höhe, die ich mir vorgesetzt und war über die Hälfte der zweiten Abteilung gelangt, so daß ich hoffen konnte, diese baldigst zu vollenden. (W IV, 87 ff)

Aus der »Selbstbiographie« 1853

Damals[14] nun suchte ich den mir vom Finanzminister erteilten Urlaub aufs beste zur Vollendung meines durch die italienische Reise unterbrochenen goldenen Vlieses zu benützen. Aber es zeigte sich ein trauriger Umstand. Durch die Erschütterungen beim Tode meiner Mutter, die gewaltigen Reiseeindrücke in Italien, meine

14 nach der Rückkehr aus Italien.

dortige Krankheit, die Widerlichkeiten bei der Rückkehr, war alles was ich für diese Arbeit vorbereitet und vorgedacht, rein weggewischt. Ich hatte alles vergessen. Vor allem den Standpunkt, aber auch alle Einzelnheiten deckte völliges Dunkel, letzteres um so mehr, als ich mich nie entschließen konnte derlei aufzuschreiben. Die Umrisse müssen im voraus klar sein, die Ausfüllung muß sich während der Arbeit erzeugen, nur so verbindet sich Stoff und Form zur völligen Lebendigkeit. Während ich in meiner Erinnerung fruchtlos suchte, stellte sich etwas Wunderliches ein. Ich hatte in der letzten Zeit mit meiner Mutter häufig Kompositionen großer Meister, für das Klavier eingerichtet, vierhändig gespielt. Bei all diesen Symphonien Haydns, Mozarts, Beethovens dachte ich fortwährend auf mein goldenes Vlies und die Gedanken-Embryonen verschwammen mit den Tönen in ein ununterscheidbares Ganzes. Auch diesen Umstand hatte ich vergessen, oder war wenigstens weit entfernt darin ein Hilfsmittel zu suchen. Nun hatte ich schon früher die Bekanntschaft der Schriftstellerin Karoline Pichler gemacht und setzte sie auch fort. Ihre Tochter[15] war eine gute Klavierspielerin und nach Tische setzten wir uns manchmal ans Instrument und spielten zu vier Händen. Da ereignete sich nun, daß wir auf jene Symphonien gerieten, die ich mit meiner Mutter gespielt hatte, mir alle Gedanken wieder daraus zurückkamen, die ich bei jenem ersten Spielen halb unbewußt hineingelegt hatte. Ich wußte auf einmal wieder was ich wollte, und wenn ich auch den eigentlich prägnanten Standpunkt der Anschauung nicht mehr rein gewinnen konnte, so hellte sich doch die Absicht und der Gang des Ganzen auf. Ich ging an die Arbeit, vollendete die Argonauten und schritt zur Medea.

(W IV, 106 f)

Aus der »Selbstbiographie« 1853

Die damaligen Widerwärtigkeiten[16] nun hemmten meinen Eifer in Ausführung meines dramatischen Gedichtes durchaus nicht. Ich erinnere mich noch daß ich die Verse, die Kreusa im zweiten Akt der Medea als ein Lieblingsliedchen Jasons hersagt, im Vorzimmer des

15 Charlotte Pichler.
16 durch das Gedicht »Campo Vaccino«.

Polizeipräsidenten, einer stürmischen Audienz harrend, mit Bleistift niedergeschrieben habe. Da ich aber wohl fühlte, daß die Aufregung des Ingrimms bald der Abspannung des Mißmuts Platz machen werde, so eilte ich soviel als möglich zum Schlusse und weiß noch, daß ich die beiden letzten Akte der Medea jeden in zwei Tagen geschrieben habe. Als ich zu Ende war fühlte ich mich völlig erschöpft und ohne das Stück zu überarbeiten, und ohne daß außer den Korrekturen im Verlauf des ersten Niederschreibens etwas geändert worden wäre, trug ich es im halb unleserlichen Konzept zu Schreyvogel hin. Dieser beobachtete, nachdem er es gelesen hatte, ein langes Stillschweigen, meinte aber endlich das wunderliche Ding müsse denn doch noch ein wenig liegen. Ich, mit meiner gewöhnlichen Unbekümmertheit um das äußerliche Schicksal meiner Arbeiten, suchte mir durch Zerstreuungen aller Art [. . .] die lästigen Gedanken über Gegenwart und Zukunft aus dem Kopfe zu schlagen. Da kommt auf einmal Schreyvogel zu mir, umarmt mich und meint das goldene Vlies müsse unmittelbar in die Szene gesetzt werden. Was diese Änderung in seiner Ansicht bewirkt hat, weiß ich nicht. Hatte er anfangs das schlecht geschriebene Manuskript nicht gut lesen können, hatte er erst bei wiederholter Durchlesung sich meine Absicht bei der allerdings barocken aber von vornherein gewollten Vermengung des sogenannten Romantischen mit dem Klassischen deutlich gemacht, ich kann es nicht sagen, denn wir haben uns später nie darüber besprochen. Allerdings mochte es aber den ausgezeichneten Mann, dem ich so vieles verdankte, verdrossen haben, daß ich ihm meine Stücke als fertige und abgeschlossene zur Aufführung übergab, ohne sie vorher seiner Kritik zu unterziehen. Ich hätte nun allerdings ein Tor sein müssen, wenn mir die Bemerkung seines solchen Freundes über das Einzelne gleichgiltig gewesen wären, ich wußte aber aus Erfahrung, daß seine desiderata auf das Innere und das Wesen der Stücke gingen, und das wollte ich mir rein erhalten, auf die Gefahr einen Fehlgriff getan zu haben [. . .] Ich trage hier nur noch nach, daß ich bei der oben erwähnten Vermengung des Romantischen mit dem Klassischen nicht eine läppische Nachäfferei Shakespeares oder eines sonstigen Dichters der Mittelzeit im Sinne hatte, sondern die möglichste Unterscheidung von Kolchis und Griechenland, welcher

Unterschied die Grundlage der Tragik in diesem Stücke ausmacht, weshalb auch der freie Vers und Jambus, gleichsam als verschiedene Sprachen hier und dort in Anwendung kommen.
Dieses Monstrum sollte nun zur Aufführung gebracht werden. Mit Übergehung des elenden Theater-Hofrates [17] wendete ich mich mit meinen Wünschen unmittelbar an Grafen Stadion, der mir bereitwillig entgegen kam, ja dessen Geneigtheit durch die mir kürzlich widerfahrnen Unbilden nur verstärkt schien. Die Rolle der Medea gehörte der Schröder. Daß ich aber während der Arbeit auf sie gedacht, oder, wie man sich auszudrücken pflegt, die Rolle für sie geschrieben, zeigt sich schon dadurch als lächerlich, weil ich mich in diesem Falle gehütet haben würde in den beiden Vorstücken die junge und schöne Medea vorzuführen, indes die Schröder sich dem fünfzigsten Jahre näherte, und nie hübsch gewesen war. Für die Rolle der Amme brauchte ich eine Persönlichkeit in Organ und sonstigem Beiwesen noch um einige Tinten dunkler als die gewaltige Kolchierin. Graf Stadion bewilligte mir eine Altsängerin der Oper, Madame Vogel, die auch recht gut spielte. Die helle Kreusa paßte für Madame Löwe, die, obschon, in gleichem Alter mit der Schröder, doch noch Reste einer unverwüstlichen Schönheit bewahrte. Ich habe überhaupt immer viel auf das Verhältnis der Figuren und die Bildlichkeit der Darstellung gehalten; das Talent setzte ich als Schuldigkeit voraus, aber das physisch Zusammenstimmende und Kontrastierende lag mir sehr am Herzen. Ut pictura poesis [18]. Hierbei kam mir mein in der Jugend geübtes Talent zum Zeichnen, sowie für die Versifikation mein musikalisches Ohr zustatten. Ich habe mich nie mit der Metrik abgegeben.
Auch die übrigen Rollen waren gut besetzt und das Stück ging mit würdiger Ausstattung in die Szene. Die Wirkung war, vielleicht mit Recht, eine ziemlich unbestimmte. Das Schlußstück erhielt sich durch die außerordentliche Darstellung der Schröder, die beiden Vorstücke verschwanden bald. Die übrigen deutschen Theater gaben überhaupt nur die dritte Abteilung, weil sich überall eine Schauspielerin fand, die sich der Medea für gewachsen hielt. Diese

17 Claudius R. von Fuljod.
18 nach Horaz, Episteln, 2, 361: Die Poesie soll wirken wie die Malerei.

Medea ist das letzte meiner Stücke, welches einen Weg auf die nicht-östreichischen Bühnen unsers deutschen Vaterlandes gefunden hat. Was man den Geist der Zeit zu nennen beliebte, um welchen ich mich wenig kümmerte und dessen angebliche Fortschritte mir lächerlich waren, vor allem aber, daß ein Hauptbestandteil der Kunst, die Phantasie, aus den Zusehern, Schauspielern und Schriftstellern sich immer mehr zu verlieren anfing, ein Abgang den man durch doktrinäre, spekulative und demagogische Beimischungen zu ersetzen suchte – diese Verhältnisse haben die Wirkungen meiner spätern Stücke auf die östreichischen Lande beschränkt.
Ich habe immer viel auf das Urteil des Publikums gehalten. Über die Konzeption seines Stückes muß der dramatische Dichter mit sich selbst zu Rate gehen, ob er aber mit der Ausführung die allgemeine Menschennatur getroffen, darüber kann ihn nur das Publikum, als Repräsentant dieser Menschennatur belehren. Das Publikum ist kein Richter, sondern eine Jury, es spricht sein Verdikt als Gefallen oder Mißfallen aus. Nicht Gesetzkunde, sondern Unbefangenheit und Natürlichkeit machen seinen Rechtsanspruch aus. Von dieser Natürlichkeit, die im nördlichen Deutschland durch falsche Bildung und Nachbeterei sehr in den Hintergrund getreten ist, hat sich in Österreich ein großer Rest erhalten, verbunden mit einer Empfänglichkeit, die bei gehöriger Leitung durch den Dichter bis zum Verständnis im unglaublichen Grade gehoben werden kann. Das Gefallen eines solchen Publikums beweist wenig, denn es will vor allem unterhalten sein, sein Mißfallen aber ist im höchsten Grade belehrend. Diesmal begnügte es sich mit einem succès d'estime.
Diese Achtung oder wohl gar Vorliebe für den Dichter zeigte sich aber sehr wenig praktisch. Meine drei Trauerspiele, da sie zwei Theaterabende ausfüllten, sollten mir als zwei Stücke honoriert werden. Da erklärte nun Graf Stadion schon vor der Aufführung, mir die eine der beiden Hälften auf die gewöhnliche Art honorieren zu lassen, für die zweite wolle er ein Theatergesetz Kaiser Josephs, das nie widerrufen worden sei, von neuem in Anwendung bringen, ein Gesetz, zufolge dessen bei neuen Stücken der Verfasser die Wahl zwischen dem Honorar oder dem Ertrag der zweiten Ein-

nahme haben sollte. Durch letzteres hoffte er dem Publikum, dem ich durch meine Ahnfrau und Sappho so viel Vergnügen verschafft hatte, Gelegenheit zu geben, mir seine kunstsinnige und patriotische Anhänglichkeit, allenfalls durch Überzahlung der Logen und Sperrsitze, auf eine tätige Art zu beweisen. So geschah es, der Tag erschien, aber von den siebzig oder achtzig abonnierten Logen des Hofburgtheaters waren nur drei genommen, die Hälfte der Sperrsitze leer, der übrige Schauplatz gefüllt, da aber die Beamten der Theaterdirektion für die Einnahme eines Fremden sich zu keiner gar so genauen Kontrolle verbunden glaubten, war der Ertrag des Abends so gering, daß er kaum die Hälfte des gewöhnlichen Honorars erreichte. Ich erwähne dies nur um das Wiener Publikum, das ich kurz vorher gelobt, und das mich beinahe der Undankbarkeit anklagte, wenn ich ihnen nicht alljährlich ein Stück brachte, darauf aufmerksam zu machen, daß sie mich jedesmal in Stich gelassen haben, wo ich von ihrer Anhänglichkeit mehr als leeres Händeklatschen in Anspruch nahm.
Der wenig durchgreifende Erfolg des goldenen Vlieses, insofern er mit meinen eigenen Bedenklichkeiten zusammenfiel, hat mir übrigens in meinem Innern großen Schaden getan. Ich fühlte wohl, daß ich meine Kräfte überschätzt hatte und die harmlose Zuversicht, mit der ich an meine bisherigen Werke ging, fing an sich zu verlieren. Ich beschloß daher bei meinen künftigen Arbeiten mir das Ziel näher zu setzen, was mich vor der Hand um so mehr störte, als mir bereits ein Stoff im Kopfe herumging[19], der zwar an sich nicht so weitgreifend, doch wenigstens ungeheure Vorarbeiten nötig machte. (W IV, 110 ff)

Grillparzer zu Helene Lieben August 1860
Mit der größten Liebe habe ich fast meine Trilogie geschrieben. Ich hatte das Unglück, viel zu schnell zu schreiben, ich konnte nicht lange einen Gedanken mit mir herumtragen. (Gespr 1066)

Grillparzer zu Auguste von Littrow-Bischoff Winter 1866/1867
Es[20] sind ja nicht verschiedene Menschen, sondern Charaktere, die

19 »König Ottokars Glück und Ende«.
20 Jason und Medea.

sich weiter entwickelt haben. Er, der sinnliche, von Phantasie beherrschte Mann, sie, das denkende, von Leidenschaft ergriffene Weib; er neigt zur Veränderung, sie zum Bestand. Solchen Richtungen zu begegnen, brauchen wir nicht Jahrtausende zurückzugreifen, nicht nach Griechenland uns zu versetzen. (Gespr 1190)

Melusina

Entstanden 1817–1827
Erstdruck Wien 1833
Uraufführung am 27. Febr. 1833 am Königstädter Theater in Berlin

Notizen Herbst 1822

Kurze Halle. Melusine erscheint mit 2 Begleiterinnen. Sie kleiden sie aus. Melusine am Tische sitzend löst ihre Haare und singt ein trauriges Lied. Es schlägt 3 Viertel. Ein Schlag geschieht. Melusine bebt zusammen, die Verwandlung ist geschehen. Als sie den weiten roten Mantel, den ihr die Mädchen vorher umgaben, zurückschlägt, decken glänzende Fisch-Schuppen ihre Arme. Hierauf versinkt Tisch und Stuhl, Melusine mit ihnen.
Den Hintergrund schließt ein großes Tor. Beim Anfang der Szene, als Melusine aus der Seitenszene herauskommt, öffnet sie dieses Tor, und es zeigt sich ein See, vom Monde beleuchtet, indes der vordere Teil der Bühne ganz dunkel ist. Seufzend schließt sie die Türe wieder.

Raimund sieht nur durch die Spalte der Türe Melusinen im Bade. Als er einen Schrei ausstößt, öffnet sich das Tor und Melusine tritt in ihrer natürlichen Gestalt heraus, aber verfolgt von Wassergeistern, die sie zurückhalten.

Drei sollten jetzt gemacht werden: Melusine. Drahomira. Des Lebens Schattenbild.

Drei Stücke einer leichtern Gattung sollen hintereinander gemacht werden. Als sfogo der übeln Laune, zur Unterhaltung: Die schöne Melusine; Drahomira; Des Lebens Schattenbild. (HKA I, 19, 74 f)

Notizen Februar 1823

Melusine soll etwas gebrochen reden, mit einer gleichsam fremden, manchmal unbehülflichen Wortsetzung. »Ich verstehe *nur* wenig deine Sprache, aber ich will mir Mühe geben, dir zu sagen was ich denke.

Raimund soll sich *selbst* Vorwürfe machen über die Erschlaffung, das träumerische Wesen, in das er verfallen, seit er zum ersten Mal den Brunnen, und in ihm das Gesicht Melusinens sah.

(HKA I, 19, 76)

Grillparzer zu Ludwig van Beethoven[1] Sommer 1823

Sind Sie noch immer der Meinung, daß statt des ersten Chores in unserer Oper etwas anderes substituiert werden sollte? – Vielleicht nur ein paar Töne des Jägerchores, fortgesetzt durch ein unsichtbares Nymphenchor. – Ich habe mir überhaupt gedacht, ob es nicht passend wäre, jede Erscheinung oder Einwirkung Melusinens durch eine wiederkehrende, leicht fassende Melodie zu bezeichnen. Könnte nicht die Ouvertüre mit dieser beginnen und nach dem rauschenden Allegro auch die Introduktion durch diese selbe Melodie gebildet werden. – Diese Melodie habe ich mir als diejenige gedacht, auf welche Melusine ihr erstes Lied singt. (W IV, 905)

Grillparzer zu Ludwig van Beethoven 26./27. Januar 1824

Sie haben die Melusine wieder vorgenommen? – Ich habe schon früher mich zweimal an die Direktion gewendet, aber keine Antwort erhalten. – Ich habe auch schon früher erklärt, 100 Dukaten dafür fordern zu müssen. – Weil denn doch eigentlich aller Vorteil eines Opernbuches sich auf jenes Theater beschränkt, wo es zum erstenmal aufgeführt wird. – Ich hätte aus demselben Stoff ein rezitiertes Schauspiel machen können, das mir mehr als dreimal soviel getragen hätte. – Ich *muß* soviel fordern, um meine Verbindlichkeiten gegen Wallishausser erfüllen zu können. – Sie geben für gewöhnliche Opernbücher bis 300 fl. Konventionsgeld. – Haben Sie schon angefangen zu komponieren? – Wollten Sie mir wohl aufschreiben,

1 Beethoven ist um diese Zeit schon fast taub; Grillparzers Äußerungen wurden in das Gesprächsbuch Beethovens eingetragen.

wo Sie Änderungen wünschten? – Weil denn doch das Stück mit einer *Jagd* beginnen muß. – Vielleicht wenn die letzten Töne eines verhallenden Jagdchors sich nur mit der Introduktion mischen, ohne daß die Jäger selbst auftreten. – Mit einem Nymphenchor anfangen zu lassen, würde vielleicht die Wirkung dieses Chors am Schluß des 1. Akts schwächen. – Ich verstehe mich so eigentlich auf Operntexte nicht. – Sie wollen bis September es dem Theater übergeben. – Die Direktion will sich im Publikum Kredit machen. – Scheint Ihnen der Text der Oper nicht auch zu *lang?* – Wem gedenken Sie die Rolle des Raimund zu geben? – Man spricht von einem jungen Tenor, der vielleicht bis dahin die Bühne betreten soll. [...] – Ich erwarte also Ihre Vorschläge zu Abänderungen *schriftlich*. Vielleicht *bald?* Ich bin jetzt unbeschäftigt. – Ich bin zu allem bereit. – (W IV, 909 f)

Grillparzer an Kathi Fröhlich Wien, 10. Juli 1826

Man sagt mir, Beethoven habe den Auftrag mein Opernbuch für Berlin zu komponieren. Das wird wieder neue Hudeleien geben. Indes freut es mich um Wallishaussers willen, der arme Teufel hat das Buch gekauft und kann doch auf keine andere Art zu seinem Gelde kommen. (HKA III, 1, 331)

Aus »Meine Erinnerungen an Beethoven« 1844

Die Ahnfrau, Sappho, Medea, Ottokar waren erschienen, als mir plötzlich von dem damaligen Oberleiter der beiden Hoftheater, Grafen Moriz Dietrichstein, die Kunde kam, Beethoven habe sich an ihn gewendet, ob er mich vermögen könne, für ihn, Beethoven, ein Opernbuch zu schreiben.

Diese Anfrage, gestehe ich es nur, setzte mich in nicht geringe Verlegenheit. Einmal lag mir der Gedanke je ein Opernbuch zu schreiben, an sich schon fern genug, dann zweifelte ich, ob Beethoven, der unterdessen völlig gehörlos geworden war, und dessen letzte Kompositionen, unbeschadet ihres hohen Wertes, einen Charakter von Herbigkeit angenommen hatten, der mir mit der Behandlung der Singstimmen in Widerspruch zu stehen schien, ich zweifelte, sage ich, ob Beethoven noch im Stande sei eine Oper zu komponieren. Der Gedanke aber, einem großen Manne vielleicht Gelegen-

heit zu einem, für jeden Fall höchst interessanten Werke zu geben, überwog alle Rücksichten und ich willigte ein.
Unter den dramatischen Stoffen, die ich mir zu künftiger Bearbeitung aufgezeichnet hatte, befanden sich zwei, die allenfalls eine opernmäßige Behandlung zuzulassen schienen. Der eine[2] bewegte sich in dem Gebiete der gesteigertsten Leidenschaft. Aber nebstdem, daß ich keine Sängerin wußte, die der Hauptrolle gewachsen wäre, wollte ich auch nicht Beethoven Anlaß geben, den äußersten Grenzen der Musik, die ohnehin schon wie Abstürze drohend da lagen, durch einen halb diabolischen Stoff verleitet, noch näher zu treten.
Ich wählte daher die Fabel der Melusine, schied die reflektierenden Elemente nach Möglichkeit aus, und suchte durch Vorherrschen der Chöre, gewaltige Finales und indem ich den dritten Akt beinahe melodramatisch hielt, mich den Eigentümlichkeiten von Beethovens letzter Richtung möglichst anzupassen. Mit dem Kompositeur früher über den Stoff zu konferieren unterließ ich, weil ich mir die Freiheit meiner Ansicht erhalten wollte, auch später einzelnes geändert werden konnte, und endlich ihm ja freistand das Buch zu komponieren oder nicht. Ja, um ihm in letzterer Beziehung gar keine Gewalt anzutun, sandte ich ihm das Buch auf demselben Wege zu, auf dem die Anforderung geschehen war. Er sollte durch keine persönliche Rücksicht irgend einer Art bestimmt oder in Verlegenheit gesetzt werden.
Ein paar Tage darauf kam Schindler, der damalige Geschäftsmann Beethovens – derselbe der später seine Biographie geschrieben hat – zu mir und lud mich im Namen seines Herrn und Meisters, der unwohl sei, ein, ihn zu besuchen. Ich kleidete mich an und wir gingen auf der Stelle zu Beethoven, der damals in der Vorstadt Landstraße wohnte. Ich fand ihn in schmutzigen Nachtkleidern auf einem zerstörten Bette liegend, ein Buch in der Hand. Zu Häupten des Bettes befand sich eine kleine Türe, die wie ich später sah, zur Speisekammer führte und die Beethoven gewissermaßen bewachte. Denn als in der Folge eine Magd mit Butter und Eiern heraustrat, konnte er sich, mitten im eifrigen Gespräche doch nicht enthalten, einen

2 Drahomira. Grillparzer beschäftigte sich mit diesem Stoff von 1812–1826. Die endgültige Ausführung unterblieb wohl wegen der Arbeit an »Libussa«.

prüfenden Blick auf die herausgetragenen Quantitäten zu werfen, was ein trauriges Bild von den Störungen seines häuslichen Lebens gab.

Wie wir eintraten, stand Beethoven vom Lager auf, reichte mir die Hand, ergoß sich in Ausdrücke des Wohlwollens und der Achtung und kam sogleich auf die Oper zu sprechen. Ihr Werk lebt hier, sagte er, indem er auf die Brust zeigte, in ein paar Tagen ziehe ich aufs Land und da will ich sogleich anfangen, es zu komponieren. Nur mit dem Jägerchor, der den Eingang macht, weiß ich nichts anzufangen. Weber hat vier Hörner gebraucht, Sie sehen, daß ich da ihrer acht nehmen müßte; wo soll das hinführen? Obwohl ich die Notwendigkeit dieser Schlußfolge nichts weniger als einsah, erklärte ich ihm doch, der Jägerchor könne unbeschadet des Ganzen geradezu wegbleiben, mit welchem Zugeständnis er sehr zufrieden schien und weder damals noch später hat er irgend sonst eine Einwendung gegen den Text gemacht, noch eine Änderung verlangt. Ja er bestand darauf, gleich jetzt einen Kontrakt mit mir zu schließen. Die Vorteile aus der Oper sollten gleich zwischen uns geteilt werden u.s.w. Ich erklärte ihm, der Wahrheit gemäß, daß ich bei meinen Arbeiten nie auf ein Honorar oder dergleichen gedacht hätte (wodurch es auch kam, daß mir dieselben, die ich – Uhland ausgenommen – für das Beste halte was Deutschland seit dem Tode seiner großen Dichter hervorgebracht, allesamt kaum so viel eingetragen als einem Verstorbenen oder Lebendigen, oder Halb-Toten ein einziger Band ihrer Reisenovellen und Phantasiebilder). Am wenigsten solle zwischen uns davon die Rede sein. Er möge mit dem Buche machen was er wolle, ich würde nie einen Kontrakt mit ihm schließen. Nach vielem Hin- und Her-Reden oder vielmehr Schreiben, da Beethoven Gesprochenes nicht mehr hörte, entfernte ich mich, indem ich versprach, ihn in Hetzendorf zu besuchen, wenn er einmal dort eingerichtet sein würde.

Ich hoffte er hätte das Geschäftliche seiner Idee aufgegeben. Schon nach ein paar Tagen aber kam mein Verleger, Wallishausser zu mir und sagte, Beethoven bestünde auf der Abschließung eines Kontraktes. Wenn ich mich nun nicht dazu entschließen könnte, sollte ich mein Eigentumsrecht auf das Buch ihm, Wallishausser, abtreten, er würde dann das Weitere mit Beethoven abmachen der davon schon präveniert sei. Ich war froh der Sache los zu werden, ließ mir von Wallishausser eine mäßige Summe auszahlen, cedierte ihm alle Rechte der Autorschaft und dachte nicht weiter daran. Ob sie nun wirklich einen Kontrakt abgeschlossen haben, weiß ich nicht; muß es aber glauben, weil sonst Wallishausser nicht unterlassen haben würde, mir über sein aufs Spiel gesetztes Geld, nach Gewohnheit den Kopf voll zu jammern. Ich erwähne alles dies nur um zu widerlegen, was Beethoven zu Herrn Rellstab sagte »er habe anders gewollt als ich«. Er war damals vielmehr so fest entschlossen die Oper zu komponieren, daß er schon auf die Anordnung von Verhältnissen dachte, die erst nach der Vollendung eintreten konnten. [. . .] Später sah ich ihn – ich weiß nicht mehr wo – nur noch einmal wieder. Er sagte mir damals: Ihre Oper ist fertig. Ob er damit meinte: fertig im Kopfe, oder ob die unzähligen Notatenbücher, in die er einzelne Gedanken und Figuren zu künftiger Verarbeitung nur ihm allein verständlich, aufzuzeichnen pflegte, vielleicht auch die Elemente jener Oper bruchstückweise enthielten, kann ich nicht sagen. Gewiß ist, daß nach seinem Tode sich nicht eine einzige Note vorfand, die man unzweifelhaft auf jenes gemeinschaftliche Werk hätte beziehen können. Ich blieb übrigens meinem Vorsatze getreu, ihn, auch nicht aufs leiseste, daran zu erinnern und kam, – da mir auch die Unterhaltung auf schriftlichem Wege lästig war – nicht mehr in seine Nähe. [. . .] Mein Opernbuch, als dessen Eigentümer ich mich nicht mehr betrachten konnte, kam später durch die Buchhandlung Wallishausser in die Hände Konradin Kreuzers. Wenn keiner der jetzt lebenden Musiker der Mühe wert findet es zu komponieren, so kann ich mich darüber nur freuen. Die Musik liegt ebenso im Argen als die Poesie und zwar aus dem nämlichen Grunde: dem Mißkennen des Gebietes der verschiedenen Künste. Die Musik strebt um sich zu erweitern in die Poesie hinüber, wie die Poesie ihrerseits in die Prosa. (W IV, 198 ff)

Aus der »Selbstbiographie« 1853

Also ich glaube es war um diese Zeit, daß ich von Beethoven angegangen wurde, ihm einen Operntext zu schreiben. Ich habe die Geschichte meiner Bekanntschaft mit Beethoven und dieses Operntextes in einem besonderen Aufsatze beschrieben, ich erwähne daher hier nur so viel, daß mein Verleger Wallishausser, der ein gutes Geschäft zu machen glaubte, mir mein Autorrecht auf diesen Operntext abkaufte und mir dadurch die Möglichkeit einer Reise verschaffte. (W IV, 164)

Grillparzer an Richard Wuerst[3] Wien, 18. [?] Juni 1857

Dieser Text dürfte Ihnen übrigens nicht zusagen. Er ist auf Aufforderung Beethovens und zu einer Zeit geschrieben, als dieser schon völlig taub und daher nach meinem Urteil gar nicht fähig war, eine eigentliche Oper zu schreiben, daher auch den Chören und der bloß die Handlung begleitenden Instrumental-Musik ein viel zu großer Spielraum eingeräumt wurde. Er war übrigens, eben vielleicht darum, damit zufrieden und hatte bereits seinen Kontrakt mit der Direktion der Wiener Oper gemacht, als eine Auflösung des damaligen Theater-Pachtes die Sache rückgängig machte und die Oper liegen blieb. Ich kann nur abraten. (W IV, 854)

Der Traum ein Leben
Entstanden 1817–1830
Erstdruck Wien 1840 (Vorabdruck des I. Aufzuges Wien 1821)
Uraufführung am 4. Oktober 1834 am Wiener Hofburgtheater

Tagebuch Herbst 1827

Zum Traum ein Leben. Durch die Mißstimmung bei der Ausführung haben die mittleren Akte das Traumartige verloren, das in der ursprünglichen Intention lag. Das Ganze bekömmt immer mehr und mehr die Farbe einer Kriminalgeschichte.

(Tgb 1611. W IV, 431)

Tagebuch 19. Februar 1829

Tiefer langer Schlaf. Mit schwerem Kopfe aufgestanden. Wenig in der Odyssee gelesen. Ebenso karg kam Lope de Vega zu Teil. Hero und Leander unklar. Zu dem Brouillon von »Traum ein Leben«

3 königl. Musikdirektor in Berlin.

gegriffen. Besseres Glück. Das Vorhandene hat mich mehr befriedigt als sonst. Einiges im 3ten Akt schicklich verändert. Der letzte Akt hat sich noch nicht aufgetan. Übles Zeichen. Wenn eine Arbeit gelingen soll, muß sie mir gleich von vorn herein mit der bestimmtesten Notwendigkeit dastehen. Wann wird wieder die Lust zu poetischen Hervorbringungen in mir erwachen? Ein östreichischer Dichter sollte höher gehalten werden als jeder andere. Wer unter solchen Umständen den Mut nicht ganz verliert, ist wahrlich eine Art Held. (Tgb 1698. W IV, 446)

Tagebuch Oktober 1832

[...] Ich gedenke sodann[1] den: Traum ein Leben vorzunehmen und sogar an Rudolf II zu gehen, wenn die Götter zustimmen. Noch ist die Gemütsverfassung wenig poetisch und mehr fleißig als gehoben. Aber wir wollen sehen. (Tgb 2037. W IV, 493)

Tagebuch 4. Oktober 1834

Aufführung des dramatischen Märchens: Der Traum ein Leben. Vollkommener Sukzeß.

Die Geschichte dieser Arbeit ist sonderbar genug. Die erste Idee dazu entstand in mir unmittelbar nach Aufführung der Sappho und den Anlaß dazu gab Voltaires Erzählung: le blanc et le noir. Ich sprach mit dem Schauspieler Heurteur über den Gedanken, der davon entzückt war, und seinen Kameraden Küstner (Reichel) zu mir brachte, der bald darauf im Theater an der Wien eine Einnahme zu erwarten hatte, und mich dazu um dies Stück bat. Ich war bereit, da durch Heurteur und Küstner sich die beiden Hauptrollen des Stückes vortrefflich besetzt fanden. Bald aber trat eine Störung ein. Küstner, der sich (zum Teil mit Recht) auf seine Mimik viel zu Gute tat, wollte durchaus jenen Zanga nicht als *Schwarzen* spielen. Mir hatte sich diese Form aber schon so eingeprägt, daß es mich in meinem Ideengange störte und da zugleich Freund Altmütter, dem ich auch [von] dem Stücke erzählt hatte, davon halb im Scherze nur als von »einem Unsinn« sprach, statt der handelnden Personen vielmehr das Publikum träumen zu lassen, ward ich

1 nach der Revision von »Des Meeres und der Liebe Wellen«.

verdrießlich, legte den vollendeten ersten Akt hin, und erklärte Küstnern, auf mein Stück habe er für seine Einnahme nicht zu rechnen, er möge sich um ein anderes umsehen. Das tat er denn auch, und als der Tag kam, gab er ein Stück das – eben auch auf einen Traum basiert war, der vor dem Zuseher sich objektiviert und die Sinnesänderung des Helden bewirkt. Das Zusammentreffen war um so merkwürdiger, da bis auf jenen Tag eine ähnliche Idee nie dramatisch behandelt worden war. Aber wie auch immer, das fremde Stück war da und ich verlor nun alle Lust an dem meinen weiter zu arbeiten; ja ich gab jeden Gedanken an die Vollendung desselben so sehr auf, daß ich bald darauf den fertigen ersten Akt in einem Wiener Theateralmanach unter dem damaligen Titel: Des Lebens Schattenbilder, drucken ließ. Börne sprach damals in der »Wage« von diesem Akte mit großem Lobe. Viele Jahre vergingen und ich dachte nicht mehr an das Bruchstück. Nach vielen Jahren – ich hatte eben die erste skizzierte Bearbeitung von Hero und Leander vollendet – fiel mir das längst Vergessene wieder in die Hände. (Tgb 2194. W IV, 507 f)

Oktober 1834

Unvollendeter Entwurf zu einer Erklärung gegen Franz Pietzniggs Rezension von »Der Traum ein Leben«

Um nun von der Kritik selbst zu sprechen, so weiß ich nicht, was Herr Pi[e]tznigg von Allegorie träumt? In dem ganzen Stücke ist keine Spur davon, er müßte denn die beiden Genien meinen, die ohne Einfluß auf den Gang der Handlung, mehr wie lebende Dekorationen anzusehen sind, andeutend, daß die Traumwelt beginne und daß sie ein Ende habe. Allegorien oder verkörperte Begriffe (das Hilfsmittel schlechter Dichter) kommen sonst nirgends vor, wodurch nicht ausgeschlossen wird, daß man sich bei einzelnen Figuren und Erscheinungen etwas Tieferes denken könne. Nicht allegorisch, aber gewissermaßen symbolisch ist alle echte Poesie. [...]

Ganz spezios ist der Einwurf: es sei ja nicht gerade notwendig, daß jeder Ehrgeizige solche Greuel begehen müsse! Gewiß nicht. Der eine vergiftet einen König, der andere läßt ohne Urteil und Recht einen Enkel von Königen hinrichten, der dritte – aber ich sehe

schon, das Märchenhafte, das *Allegorische* blendet die Kritik, wir wollen den Fall ganz aufs *natürliche* zurückführen, vielleicht kommen wir so leichter zum Verständnis.
Gesetzt, es schriebe einer ein Gegenstück, eine – Parodie dieses: Traums ein Leben der Traum, kein Traum. Er führte darin einen jungen Menschen auf von leidlichen Fähigkeiten und ziemlich gutem Willen, den, wie so manche andern die Süßigkeit der Literatur, noch mehr aber die Aussicht auf ein beschäftigungsloses, lockeres Leben anziehen und der in Zweifel ist, ob er der Lockung folgen soll. Er geht zu einem erfahrenen, als gutmeinend erprobten Manne und trägt ihm sein Anliegen vor. Der warnt ihn, zeigt, wie die Literatur nur den Begabtesten Ehre, und selbst diesen kaum Vorteil bringe; wie kläglich der Lauf, wie schmählich das Ende unberufener oder nur halb berufener Literaturmenschen u. s. w. Der junge Mensch geht gedankenvoll nach Hause. Er ist schläfrig (nämlich als Mensch, nicht bloß als Schriftsteller). Er legt sich zu Bette. Da erscheinen zwei Genien, der eine durch ein bunt illuminiertes Modenkupfer, der andere durch einen schwarzen Holzschnitt repräsentiert, über seinem Haupte. Die Wand des Hintergrundes öffnet sich [bricht ab] (HKA I, 14, 66 f)

»Theater-Nachricht« 28. Oktober 1834
Ich habe in Erfahrung gebracht, daß mehreren deutschen Bühnen diebischerweise genommene Abschriften von meinem Schauspiele: »Der Traum ein Leben« angeboten worden sind. Ich erkläre demnach, daß derlei Abschriften rechtmäßigerweise nur von mir, mit meiner Handunterschrift und der ausdrücklichen Benennung der Bühne versehen, für welche das Exemplar bestimmt ist, bezogen werden können. Das Honorar setze ich mit 20 Dukaten für größere Residenz- und Hauptstädte, mit 12 Dukaten für die übrigen fest, gegen deren Erlag oder sichere Anweisung das Manuskript ausgeliefert werden wird. Ob viele oder wenige Direktionen hiervon Gebrauch machen wollen, ist mir völlig gleichgültig. Unbefugte Aufführungen aber werde ich ebenso sehr im Interesse der deutschen Gesamtliteratur, als in meinem eigenen, durch die jedem k. österr. Untertan offenstehenden Mittel, unnachsichtlich, ja mit eigenen Opfern verfolgen. (HKA I, 14, 67)

Ende 1834

Unvollendeter Entwurf zu einer Erklärung gegen Franz Pietzniggs Aufsatz: »Geschichtlicher Beitrag zur Würdigung des neuesten Grillparzerschen Werkes ›Der Traum ein Leben‹«.

Es hat sich nämlich ein Ungenannter in den von einem sichern Herrn Pi[e]tznigg redigierten »Mitteilungen aus Wien«, erfrecht eine historische Darstellung der Entstehung meiner letzten dramatischen Arbeit »Der Traum ein Leben« in die Welt zu senden und zwar mit Anführung von Umständen, die, wären sie wahr, niemand anders als aus meinem eigenen Munde wissen könnte, ein Weg der Belehrung, der wie Herr Pi[e]tznigg sehr wohl weiß, ihm und seinen Freunden durchaus nicht offen steht.

Statt nun diese ekelhafte Mitteilung aus einem Winkel Wiens punktweise zu durchgehen, finde ich es am geratensten, die in der Tat sonderbaren Schicksale dieses mit so vieler Teilname aufgenommenen Stücks selbst bekannt zu machen, und zwar um so mehr, als nur dadurch der eigentliche Standpunkt zur Beurteilung mancher Einzelheit gewonnen werden kann, und vielleicht manche jetzt oder künftig entstehende Streitigkeit – über Plagiat und Prioritätsrecht auf diese Art mit einem Male sich entschieden findet [bricht ab] (HKA I, 14, 69)

Grillparzer an Graf Wilhelm von Redern Wien, 4. November 1834

Das Stück hat in Wien unerhörtes Glück gemacht. Es gehört gleich Ahnfrau und Sappho unter diejenigen die leicht zu befriedigende Anforderungen an die Darstellung machen, indem sie diese tragen, statt von ihr getragen zu werden. Es scheint daher überall ein sogenanntes Kassastück werden zu müssen. (HKA III, 5, 264)

Grillparzer an Karl La Roche Wien, 11. Dezember 1834

Eurer Wohlgeboren! haben sich persönlich bemüht wegen einer Abschrift von Traum ein Leben für das Braunschweiger Theater. Ich bin wirklich in Verlegenheit. Soll ich das Manuskript an die Direktionen schicken und über die Sammlungen Vormerkung halten, und wer dafür bezahlt und wer nicht, und wie viel? über das Honorar feilschen und markten und die Säumigen mahnen? Das alles ist über meine Kräfte und unter meiner Gesinnung. Ich habe daher den Ausweg ergriffen, durch die Theaterzeitung bekannt zu machen, daß das Manuskript nur gegen Erlag des Honorars (für Braunschweig 12 #) zu beziehen sei. Ich glaube das um so eher tun zu können, da, wie Sie wissen, das Stück für jede Bühne aufführbar ist, und, gut gespielt, die Vorauslagen wohl erträgt. Wünschen Sie persönlich für Braunschweig hierin eine Ausnahme, und kennen Sie die Direktion als solid, so bin ich wohl bereit (denn meine Absicht war nicht, mehr Geld zu machen, sondern lästiger Weitläufigkeiten überhoben zu sein), sonst würde sich die Direktion dem allgemeinen Lose fügen müssen. (HKA III, 2, 121)

Grillparzer an Theodor Hell Wien, 22. Dezember 1834
Ich weiß nicht, welchen Eindruck das Stück beim ersten Lesen gemacht haben mag, aber all das Bunte und Wunderliche, das beim ersten Lesen man zu billigen Anstand nimmt, trägt dazu bei, den Zuschauer in jenen, ich möchte sagen traumähnlichen Zustand zu versetzen, der die Wirkung des Stückes bedingt, und dieselbe auch in Wien in so völligem Maße gemacht hat, daß ich, gut gespielt, an gleichem Erfolge auch bei den übrigen Bühnen nicht zweifeln kann. (HKA III, 2, 123)

Grillparzer an Heinrich Börnstein Wien, 12. Januar 1835
Sie haben mir die Ehre erwiesen, mein neustes Stück: Der Traum ein Leben zur Aufführung für das unter Ihrer Direktion stehende Theater in Linz zu verlangen. Da mir meine Geschäfte und meine Gesinnung nicht erlauben mit meinen Arbeiten Markt zu halten und über Soll und Haben Buch zu führen, so habe ich den freilich nicht gewöhnlichen Ausweg ergriffen, durch die Wiener Theaterzeitung bekannt zu machen, daß mein Stück nur gegen *vorläufige* Erlegung des Honorars welches sich für Theater zweiten Ranges, dergleichen Linz ist, auf zwölf Dukaten stellt, erfolgt werden kann. So sehr ich nun mit den Schwierigkeiten einer neuen Unternehmung bekannt bin, so kann ich doch ohne Verunglimpfung der Provinzialbühnen, die das Stück bereits auf dieselbe Art bezogen haben, von dem einmal aufgestellten Grundsatze nicht abgehen und muß sie daher bitten das genannte Honorar in Wien anzuweisen, gegen dessen Empfang das Manuskript unverweilt in Ihre Hände geliefert werden wird.

Das Stück hat in Wien so viel Glück gemacht, daß ich nicht glaube, eine Direktion werde dabei schlecht fahren. Die Aufführung ist übrigens nicht schwer. Jedes Theater hat einen Schauspieler der die Jaromir, Hugo, Prinzen im Calderonschen Leben ein Traum spielt. Ihnen kann die Darstellung der Hauptrolle mit Beruhigung anvertraut werden. Der sogenannte Intrigant wird die Rolle des Zanga ebenso gut spielen als die Jagos, Mephistopheles u. s. w.
Die beiden Weiberrollen machen keine besonderen Ansprüche, und die 3 älteren Rollen sind nur in so fern schwierig, als eigenes Urteil, oder die Mitwirkung einer verständigen Direktion und Regie dafür sorgen muß, daß sie an einzelnen prägnanten Stellen nicht zu viel und nicht zu wenig tun.
Das Übrige fügt sich und die Gewalt der Handlung reißt das Ganze mit sich. (HKA III, 2, 124 f)

Grillparzer an Ferdinand Philippi 25. Januar 1835
Eben jetzt hat eine meiner dramatischen Arbeiten bei der Darstellung in Wien lebhafte Teilnahme des Publikums erregt.
(HKA III, 2, 127)

Tagebuch 19. August 1836
Morgens durch eine zerbrochene Kaffeemaschine in üble Laune gesetzt, verspätet. Eh noch die Lust und Fähigkeit zum Arbeiten sich einstellte durch einen Besuch Prechtlers gestört. Erzählt mir den geringen Erfolg von Leben ein Traum in Gräz. Hat mich mehr verstimmt als vernünftig ist. (Tgb 3170. W IV, 639)

Wien, 7. November 1836
Grillparzer an Johann Ludwig Deinhardstein
Ich bemerke mit Erstaunen, daß mein letztes Stück, seit der Wiedereröffnung des Burgtheaters nicht ein einzigesmal auf die Szene gekommen ist. So gleichgiltig ich sonst dagegen bin ob meine Stücke gegeben werden oder nicht, so ist dies bei einem noch *ungedruckten,* das noch immer von fremden Theatern begehrt wird, oder begehrt werden kann, keineswegs der Fall. Ich ersuche Sie daher, mich hierüber zufrieden zu stellen und zwar um so mehr als der Autor, der dem Theater eine Arbeit anvertraut, außer einer Ver-

pflichtung, auch ein *Recht* hat, das nämlich, bei Ehren zu bleiben und nicht früher zu verschwinden, als bis das Publikum selbst sein Veto eingelegt hat. (HKA III, 2, 177)

Wien, September 1839 [?]

Grillparzer an Johann Ludwig Deinhardstein

Ich ersuche Sie angelegentlich, doch sobald als möglich den Traum ein Leben aufführen zu lassen. Der [Theaterdirektor] Karl an der Wien hat sich die miserabelsten Auslassungen und Zusätze erlaubt und ich gönne ihm die Freude nicht, mit derlei Kunstgriffen Geld zu machen[2]. (HKA III, 2, 195)

Grillparzer zu Adolf Foglar 8. Dezember 1844

Ich z. B. schrieb mein »Der Traum ein Leben« und so viel auch darüber gesprochen wurde, so hat doch niemand noch entdeckt, daß der Stoff aus einem von Voltaires kleinen Romanen entlehnt ist, obwohl ich das gar nicht verkappte und sogar die Namen beibehielt. (W IV, 954)

Grillparzer zu Adolf Foglar 18. Januar 1846

Wenn mich etwas verdroß und ich keine Lust zum Dichten hatte, so brauchte ich einen Stoff, der durch sich selbst mich aufregte; und so entstand »Der treue Diener seines Herrn«, »Der Traum ein Leben« und alle. (HKA I, 20, 71)

Tagebuch Sommer 1846

Die Jugendeindrücke wird man nicht los. Meinen eigenen Arbeiten merkt man an, daß ich in der Kindheit mich an den Geister- und Feen-Märchen des Leopoldstädter Theaters ergötzt habe; aus Liszts Klavierspiel schlagen überall die Zigeuner vor.

(Tgb 3882. W IV, 692)

Otto Prechtler berichtet etwa 1850

Grillparzer selbst, den ich vor der Aufführung besucht hatte, war

2 Grillparzer forderte als Gegenmaßnahme zu der Aufführung Karls am 22. 10. 1839 eine abermalige Aufführung am Burgtheater, die am 1. Oktober stattfand.

sehr ungewiß über den Erfolg dieses in der Form etwas abnormen Stückes und äußerte unter anderem: »Ein Dichter, der ein *zweites* Stück dieser Art schriebe, verdiente Züchtigung; dies *eine* gewagt zu haben, verdiene, daß es gefiele; er liebe übrigens eben diese Dichtung, wiewohl der Erfolg durch die Form, die Aufführung und das Publikum selbst, wenn es zu weit voraus denke, auf die Spitze gestellt bleibe.« (Gespr 5)

Aus der »Selbstbiographie« 1853

Ich hatte indes den Plan zu einem neuen Stücke gefaßt, demselben das viele Jahre später unter dem Titel: der Traum ein Leben auf die Bühne kam. Es ist einem der kleinen Romane von Voltaire entlehnt, was ich so wenig verbergen wollte, daß ich sogar die Eigennamen des Originals beibehielt. Demungeachtet hat es kein Kritiker bemerkt, man liest eben Voltaire nicht mehr, man begnügt sich über ihn abzuurteilen, ohne ihn zu kennen. Das Stück sollte, da es phantastischer Art war, im Theater an der Wien aufgeführt werden, und der Schauspieler Heurteur, der den Jaromir in der Ahnfrau mit so viel Glück gegeben hatte, die Rolle des Rustan spielen. Der Neger Zanga war für Küstner bestimmt, einen talentvollen, aber nach Art der Vorstadttheater etwas grellen Darsteller. An ihm scheiterte aber das Vorhaben. Da er sich auf seine Mimik viel zugute tat, die, die Wahrheit zu sagen, etwas ans Fratzenhafte grenzte, lag er mir unaufhörlich an, den Zanga keinen Schwarzen sein zu lassen, da der schwarze Anstrich ihn eines Haupthebels seines Spiels beraubte. Mir stand nun aber Zanga als Schwarzer da, wie er denn auch als solcher in der Erzählung vorkommt. Darüber verlor ich die Lust, und ließ das Stück mit dem ersten Akte liegen. Nun begab sich aber das Sonderbare, daß Küstner zu seiner bald darauf erfolgenden Einnahme ein Stück brachte, dem gleichfalls ein objektivierter Traum zu Grunde lag. Ob das Zufall war, oder Küstner, der es überhaupt mit der Ehrlichkeit nicht sehr genau nahm, sich nach vagen Erinnerungen ein solches Stück von einem andern Dichter bestellt hatte, weiß ich nicht. Es machte wenig Eindruck, nahm mir aber doch die Lust, an dem meinigen weiter zu arbeiten, da die Neuheit der Sache einmal verloren war. (W IV, 86 f)

Da fiel mir einmal der erste Akt von »Traum ein Leben« in die Hände, welches Stück ich schon in meiner frühesten Zeit begonnen, aber weggelegt hatte, weil der mit der Rolle des Zanga beteilte Schauspieler statt des Negers durchaus einen Weißen haben wollte. Das Bunte, Stoßweise des Stoffes war eben geeignet, mir selber einen Anstoß in meiner Verdrossenheit zu geben.
Es ist hier vielleicht der Ort über das Gewalttätige zu sprechen, das sich in meinen meisten Dramen findet und das man leicht für Effektmacherei halten könnte. Ich wollte allerdings Effekt machen, aber nicht auf das Publikum sondern auf mich selbst. Die ruhige Freude am Schaffen ist mir versagt. Ich lebte immer in meinen Träumen und Entwürfen, ging aber nur schwer an die Ausführung, weil ich wußte, daß ich es mir nicht zu Dank machen würde. Die schonungsloseste Selbstkritik, die sich in früherer Zeit unmittelbar nach der Vollendung Platz machte, fing jetzt schon an sich während der Arbeit einzustellen. Es war daher immer entweder die Schwierigkeit der Aufgabe, oder die Heftigkeit des Anlaufs was die Lust am Vollenden vor dem Schlusse nicht erkalten ließ. Zugleich war ich kein Freund der neuern Bildungsdichter, selbst Schiller und Goethe mitgerechnet; nebst Shakespeare zogen mich die Spanier, Calderon und Lope de Vega an; nicht was durch die Erweisbarkeit Billigung; was durch seine bloße Existenz Glauben erzwingt, das schien mir die wahre Aufgabe der dramatischen Poesie zu sein. Eine gefährliche Richtung, der ich vielleicht nicht gewachsen war. Sich immer auf dem Standpunkte der Anschauung zu erhalten, wird schwer in unserer auf Untersuchung gestellten Zeit.
Als ich mit meinem Mondkalbe fertig war, übergab ich es meinem Freunde Schreyvogel zur Aufführung. Dieser war gar nicht gut darauf zu sprechen. Er zweifelte an der Möglichkeit einer Wirkung auf dem Theater, die bei mir völlig ausgemacht war; hatte ich es doch aufführen gesehen, als ich es schrieb. Dieses Mißfallen war um so sonderbarer, als vor mehreren Jahren, als ich Schreyvogeln die erste Idee mitteilte, er davon ganz entzückt schien. Der vortreffliche Mann wurde aber leicht ängstlich, wenn ihm ein Neues vorkam wozu er kein Gegenbild in den klassischen Mustern fand. Auch mochte der Titel »Traum ein Leben« ihn stören, da es sich

dadurch gleichsam als ein Seitenstück zu Calderons »Leben ein Traum« anzukündigen schien, das Schreyvogel selbst für die deutsche Bühne bearbeitet hatte. Bei seiner großen und gerechten Verehrung für Calderon mochte ihm diese Gegenüberstellung als Kunstrichter und als Bearbeiter mißfallen.
Da ich gar nicht willens war mit Schreyvogel in Konflikt zu geraten, legte ich das Stück ruhig hin. Hatte es doch seinen Zweck, mich zu beschäftigen und zu zerstreuen, vollkommen erreicht.

(W IV, 162 ff)

Wilhelm von Wartenegg berichtet März 1860

Grillparzer sagte mir, es hätte nur in Wien gefallen, in allen übrigen Städten, in denen es aufgeführt worden, hätte es vollständig mißfallen.
»In Wien«, sagte er, »hat man sich noch am meisten das natürliche Gefühl erhalten, das Gefühl für das Schöne; auch habe ich schon deshalb bei meinen Schriften immer an Wien gedacht, weil ich hier das beste Theater sowohl, wie das beste Publikum fürs Theater habe.« (Gespr 1098)

König Ottokars Glück und Ende

Entstanden 1818–1823
Erstdruck Wien 1825
Uraufführung am 19. Februar 1825 am Wiener Hofburgtheater

Tagebuch Ende 1819/1820

Wenn ich je meine Idee eines epischen Gedichtes: Die Schlacht im Marchfelde ausführe, so lasse ich den Kaiser Rudolf einen schönen Jüngling finden, der ihn als treuer Diener überall begleitet, in allen Gefahren schützend an seiner Seite steht, warnt und hilft. Als der Sieg erfochten und der Kaiser den Treuen lohnen will, sieht er ihn staunend sich nach und nach verklären, bekannte Züge, doch paradiesisch verherrlicht erscheinen in seinem Antlitz, jetzt hebt er sich glänzend gen Himmel und ruft scheidend: Leb wohl Vater! Hartmann bin ich, dein ertrunkner Sohn! Das dächt ich wäre eine christliche Maschinerie. (Tgb 597. W IV, 352)

Tagebuch Februar 1820

Es müßten sich dramatische Stoffe die Fülle finden, wenn man die menschlichen Leidenschaften und Fehler der Reihe nach durchginge [...] Übermut und sein Fall, König Ottokar. (Tgb 612. W II, 1043)

Notiz Frühjahr/Sommer 1821

Soll nicht im 1ten (?) Akt die Nachricht ankommen, daß Ulrich Herzog von Kärnten erblos gestorben? (HKA I, 18, 99)

Notizen [1] Frühjahr/Sommer 1821

Alle seine Brüder übertraf Zawisch, seiner Zeit in Böhmen der ausgezeichnetste Mann. Bezaubernd schön von Gestalt, vereinte er damit das einnehmendste Betragen, er war ein versuchter Ritter und feiner Höfling zugleich. Er war Gelehrter Dichter und Sänger zugleich.

So gebildet sein Geist, so verkehrt war sein Herz. An Stolz und Herrschsucht, tat er es allen Rosenbergen zuvor. [...]

Zawisch zog bald die Augen der Königin Kunigunde auf sich, einer Tochter des bulgarischen Königs Ratislaw, und Enkelin Belas, die schöne Männer liebte. Hierdurch ward sein Stolz nur noch vermehrt.

Zawischens Vater Budiwog wohnte Ottokars Kreuzzuge gegen die Preußen bei, wo er gute Dienste leiste, bald aber verlor die ganze Familie des Königs Gnade, wozu besonders beitrug, daß sie, gleich dem übrigen böhmischen Adel, dem König geraten hatten, die ihm angebotene Reichskrone auszuschlagen, was dieser tat, indem er den Reichstagsgesandten erwiderte: »daß er lieber ein reicher König von Böhmen, als ein armer Kaiser sein wolle, wie Wilhelm gewesen sei.« Als er aber vernahm, daß Rudolf gewählt worden sei, reute ihn seine Weigerung, und er rächte sich an seinen Ratgebern durch mancherlei Bedrückungen. [...]

Jetzt lehnen sich die Rosenberge gegen Ottokar auf. Dieser schickt Truppen gegen sie, und Zawisch, seiner Rache zu entgehen, flieht

1 Auszüge Grillparzers aus Josef Hormayrs »Archiv«, durch die er den Charakter des Zawisch umschreibt.

zu Rudolfen. Hierzu soll ihn auch die Königin bestimmt haben, die überhaupt wünschte, daß ihr Gemahl mit dem römischen König zerfalle, damit er dabei ums Leben käme. (offenbar geschah dies *nach* dem ersten Vertrage mit Rudolf)

Zawisch war indes wieder zu Ottokar zurückgekehrt, und dieser vertraute ihm und seinem Oheim Milota von Diedicz den linken Flügel in der Schlacht im Marchfelde an. Sie werden hier auf die bekannte Art an ihm zu Verrätern und Ottokar fällt.

(HKA I, 18, 103 f)

Notizen Frühjahr/Sommer 1821

Zawisch soll seinen Haß unter einer angenommenen Lustigkeit verbergen. Selbst gegen seine aufgebrachten Verwandten, die er über ihre Rachepläne verlacht. Ein aufdringlicher Vollführer aller Gewaltbefehle des Königs, reizt er ihn zu immer größerer Härte; alles mit einer Lustigkeit, daß der König selbst einmal äußert: der Schalksnarr war wie mein Lieblingscharakter (?). Der Königin nähert er sich als Verliebter.

Der Gang der Szene zwischen Ottokar und Rudolf soll der sein: daß Ottokar, nachdem Rudolf dessen angenommene Vertraulichkeit zurückgewiesen, nunmehr, in seinem vorgenommenen Betragen irre gemacht, ziemlich untergeordnet Rudolfs Reden anhört dann aber, wie er sich nach und nach erholt, wieder kühner wird, und in seinem eigentlichen Charakter spricht, bis die Nachricht von der Einnahme Klosterneuburgs und Wiens durch Paltram und Braun, die von den Kaiserlichen gefangen genommen worden sind [kommt]; dann die Seinigen Ottokarn anzeigen, daß die Schiffbrücke geschlagen [sei], Meinhard von Tirol Steiermark und Kärnten erobert habe und ihm im Rücken stehe, dann gibt er nach verzichtet auf Östreich und Steier und will die Lehen nehmen. Sie gehen ins Zelt. Zawisch von Rosenberg erscheint um eine neue Hiobspost zu bringen. Wo ist der König? Im Zelt. Er stürzt hin reißt die Vorhänge auf, und man sieht Ottokar knieend die Lehen empfangen. Ottokar springt auf und eilt in den Vorgrund. Rudolf folgt ihm, er hat, noch von der Belehnung, die Fahne von Mähren in der Hand. Ottokar muß sich von neuem niederknien und empfängt die Belehnung von Mähren. Rudolf ab. Ottokar fährt zusammen. Er reißt die Spange des königlichen Mantels ab, er fällt; zugleich nimmt er von hinten die Krone ab, drückt sie einem der Nebenstehenden in die Hand, und stürzt außer sich ab. Schluß des 3ten Aktes. (HKA I, 18, 105)

Notiz November/Dezember 1821

1 *Aufzug*. Die 1t Szene soll sein im Zelt Rudolfs, vor Tagesanbruch, eine düstere Lampe auf dem Tische. Rudolf schlafend auf einem Feldbette, im Vordergrunde ein Pilger, der sich beim Aufziehen des Vorhanges empor richtet. Rudolf hat ihn am vorigen Tage vor beutesuchenden Nachzüglern gerettet und in seinem Zelte schlafen lassen.

Er ist derselbe Priester, dem Rudolf einst auf der Jagd sein Pferd überlassen, er ist als vertrauter Geheimschreiber dem Erzbischofe von Mainz auf jener italienischen Reise gefolgt, auf der Rudolf jenem das Geleite gab. Auf der Rückreise trennte er sich auf seines Herrn Geheiß von dessen Gefolge, um den König von Böhmen und zugleich jenen Rudolf von Habsburg in der Nähe zu beobachten. Von welchem letzteren er seinem Gebieter so viel Rühmliches gesprochen, und der diesem selbst schon früher so vorteilhaft bekannt geworden war. (HKA I, 18, 111)

Tagebuch Februar 1822

Das Treffen *an* der March, in dem Ottokar blieb, war ungefähr in derselben Gegend, als jenes für ihn siegreiche gegen die Ungarn, das eigentlich der Grundstein seiner Größe war.

(Tgb 1011. W IV, 367)

Grillparzer an Ladislaus Pyrker[2] Wien, 17. April 1822

Was man Ihnen gesagt hat von meiner Idee, selbst einen Rudolph von Habsburg zu schreiben, so sollte eigentlich nicht er, sondern sein Gegner Ottokar mein Held werden und auch das nur für ein *dramatisches* Gedicht, so daß unsere beiderseitige Arbeit recht füglich nebeneinander bestehen könnte. (HKA III, 5, 252 f)

2 der ein Epos über »Rudolf und Ottokar« plante.

Notiz Mai/Juni 1822

Wäre es nicht gut, die Vorgeschichte bis zur Ehescheidung, die eigentlich vorzüglich dazu dienen soll, den Charakter Ottokars von seinem Schwindeln durchs Glück, darzustellen, in ein Vorspiel umzukleiden, das etwa: der Sieg an der March, oder: Das Siegesfeld heißen könnte? Es finge dann das eigentliche Trauerspiel, so wie es der ursprüngliche Plan war, in den Zimmern Margarethens an, wie sie die Nachricht der Ehescheidung bekömmt. Hierdurch würde zum Teil die Unförmlichkeit vermieden, welche der erste Akt bekömmt, nebst der unverhältnismäßigen Länge, wenn er auf dem Schlachtfeld bei Kreissenbrunn beginnt, und zu Wien oder Prag endet. (HKA I, 18, 114)

Notizen Herbst/Winter 1822

Es hat lange eine Weissagung bestanden, daß der deutsche Adler sich in eines Löwen Neste niederlassen werde. Man hatte das von Böhmens silbernem Löwen gedeutet, es galt aber Habsburgs rotem. Es könnte im Stücke, in dem Augenblick als man dem König diese Weissagung schmeichelnd sagt, sein Auge auf des Habsburger Schild mit dem Löwen fallen.

Auf Ottokars erste Entschließung zur Unterwerfung könnte irgend ein Umstand, der ihm die traurige Lage seiner Untertanen bei längern unglücklichen Kriege, anschaulich machte, Einfluß haben.
Im übrigen wird er durch die Nachrichten, die er eben damals empfängt, von der Übergabe von Gräz und Wien, welch letztere ihm entweder der Bürgermeister Paltram oder der Olmützer Bischof bringen muß; von der Eidleistung Östreichs, Steiermarks, Kärntens und Krains an Rudolf, zur Nachgiebigkeit bewogen.

(HKA I, 18, 150 f.)

Notizen Ende 1822

Soll nicht König Ottokar an dem Letzten seiner 3 Gefährten, die ihm bleiben, als schon die 2 andern tot sind, seine ursprüngliche Gutartigkeit zeigen, indem er entweder von ihm verlangt, zu fliehen und ihn allein zu lassen; oder ihn mit Sorgfalt besorgt, da er verwundet ist. Das würde den Zuseher wieder mit ihm aussöhnen.

Soll nicht Ottokar in seinem Lager bei Drosendorf jenseits der Donau sich für unangreifbar halten, und jetzt auf einmal erschüttert werden durch die Nachricht von jener neuen Erfindung Rudolfs, der mit Kähnen, die auf Wagen dem Heere nachgeführt werden, eine Schiffbrücke zu schlagen im Begriffe sei?

Ich habe nun so viel über den König Ottokar gelesen, fange aber an zu bemerken, daß das poetische Interesse für diesen Gegenstand allmählig bei mir zu einem historischen wird, und daß je klarer er als Begebenheit wird, um desto mehr er als Handlung zurücktritt. Ich kann daher nicht hoffen, ihn, wenigstens jetzt schon, dramatisch behandeln zu können. Um aber nicht alle aufgewandte Mühe zu verlieren, und da mir Ottokars Ende wirklich schon so, wie die Geschichte es beut, als ein vollkommener Stoff zu einer Tragödie erscheint, so will ich die Ausbeute meiner Lektüre und meines Nachdenkens darüber hier niederschreiben, für künftige, ruhigere, zur Produktion gestimmte Zeit. Ich wollte, ich hätte dies vor einem Jahre getan: damals war mir das Ganze viel klarer.

Zuerst also: das Stück soll nicht König Ottokar heißen; sondern *König Ottokars Glück*. Die Idee des Ganzen soll sein: Ersteigen der Höhe, Schwindeln auf der Spitze; und Fall.

Einteilung. 1. Akt. Beginnt nach der Schlacht von Croissenbrunn. Unter den Gewährungen des Ungar-Königs beim Friedensschluß ist auch die Hand seiner Nichte. Entschluß Ottokars sich von Margarethen zu scheiden. Rudolfs Vorstellungen dagegen. Zawisch entscheidet. Margarethe mit ihren Frauen, darunter Benesch von Diedicz Tochter. Die übrigen Frauen spotten ihrer, Margarethes Güte gegen sie. Doch zeigt sich der Beschimpften Verzweiflung.
Der König kommt. Die Östreicher und Steyrer huldigen. Reichstagsgesandte tragen die deutsche Krone an. Feierliche Scheidung. Ankunft des Königs von Ungarn gemeldet. Rudolf von Habsburg trennt sich.

Im 4t Akt soll Ottokar ganz gebrochen dasitzen von seiner Gemahlin verspottet, die Zawisch von Rosenbergs Arm genommen, um mit ihm wegzugehen; da soll der alte Benesch kommen und halb wahnsinnig ihn wegen des Todes seiner Tochter anklagen; da sollen seine Großen die übermütigsten Forderungen an ihn machen, und Ottokar soll stillschweigend dasitzen vor den Pforten seiner Burg. (HKA I, 18, 153 ff)

Notizen Anfang 1823

Seyfried von Merenberg und Berthold der Schenk bringen Ottokarn um. Der erste hat seinen Bruder (Vater) zu rächen, den der König töten lassen (2 Akt) vielleicht auch die geschändete Diedicz, deren Liebhaber er früher gewesen sein könnte. Berthold von Emersberg, Seyfrieds vertrauter Freund. Milota ist bei dem letzten Zweikampf zugegen; Emersberg fällt den ersten Begleiter des Königs an, Merenberg den König selbst, der bereits verwundet ist. Als Ottokar im Kampf gedrängt, Milotan um Beistand anruft, stößt dieser sein Schwert vor sich in den Boden und ruft: Zu diesem Kreuze hier fleh um Beistand, zu mir nicht. Meine Hände sollen sich nicht färben in deinem Blut, aber denk an Ludmilla von Diedicz. Steh dir Gott bei, ich nicht. Und wendet sich ab. So steht er bis der König fällt, da schlägt er die Hände vors Gesicht und stürzt fort.
Zawisch, Dichter. (Vielleicht im 2 Akt)

Rudolf frugal und sparsam. In der Kleidung einfach wie Karl der Große. Im Essen, vorzüglich aber im Trinken mäßig. Trunkenheit war ihm vor allem verhaßt.

Er [Ottokar] soll eifersüchtig auf Zawischen sein, sich aber schämen, es, auch nur sich selbst, zu gestehen. Daher treibt ihn der Spott Kunigundens (4 Akt) aufs äußerste wenn er von der Belehnung zurückkömmt und sie auf den Arm Rosenbergs gestützt, ihn mit Hohnworten empfängt.

Ottokar begünstigte die Deutschen. Die Böhmen gingen ihm in seine Plane nicht ein. Ihr seid/ ein halsstarrig rohes Volk, klebend an den/ Gebräuchen eurer Väter. Könige, die einen Kessel/ im Wappen führten, sich nachts vom Heiligen Veit geißeln ließen und dann des Morgens in Sack und Asche durch die Stadt zogen; solche habt ihr geliebt, solche wünschtet ihr jetzt noch. Ich will euch aber durch den Sinn fahren und euch brechen oder euer Land mit Deutschen besetzen wie man schlechtes Schafvieh ausmerzt und feinwolliges dafür ansetzt. Auf die Mitte des Berges will ich euch hinstellen und wenn euch der Schwindel ankömmt, mögt ihr entweder die Augen zudrücken und weiter steigen, oder hinabfallen und den Hals brechen, den ihr doch an nichts Bessers zu setzen wüßt. Ihr habt bisher nur eigenes Joch getragen, das eurer eignen Trägheit und Stumpfheit; ich will euch aber dafür meines auflegen und euch mit Angeln stacheln bis ihr bäumt und eure Kraft braucht.

1 *Akt.* Ottokar kömmt an und läßt Margarethen vor sich rufen, damit der Scheidungsbrief vorgelesen werde, und sie ihm mittelst der Handvesten die Rechte auf Östreich und Steiermark übergebe. Während sie geht die Schriften zu holen, langt König Bela mit seinem Enkel Ladislaus, der Königin von Massovien und Kunigunden an, welche die deutschen Reichstagsgesandten auf dem Wege gefunden und mitgebracht haben. Eben als letztre ihre Rede an den König gewendet haben tritt Margarethe mit den Urkunden ein. Sie erblickt die ungarischen Königinnen und sinkt mit einem schwachen Ausruf an die Schultern ihrer Begleiterinnen. Die östreichischen Landesherrn machen eine Bewegung um ihr beizuspringen [...]

(HKA I, 18, 156 ff)

Notiz

Anfang 1823

Rudolf bei seinem ersten Auftreten an Ottokars Hofe eigentlich ohne große Bedeutung; nur der Sinn für das Rechte vorherrschend. In der Folge aber durchdrungen von dem Geiste seiner hohen Sendung, nicht sich selbst, sondern in sich das Werkzeug der Vorsehung ehrend. Die Begeisterung der Einfachheit. Weil du mich als Graf von Habsburg gesehen, glaubst du mich zu kennen. Aber du irrst. Ich bin nicht mehr derselbe. Seit mich das Wunder angerührt bei meiner Wahl, schein ich mir selbst geheiligt, alle eigenen Wünsche sind ausgetilgt, der Geist des Ganzen wohnt in diesem Haupt, und Deutschlands Pulsschlag pocht in dieser Brust. Recht muß wieder herrschen, auch über mich, auch über dich. Deutschland muß ruhig sein und Vernichtung jedem Störer. Glaube nicht, ich wolle dir drohen. Du bist ein kriegberühmter Fürst, ich habe deinen Arm kennen gelernt, als ich an deiner Seite focht; dein Heer ist vielleicht so tapfer, vielleicht zahlreicher als das Meine. Bist du gleich umstellt, besiegt bist du noch nicht, und aller Erfolg steht dort oben.

4. *Akt.* Ottokar kommt allein und unbegleitet von der Huldigung, oder vielmehr aus Mähren, wo er sich aus Scham längere Zeit verborgen gehalten. Er setzt sich gebrochen vor dem Tore des Schlosses der Könige von Böhmen, als unwert einzutreten, in einer Nische nieder. Zwei Bürger. Benesch von Diedicz und seine Tochter. Er kindisch verloren; sie, ohne ein Wort zu sprechen. [...]

Die Szene ist so. Im Vordergrunde des Pförtners Wohnung. Vor derselben ein Tisch mit einer auf 3 Seiten herumgehenden Bank. Auf diese setzt sich der König beim Eintritt in seinen Mantel verhüllt. Der Pförtner, der ihn nicht kennt weist ihn fort. Dann setzt sich Ottokar auf eine andre Bank, die neben dem Tor des Schlosses, dessen Mauer den Hintergrund schließt, in einer Nische sich befindet. Auf der Bank, die der Pförtner samt einem Tische auf des Königs Befehl zum Schreiben heraus bringt, schläft er ein: Daselbst saß auch der Kanzler, auf dem vorstehenden Tische schreibend was der König ihm diktierte. (HKA I, 18, 160 ff)

Notiz Anfang 1823

Der alte Merenberg geht (1 Akt) mit Margarethen ab, da sie die Urkunden holen geht. Er gibt Emerberg einen Brief an den Erzbischof von Mainz, daß er ihn seinem Sohne gebe, mit der Ermahnung, sich nicht aufzuhalten, sondern auf der Stelle damit abzureisen. In dem Augenblicke als der König von Ungarn ankommt und sich alles gegen den Hintergrund wendet, tritt Emerberg zu Seyfrieden hin und sagt ihm diese Botschaft seines Vaters. Er hat den Brief in ein Tuch eingewickelt und läßt ihn fallen, Merenberg bückt sich und hebt ihn auf.
Szene wo der alte Merenberg der sinkenden Margarethe zu Hilfe kommen will. Seyfried will noch einmal Berthan von Diedicz sehn. Er schleicht sich daher, gegen die Ermahnung seines Vaters, ins Schloß (er hat gehört sie sei krank und rede wirr). Da stürzt Herbott von Füllenstein mit Bewaffneten auf ihn, ihn auf Befehl des Königs zu fangen (weil nämlich der Alte schon auf seine Burg entflohen ist). (HKA I, 18, 171)

Notizen Anfang 1823

II Als der König über die Nachricht von Rudolfs Erwählung gezwungen lacht, lacht Zawisch mit: ein lustiger Schwank! *König.* Bist du so fröhlich, Freund? *Zawisch.* Die sonderbare Mär! *Ottokar.* Um dich ein wenig abzukühlen, gib mir dein Frauenberg! Überhaupt find ich, daß ihr mehr Herren seid im Land als ich. Jetzt nimmt er ihnen die Städte.

Ottokar, der Übermut, der Wahnsinn des Glücks; der nur sich sieht und in der ganzen Welt das Werkzeug. Menschenverachtung. So soll er den Zawisch verachten, obgleich als Krieger schätzen.

(HKA I, 18, 173)

Notiz März 1823

Der König ist sein selbst nicht Herr im Zorn! [Am Rand:] *IV. NB.* Merenberg will vor allem den Sohn retten. [Am Rand:] NB I Das muß auch den letztern (V Akt) so sehr in Wut und Verzweiflung setzen.

Soll nicht am Schluß des III Akts der junge Merenberg vor den König hinknien und für seinen Vater bitten? [...]

(HKA I, 18, 176 f)

Wien, Dezember 1823

Grillparzer an Josef Graf von Sedlnitzky [2a]

Es geht ein Gerücht – und nur von zu guter Hand ward es mir bestätigt – man gehe damit um mein Trauerspiel König Ottokar zu verbieten. So unwahrscheinlich mir die Sache schien, und noch scheint, so wenig eine solche Voraussetzung selbst mit dem übereinstimmt was ich von E. E. mündlich zu vernehmen die Ehre hatte, so fühle ich mich doch beunruhigt und fange an zu fürchten, was ich zu glauben kaum über mich gewinnen kann. Um E. E. nicht noch einmal persönlich zur Last zu fallen, nehme ich meine Zuflucht zu diesen Zeilen, und bitte E. E. eh Sie etwa ungünstig entscheiden den vollen Umfang dessen zu überblicken was Sie zerstören und wie sehr Sie entmutigen.

2a Von Grillparzers Brief (der vielleicht nicht abgeschickt wurde) ist nur der Entwurf vorhanden.

Ich habe mich nie unter die Schriftsteller des Tages gereiht. Kein Journal hat Beiträge von mir aufzuweisen. All die Korrespondenz-Nachrichten und Tagesneuigkeiten, wodurch andere Literatoren so leichten und so reichlichen Gewinn finden, habe ich verachtend von mir gewiesen, meine Kräfte anhaltend, ernsten Studien, meine Zeit der Hervorbringung weitaussehender Werke gewidmet und von der Anerkennung meines Vaterlandes jenen Lohn erwartet, der der Ehre nichts benimmt und ohne den diese Ehre selbst mehr das Ansehen eines höhnenden Spottbildes für Leichtgläubige und Toren hätte, als eines wünschenswerten Zieles, wert daß Verständige darnach trachten.

Ich habe ein *Recht* auf Berücksichtigung von Seiten der Zensur.

Wenn E. E. meinen Ottokar verbieten rauben Sie mir die Frucht jahrelanger Arbeiten, meine Aussicht auf die Zukunft, vernichten mich, und in mir vielleicht eine Reihe aufkeimender Talente, die mein Beispiel zur Warnung nehmen und sich zur Gemeinheit der Journale oder der Posse der Leopoldstädterbühne flüchten werden, von denen mich enthalten zu haben, an mir so hart bestraft wird.

(W IV, 774 f)

Tagebuch — Anfang 1825

Sonnabend den 19. Februar 1825. Aufführung des Trauerspiels Ottokar. Wer sich unter die volkstümlichen Kleien mischt, dem geschieht recht, wenn ihn die patriotischen Schweine fressen.

(Tgb 1391. W IV, 383)

Tagebuch — Anfang 1825

ἦ πολλά ἐστι τα λόγῳ μὲν οὐκ οἷά τε δηλῶσαι, ἔργῳ δέ.

[Vieles ist, was sich nicht im Vorwort beweisen läßt, aber in der Tat]

Herodot. III. 72. Als Motto einer Antikritik.

(Tgb 1397. W IV, 383)

Tagebuch — Anfang 1825

Mein neuestes Trauerspiel hat, wie man mir sagt, in einem der hiesigen Blätter einen herben Tadler gefunden. Was nun die *Sache selbst,* den Grund oder Ungrund des Tadels betrifft, so fällt mir nicht ein, darüber ein Wort zu verlieren, denn sein eigenes Werk loben ist beinahe ebenso albern, als das eines andern unbefugt verunglimpfen. Nur in Bezug auf die *Form* glaube ich Rezensenten von dieser Sorte darauf aufmerksam machen zu müssen, daß in der literarischen Welt dieselben Anstandsregeln gelten, wie in der bürgerlichen, und daß, wenn die Herren einmal irren, die Lakaien zwar allerdings das Recht haben darüber ihre Meinung zu sagen, *aber mit dem Hut in der Hand.* (Tgb 1398. W IV, 383)

Tagebuch März 1826

Ottokar ist ein berechnetes Werk (ja berechnet, ins kleinste berechnet, was man auch vom Gegenteile sagen mag!) aber die Ausführung bleibt oft zurück. Was wäre der vierte Akt geworden, wenn dem Verfasser noch ein Teil der in der Ahnfrau verschwendeten Mittel zu Gebote gestanden hätten? (Tgb 1419. W IV, 392)

Tagebuch April 1826

Wer mir die Vernachlässigung meines Talentes zum Vorwurf macht, der sollte vorher bedenken, wie in dem ewigen Kampfe mit Dummheit und Schlechtigkeit endlich der Geist ermattet. Wie, um nicht immerfort verletzt zu werden, endlich kein Mittel übrig bleibt, als sich unempfindlich zu machen, wie kein Aufschwung möglich ist, wenn man bei jeder Flügelbewegung an den Plafond der Zensur anstößt, und die Arbeit aufhört ein Vergnügen zu sein, wenn das Hervorgebrachte die Quelle tausendfältiger Unannehmlichkeiten wird, wie es z. B. bei meinem letzten Stück »Ottokar« der Fall war, wo, nachdem ich mich ein volles Jahr mit der Zensur herumgebalgt hatte, endlich vor und nach der Aufführung wohlbekannte Personen notorisch die böhmischen Studenten zur Unzufriedenheit, als über einen der böhmischen Nation zugefügten Schimpf, aufreizten. (Tgb 1435. W IV, 399)

Tagebuch 23. August 1826

Ich kam mit einer Art Vorurteil gegen Prag hier an. Das wahrhaft läppische Mißverstehen meines Ottokar, die lächerliche Wut in welche der beschränkte Nationalsinn der hiesigen Einwohnerschaft über dieses unschuldig gemeinte Stück geriet, hatte mich höchst ungünstig vorbereitet. (Tgb 1489. W IV, 407)

Tagebuch 24. August 1826

Ottokars Grabmal. Die Figur verstümmelt, die Nase fort, kaum eine Physiognomie erkennbar. Der Körper tüchtig, nicht allzu groß. Ich habe den Mann aufrichtig um Verzeihung gebeten, wenn ich ihm irgend worin Unrecht getan haben sollte. Übrigens zeichnet sein Grab nichts aus und er liegt ununterschieden unter den Spitigneven und andern Tröpfen, vor denen er so ausgezeichnet war.
(Tgb 1493. W IV, 409)

Tagebuch 1828

Die mehrern meiner Liebhabereien, die mich jetzt so störend beschäftigen, rühren noch von der Zeit der ersten Aufführung des Trauerspieles Ottokar her. Obwohl nämlich das Stück bei der Aufführung sehr zu gefallen schien, so wendete sich doch die Meinung der sogenannten Gebildeten mit solcher Wut gegen das Stück, daß ich kaum über die Gasse gehen konnte, ohne mich aufs bitterste verletzt zu finden. Ja, die bisher für meine warmen Freunde gegolten hatten, stellten sich jetzt als Anführer an die Spitze der Partei. Es war damals ein Zeitraum wo ich die unbesuchtesten Speisehäuser, zu der ungewöhnlichsten Essenszeit besuchte, um nur vor dem ewigen Gerede sicher zu sein. (Tgb 1631. W IV, 444)

Aus der »Selbstbiographie« 1853

Wenn Baron Pillersdorffs Versuche mir Interesse an den Geschäften beizubringen, fruchtlos waren, so lag die Ursache zum Teile darin, daß mich ein neuer dramatischer Stoff eingenommen hatte. Das Schicksal Napoleons war damals neu und in jedermanns Gedächtnis. Ich hatte mit beinahe ausschließlicher Begierde alles gelesen, was über den außerordentlichen Mann von ihm selbst und von andern geschrieben worden war. Es tat mir leid, daß das weite Außereinanderliegen der entscheidenden Momente nicht allein für jetzt, sondern wohl auch für die Zukunft eine poetische Behandlung dieser Ereignisse unmöglich mache. Indem ich von diesen Eindrücken voll meine sonstigen historischen Erinnerungen durchmusterte, fiel mir eine obgleich entfernte Ähnlichkeit mit dem Böhmenkönige Ottokar II in die Augen. Beide wenn auch in ungeheuerm Abstande, tatkräftige Männer, Eroberer, ohne eigentliche Bösartigkeit durch die Umstände zur Härte, wohl gar Tyrannei fortgetrieben, nach vieljährigem Glück dasselbe traurige Ende, zuletzt der Umstand, daß den Wendepunkt von beider Schicksal die Trennung ihrer ersten Ehe und eine zweite Heirat gebildet hatte. Wenn nun zugleich aus dem Untergange Ottokars die Gründung der Habsburgischen Dynastie in Österreich hervorging, so war das für einen österreichischen Dichter eine unbezahlbare Gottesgabe und setzte dem Ganzen die Krone auf. Es war also nicht Napoleons Schicksal, das ich in Ottokar schildern wollte, aber schon eine entfernte Ähnlichkeit begeisterte mich. Zugleich bemerkte ich an meinem Stoffe das Eigentümliche, daß ich beinahe alle Ereignisse, die ich brauchte, in der Geschichte oder Sage bereitliegend vorfand. Um nun nicht ohne Not eigene Erfindungen einzumischen, fing ich eine ungeheure Leserei von allem an was ich über die damalige österreichische und böhmische Geschichte irgend auftreiben konnte. Ja selbst mit der mittelhochdeutschen Sprache – die damals noch nicht unter die Modeartikel gehörte und zu deren Verständnis alle Hilfsmittel fehlten – mußte ich mich befassen, da eine meiner Hauptquellen die gleichzeitige Reimchronik Ottokars von Hornek war. Ich war damals noch fleißig und notierte und exzerpierte in ganzen Massen.

Ich befand mich also auf dem Boden der historischen Tragödie, ehe noch Ludwig Tieck und seine Nachbeter darüber ihre Albernheiten ausgekramt haben. In der Tat Albernheiten. Der Dichter wählt historische Stoffe, weil er darin den Keim zu seinen eigenen Entwicklungen findet, vor allem aber um seinen Ereignissen und Personen eine Konsistenz, einen Schwerpunkt der Realität zu geben, damit auch der Anteil aus dem Reich des Traumes in das der Wirklichkeit übergehe. Wer würde auch einen erdichteten Eroberer ertragen können, der ein erdichtetes Land mit erdichteten Heldentaten eroberte. Namentlich was über das gewöhnlich Glaubliche hinausgeht, muß einen solchen Anhaltspunkt haben, wenn es nicht lächerlich werden soll. Alexander der Große oder Napoleon als erdichtete Personen würden der Spott aller Vernünftigen sein. Das

eigentlich Historische aber, nämlich das wirklich Wahre, nicht bloß der Ereignisse, sondern auch der Motive und Entwicklungen gehört so wenig hierher, daß wenn heute Urkunden aufgefunden würden, die Wallensteins völlige Schuld oder völlige Unschuld bewiesen, Schillers Meisterwerk nicht aufhören würde das zu sein was es ist und unabhängig von der historischen Wahrheit bleiben wird für alle Zeiten. Shakespeare fand das was man damals history nannte, vor und hat es eben auch kultiviert. In allen seinen historischen Stücken ist aber seine eigene Zutat das Interessante: die komischen Personen in Heinrich IV. nebst dem unnachahmlichen Hotspur, die herzzerreißenden Szenen in König Johann u. s. w., zugleich aber muß man aussprechen, daß wenn er nicht seine auf Novellen und fabelhafte Sagen gegründeten Stücke geschrieben hätte, von seinen historischen wenig die Rede sein würde. Übrigens was ist denn Geschichte? Über welchen Charakter irgend einer historischen Person ist man denn einig? Der Geschichtschreiber weiß wenig, der Dichter aber muß alles wissen.
Dies scheint im Widerspruch mit dem Obigen zu stehen, wo ich einen Wert darauf gelegt habe, daß alle Ereignisse im Ottokar entweder durch die Geschichte oder wenigstens durch die Sage beglaubigt seien. Ich habe es aber auch nur als eine Kuriosität angeführt, obgleich anderseits das den Schluß bildende und in seinen Wirkungen bis in die Gegenwart reichende Faktum, die Gründung der habsburgischen Dynastie in Österreich, der Wahrhaftigkeit der Ereignisse ein patriotisches Interesse verlieh.
Der Stoff hatte sich gegliedert, die Begebenheiten waren eingereiht, die Komposition mußte ich eine vorzügliche nennen, demungeachtet ging ich nur schwer an die Ausführung; ich hatte es nämlich mit einer Form zu tun, die mir durchaus nicht empfehlenswert schien: dem historischen Drama. Ich hatte in meinen bisherigen Arbeiten immer die Ereignisse so nahe aneinander gedrängt als möglich, jetzt sollten entfernt liegende miteinander verbunden werden. Man hat viel über die drei Einheiten gespottet. Die Einheit der Handlung gibt jeder Vernünftige zu. Die Einheit des Ortes hängt mit der Einrichtung der alten Theater zusammen und wird nur bedeutend, wenn sie mit der dritten Einheit zusammenfällt. Diese dritte, die Einheit der Zeit hingegen ist höchst wichtig. Die Form

des Drama ist die Gegenwart, welche es bekanntlich nicht gibt, sondern nur durch die ununterbrochene Folge des nacheinander Vorgehenden gebildet wird. Die Nicht-Unterbrechung ist daher das wesentliche Merkmal derselben. Zugleich ist die Zeit nicht nur die äußere Form der Handlung, sie gehört auch unter die Motive: Empfindungen und Leidenschaften werden stärker oder schwächer durch die Zeit. Wenn ich den Zuseher zwinge, die Stelle des Dichters zu vertreten und durch Reflexionen und Rückerinnerungen die weit entfernten Momente aneinander zu knüpfen, so verliert sich jene Unmittelbarkeit der Wirkung, welche die Stärke derselben bedingt und das Charakteristische des gegenwärtig Wirkenden ist. Der Eitelkeit des gegenwärtigen literarischen Publikums, welches mehr angeregt als befriedigt sein will, schmeichelt zwar dieses Mit-Geschäftigsein, dieses Deuten und Supplieren, in die aufnehmende Empfindung kömmt aber dadurch etwas Willkürliches, das dem Gefühle der Notwendigkeit entgegengesetzt ist, welche die innere Form des Drama ausmacht, wie die Gegenwart die äußere. Das Drama nähert sich dem Epos.
Was den Inhalt betrifft, so macht die Masse der Begebenheiten es unmöglich jeder einzelnen ihr Recht widerfahren zu lassen; die Motive müssen verstärkt, die Charaktere dem Übertriebenen näher gebracht werden, bekanntlich aber sind das Bunte und Grelle eben nicht Zeichen eines guten Geschmacks.
Zu meinem Troste konnte ich mir übrigens sagen, daß mein Stoff wenigstens jenes Erfordernis habe, das eine historische Tragödie allein zulässig macht, daß nämlich die historisch oder sagenhaft beglaubigten Begebenheiten imstande wären eine gleiche Gemütswirkung hervorzubringen, als ob sie eigens zu diesem Zwecke erfunden wären.
Diese meine Bedenken und diesen meinen Trost werden freilich diejenigen lächerlich finden, für welche die Geschichte der sich selbst realisierende Begriff ist. Ich muß mir ihr Lachen gefallen lassen, oder vielmehr ich bin so frei, ihnen dieses Lachen im verstärkten Maße zurückzugeben.
Meinem Zögern wurde durch ein immer heftiger werdendes Halsübel ein Ende gemacht, das, ohne daß ich jedoch ärztliche Hilfe angewendet hätte, mich doch zwang, während eines ganzen Win-

termonats mein Zimmer zu hüten. Oder vielmehr, nachdem die Abgeschiedenheit und Langeweile mich zum Beginn der Arbeit veranlaßt hatte, nahm ich mir vor bis zum Abschluß mein Zimmer nicht zu verlassen, ging mittags in das gegenüberliegende Gasthaus zum Jägerhorn essen, kehrte aber unmittelbar in meine vier Wände zurück, die ich mit meinen Gestalten bevölkerte. Ich darf des Anteils nicht vergessen den ein Mars Moravicus[3] in folio, den ich mir als Quelle für den Ottokar beigelegt, auf das Zustandekommen jenes Durchbruchs allerdings genommen hat. Auf dem Titelblatte dieses Mährischen Mars war nämlich der Kriegsgott in voller Rüstung ungefähr so abgebildet wie ich mir die äußere Erscheinung Ottokars gedacht hatte. Diese Figur reizte mich an, meine Gestalten nach auswärts zu werfen, und auch während der Arbeit kehrte ich jedesmal zu ihr zurück, sooft sich meine Bilder zu schwächen schienen. Ebenso hatte, als ich an den Argonauten schrieb, die turmartige Wendeltreppe in dem Hofe eines uralten Nachbarhauses, in den eines der Fenster unserer damaligen Wohnung ging, meiner Phantasie zu einem willkommenen Stützpunkt gedient.
Ich machte nun meiner freiwilligen Gefangenschaft ein Ende und mein erster Gang war zur Theaterdirektion, der ich mein Stück überreichte und zwar im Konzept, da, indem ich den Stoff so lange in mir getragen, das Niederschreiben beinahe ohne Korrektur vonstatten ging. Diesmal war Schreyvogel gleich von vorneher einverstanden. Wir ließen das Stück abschreiben und gaben es zur Zensur, von der wir keine Anstände besorgten, da, wenn das regierende Haus eigens einen Schmeichler bezahlt hätte, dieser der Handlung keine günstigere Wendung geben konnte, als die dramatische Notwendigkeit von selber aufgedrungen hatte. (W IV, 117 ff)

Aus der »Selbstbiographie« 1853
Ich habe hier scheinbar einen langen Zwischenraum seit Überreichung meines Ottokar übersprungen, der aber eigentlich keiner ist, denn zwei Jahre waren verflossen und ich stand mit meinem Stücke noch auf demselben Punkte.
Es war bei der Zensur eingereicht worden, dort aber verschwunden.

3 von Thomas Joannes Pessina de Czechorod, 1677.

Es wußte niemand wo es hingekommen sei. Anfangs hieß es, es sei der Staatskanzlei mitgeteilt worden und befinde sich in den Händen des Hofrates Gentz. Ich ging denn zu Gentz [...] Gentz empfing mich kalt aber höflich. Er hatte mein Stück allerdings empfangen und gelesen, aber bereits wieder abgegeben. Ich ging. Neuer Kreislauf, neue Ungewißheit, zuletzt Verschwinden aller weitern Spur.
In welche Lage mich das setzte, kann jedermann denken. Es fiel mir nicht einmal ein einen neuen Stoff zu wählen, denn wenn dieser loyal patriotische Anstände fand, was war irgend sonst durchzubringen.
Da kam endlich Hilfe von einer Seite wo mans am wenigsten erwartet hätte. Die jetzige Kaiserin-Mutter, damals regierende Kaiserin, befand sich unwohl. Der Dichter Matthäus Collin, einer der Lehrer des Herzogs von Reichstadt, kam zu ihr, wahrscheinlich um Bericht über die Fortschritte seines Zöglings abzustatten. Da ersucht ihn die gebildete Frau ihr Bücher zur Lektüre vorzuschlagen. Er nennt ihr einige Werke, die sie aber bereits kennt. Gehen Sie doch zur Theaterdirektion, sagt sie ihm, und fragen Sie an, ob nicht irgend ein interessantes Manuskript vorliege, bei der künftigen Aufführung werde ich es mit doppeltem Anteile sehn. Collin geht zur Theaterdirektion und erfährt, daß nichts als unbedeutende Blüetten da seien, die erst durch die Aufführung einen Wert bekommen. König Ottokars Glück und Ende könnte allenfalls ihre Majestät interessieren, es liege aber seit zwei Jahren bei der Zensur und man könne es trotz aller Bemühungen nicht zurück erhalten. Collin nimmt seinen Weg auch zur Zensurshofstelle und als man dort den Zweck der Nachfrage erfährt, ist das Stück augenblicklich gefunden.
Collin liest es der Kaiserin vor, die nicht genug erstaunen kann, daß man das Stück verbieten wolle. In dem Augenblicke tritt ihr Gemahl ins Zimmer. Die Kaiserin teilt ihm ihre Verwunderung mit und wie sie in dem Stück nichts als Gutes und Löbliches gefunden. Wenn sich das so verhält, sagt der Kaiser, so mag Collin zur Zensur gehen und ihnen sagen, daß sie die Aufführung erlauben sollen. Collin, ein im höchsten Grade ehrenwerter Mann, hat den Vorgang vor niemand verhehlt und so habe auch ich ihn erfahren. Und so bedurfte es eines Zufalls um eine Arbeit, die mir, alles abgerechnet,

eine mehr als jahrelange Sammler-Mühe gekostet, nicht aus der Reihe der Dinge verschwinden zu lassen.
Man ging nun an die Aufführung. Anschütz gab den Ottokar sehr gut. Die Schröder übernahm die kleine Rolle der Margarethe. Es fanden sich für alle andern passende Schauspieler. Noch erinnere ich mich der Wunderlichkeit, daß Heurteur der Darsteller des Rudolf von Habsburg, der alles bildlich nahm und wegen Unpäßlichkeit der Leseprobe nicht beiwohnen konnte, als er mich ein paar Tage darauf auf dem Glacis begegnete, anhielt, um mich über seine Auffassung der Rolle zu Rate zu ziehen. Nun, und wie wollen Sie den Rudolf spielen? fragte ich. Halb Kaiser Franz und halb Heiliger Florian, war seine Antwort. Sehr gut, versetzte ich. Wir gingen auseinander und Heurteur gab seine Rolle höchst befriedigend.
Als der Tag der Aufführung kam, gab es ein Gedränge, desgleichen man im Hofburgtheater weder früher noch später erlebt hat. Leider konnte ich die Ehre dieses Zulaufs nicht bloß mir anrechnen, es war vielmehr das Gerücht, daß das Stück von der Zensur verboten gewesen sei, was dem Publikum die Aussicht auf ein allfälliges Skandal eröffnete. Als nun alles höchst loyal und unverfänglich ablief, selbst die Versuche längstvergangene Ereignisse an neue und an gegenwärtig lebende Personen anzuknüpfen, nicht recht gelingen wollten, sah man sich in einem Teil seiner Erwartungen getäuscht. Zugleich war die Form des Historischen damals glücklicherweise noch nicht geläufig, man hatte sich noch nicht Rechenschaft gegeben, daß man derlei nicht wie ein Miniaturbild nahe vor das Auge, sondern wie ein Deckengemälde in einige Entfernung bringen müsse. Die, wegen Mangel des Raums, auf die Spitze getriebenen Situationen schienen übertrieben, man vermißte die stetige Folge des Natürlichen. Das Publikum war nämlich selbst noch natürlich, es hatte noch nicht jene Höhe erklommen, auf der ihm nichts gefällt als was ihm mißfällt, der Zustimmung aber den Anschein einer höhern Bildung gibt. Es wurde ungeheuer viel geklatscht, oder vielmehr, da das Gedränge das Klatschen unmöglich machte, gejubelt und gestampft, aber ich merkte wohl, daß der Eindruck nicht lebendig ins Innere gedrungen war. Der Beifall erhielt sich bei allen Wiederholungen, demungeachtet war es als ob das Stück durchgefallen wäre, wenigstens wichen mir alle Freunde und

Bekannten aus, als ob sie ein Gespräch über das neueste theatralische Ereignis gefürchtet hätten. Am übelsten waren die Bewunderer meiner Sappho zu sprechen, sie wendeten auf das eine Stück an, was von dem andern galt, als ob sie von der Verschiedenheit der Stoffe gar keine Vorstellung hätten und ich entfernte mich aus den wenigen Häusern, die ich bisher besucht hatte, um nur nicht sachunkundige Einwendungen in einemfort berichtigen zu müssen. Was bei den übrigen heimlich rumorte, sprachen in höchster Entrüstung die in Wien lebenden Böhmen aus. Die tschechische Nation ist gewohnt den König Ottokar als den Glanzpunkt ihrer Geschichte zu betrachten. Darin haben sie ganz recht, wenn sie ihm aber durchaus löbliche Eigenschaften zuteilen, so widerlegt sie schon der Umstand, daß seine neuen Untertanen sich gegen ihn gewendet und seine alten ihn verlassen haben. Im ganzen dürfte meine Auffassung auch historisch ziemlich richtig gewesen sein. Wenn ich ihm etwas Zufahrendes und, wie ich es oben genannt, Wachstubenmäßiges gegeben hatte, so war es weil mir der Kaiser Napoleon vorschwebte, man kann aber nicht sagen, daß Ottokar nicht so gewesen ist, weil niemand weiß wie er wirklich war. Die Aufzeichnungen über ihn sind höchst dürftig. Indem ich vorzugsweise österreichischen Quellen folgte, geriet freilich – was übrigens schon die dramatische Notwendigkeit forderte – die Hauptfigur etwas ins Dunkle, aber vor ein paar Jahren hatte man ein Stück Ottokar von Kotzebue aufgeführt, in dem der Held zu einer Art Kinderschreck gemacht war, ohne daß jemand dabei ein Arges gehabt hätte.

Die Stimmung der Böhmen erzeugte sich übrigens nicht ohne Aufhetzerei und die Fäden gingen so ziemlich auf einen Staatskanzlei-Rat[4] böhmischer Abkunft zusammen, der wohl auch seinen Anteil an den ursprünglichen Zensur-Hindernissen beigesteuert hatte. Man hatte ihm nämlich im Ministerium des Äußern das Fach der Zensur zugeteilt, weil, wie man glaubte, seine Unfähigkeit dort den geringsten Schaden anzurichten vermöge. [...]

Die nationelle Aufregung, die von den böhmischen Studenten in Wien ausging, setzte sich aber auch nach Prag fort. Ich erhielt von dort anonyme Drohbriefe, von denen ich noch einen aufbewahre,

4 Franz Josef Freiherr von Bretfeld-Chlumszansky.

wo schon auf der Adresse die Grobheiten beginnen, indes im innern
mit der Hölle als Strafe für meine teuflischen Verleumdungen gedroht wird. Es ging so weit, daß als ich im nächsten Herbste eine Reise nach Deutschland beabsichtigte und dabei Prag als eine der interessantesten Städte nicht übergehen wollte, meine Freunde mir ernstlich abrieten, weil sie von der gereizten Stimmung eine Gefahr für mich befürchteten. Ich ging trotz Stimmung und Warnung über Prag und habe während eines dreitägigen Aufenthaltes wohl schiefe Gesichter gesehen, aber sonst nichts Unangenehmes erfahren.

So lächerlich mir einerseits diese Übertreibungen eines im Grunde löblichen Nationalgefühles waren, so weh tat es mir andrerseits, gerade des Löblichen der Grundlage wegen, ohne Absicht Anlaß gegeben zu haben, daß ein ehrenwerter, in denselben Staatsverband gehöriger Volksstamm sich meine harmlose Arbeit zu einer Verunglimpfung und Beleidigung formuliere. Ich wußte in der Tat nicht mehr was ich tun sollte. Wo ich hintrat, stieß ich an; und wo ich Dank erwartet hatte, machte man mich für fremde Absurditäten verantwortlich. [...]

Da ich bei der damals in Deutschland herrschenden Erbitterung gegen Östreich nicht hoffen konnte, für meinen durchaus östreichisch gehaltenen Ottokar einen Platz auf den übrigen deutschen Bühnen zu finden, und zugleich in der Heimat Rückfälle der Zensur fürchtete, so hatte ich zugleich mit der Aufführung mein Stück in Druck erscheinen lassen, wo sich denn das Merkwürdige begab, daß mein Verleger an einem Tage, dem der Aufführung nämlich, neunhundert Exemplare verkaufte, ein Absatz, der sich freilich in der Folge ins natürliche Verhältnis zurücklenkte.

Als von einem gedruckten Stücke, für das man daher kein Honorar zu bezahlen brauchte, bereitete auch ein zweites Wiener Theater, das an der Wien, die Aufführung vor. Wie diese beschaffen war, kann man daraus abnehmen, daß der mit der Rolle des Ottokar betraute Schauspieler, der jetzt in Berlin engagierte Herr Rott, am Tage nach der ersten Darstellung im Burgtheater, einen meiner Bekannten über den gestrigen Erfolg, vor allem aber über die Art fragte, wie Anschütz den Ottokar gehalten habe. Als ihm dieser sagte: streng, heftig, hart; erwiderte Rott, der das Stück noch gar nicht kannte: ich werde ihn mild geben.

Ich muß noch eine Anekdote als hierher gehörig anführen, und zwar eine Zensur-Anekdote. Ein paar Jahre später fuhr ich mit dem Hietzinger Gesellschaftswagen von Hietzing nach Wien. Ich kam neben einen Hofrat der Zensurshofstelle zu sitzen, der mir schon früher als Polizeidirektor in Venedig während meines dortigen Aufenthaltes alle Freundlichkeiten erwiesen hatte und mir bis auf diesen Augenblick immer zugetan geblieben ist. Er begann das Gespräch mit der damals in Wien stereotypen Frage: warum ich denn gar so wenig schriebe? Ich erwiderte ihm: er als Beamter der Zensur müsse den Grund wohl am besten wissen. Ja, versetzte er, so seid ihr Herren! Ihr denkt euch immer die Zensur als gegen Euch verschworen. Als Ihr Ottokar zwei Jahre liegen blieb, glaubten Sie wahrscheinlich, ein erbitterter Feind verhindere die Aufführung. Wissen Sie, wer es zurückgehalten hat? Ich, der ich, weiß Gott, Ihr Feind nicht bin. Aber, Herr Hofrat, versetzte ich, was haben Sie denn an dem Stücke Gefährliches gefunden? Gar nichts, sagte er, aber ich dachte mir: man kann doch nicht wissen –! Und das sprach der Mann im Tone der wohlwollendsten Gutmütigkeit, so daß man wohl sah, der mit den Angelegenheiten der Literatur betraute Beamte habe nicht die geringste Vorstellung von literarischem Eigentum, sowie daß die Arbeit des Dichters wenigstens ebenso viel Anspruch auf Geltung und Vergeltung habe, als die des Beamten oder des Handwerkers.
Daß unter diesen Umständen in dem damaligen Österreich für einen Dichter kein Platz sei, wurde mir immer deutlicher. Ich versank immer mehr in eine hypochondrische Stimmung, in der mich weder ein früher vorbereiteter Stoff zur Ausführung reizte, noch ein neuer hinzukam, welches letztere von da an der Grundtypus meiner poetischen Produktionskraft geblieben ist. Auf alte Stoffe zurückkommen hat aber immer etwas Gefährliches. Selbst die Fortschritte in der Bildung, die man in der Zwischenzeit gemacht hat, werden zu Hindernissen. Man fühlt sich genötigt am Plane zu ändern, was manchmal auf die Geschlossenheit der Form, manchmal sogar auf die Einheit der Anschauung von nachteiliger Wirkung ist.
Mir war damals zumute als ob ich nie mehr etwas schreiben würde.

(W IV, 124 ff)

Aus der »Selbstbiographie« 1853

Die Ereignisse bei Gelegenheit meines Ottokar und des treuen Dieners hatten mich belehrt, daß historische Stoffe zu behandeln in den österreichischen Landen höchst gefährlich sei. (W IV, 162)

Grillparzer zu Wilhelm von Wartenegg 1. März 1860

Ottokar ist allerdings ein historisches Stück, doch macht man mir den Vorwurf, daß ich der Geschichte nicht treu geblieben bin. Hol' der Teufel die Geschichte, ich sags nochmal, der Goethe hat auch die Geschichte für zu dumm erklärt, als daß der Dichter sich danach richten könnte. Und dann – alles sieht zu seiner Zeit anders aus als später. – Da haben ja so viele die ewige Gerechtigkeit in der Geschichte erkannt, als Napoleon der Erste sein Ende gefunden hat, und jetzt kommt ein Zweiter oder Dritter, und der treibts ärger als der erste.

Daran denk ich nicht bei einer Dichtung. Soll ich einen ländergierigen Kaiser darstellen? Ich habe den Rudolf von Habsburg so geschildert, wie ich es als Österreicher muß; und nach dem, was geschehen, kann ich mirs so vorstellen. Die Böhmen aber sagen mir: Der Ottokar war gar nicht so. (Gespr 1088)

Grillparzer zu Gerhard von Breuning März 1860

Wenn ich von einer Sache ergriffen bin, kann ich nicht mehr gut arbeiten. So erging es mir z. B. auch dabei, als ich die Klage Ottokars über der Leiche seiner Frau machte, daß ich mit *einem* Male zu sehr gerührt wurde und mir die Tränen in die Augen kamen. Das ist bei uns: man soll zwar in der Situation sich fühlen, empfinden, aber doch *über* derselben stehen. (Gespr 1090)

Grillparzer zu Helene Lieben August 1860

Ottokar halte ich doch für mein bestes Stück, es ist zugleich ein ganz historisches Drama. (Gespr 1066)

Grillparzer zu Robert Zimmermann 6. Januar 1866

Mein Ottokar ist zwei Jahre bei der Theaterzensur gelegen und es ist ein reiner Zufall, daß er zuletzt zur Aufführung kam. Der Matthäus Collin, der Erzieher des Reichstadt, der kam einmal zur

Kaiserin Mutter, wie sie unwohl war, und sie verlangte von ihm, er solle ihr Bücher vorschlagen. Die er ihr nannte, wollte sie nicht; die hatte sie sich schon alle vorlesen lassen; ob in der Theaterkanzlei keine neuen Stücke vorhanden seien; sie lese gerne die Stücke früher, ehe sie sie aufführen sehe. Er brachte ihr die Post, es seien nur französische Lustspiele da und ein Manuskript von mir, das schon zwei Jahre da liege. Das solle er ihr bringen, meinte sie. Diesmal fanden sie das Manuskript gleich auf der Zensur; wenn man es sonst verlangt hatte, so wars immer vergraben. Collin las ihrs vor. Als er fertig war, kam gerade der Kaiser Franz hinein zu ihr, um um ihr Befinden zu fragen. Du, sagte die Kaiserin, warum wird denn der Ottokar vom Grillparzer nicht aufgeführt? 's wird halt was Staatsschädliches drinnen sein? meinte der Kaiser. Im Gegenteil, schrie die Kaiserin, der größte Schmeichler des österreichischen Hauses hätte es nicht anders schreiben können! Nun, wenns so ist, sagte der Kaiser zu Collin, so sagens ihnen, sie sollens erlauben. [...]
Der Ottokar, das war ein österreichisches Stück. Ich hätte wohl noch sechs solcher geschrieben, wenn man mir Lust gemacht hätte! Das hätte gewirkt in Böhmen und Ungarn! Der Kaiser Franz hatte dafür keinen Sinn. (W IV, 972 ff)

Grillparzer zu Auguste von Littrow-Bischoff März 1866
Ein Charakter wie Ottokar und sein Zusammenstoß mit Rudolf, der Kampf einer wilden Heldennatur mit einem Repräsentanten des Rechts und Gesetzes, das ist ein Stoff, der an und für sich Wert und Interesse hat, und hat er dieses und ist er historisch – desto besser, er bietet dann einen lebendigen Hintergrund, der durch nichts aufgewogen werden kann. [...]
Aber wie selten haben Stoffe diesen zweifachen [historischen und dramatischen] Inhalt. Ich meine, es müsse vor allen Dingen die psychologische Wahrheit vorhanden sein, damit die historische Wert habe – wie dies im »Ottokar« der Fall ist – und ich glaube, das Stück könne an und für sich Interesse haben, wenn auch die Personen anders hießen und wenn der Kampf auch nicht zwischen uns bekannten Personen und Nationen stattfände. Ich hatte die allgemeine Vorstellung einer starken Heldennatur vor mir, welche

zur Gewaltsamkeit ausschreitet und mit Recht und Gesetz bricht, um eigenen, in letzter Richtung ganz selbstischen Zwecken der Macht und Größe nachzustreben. Es schwebte mir dabei vor, was ich selbst angesehen und erlebt hatte – Napoleon, seine Macht und Größe, der schwellende Ehrgeiz, der ihn zuerst emportrug und dann zum Falle brachte. [...]
Eine *Idee,* welche durch Erlebtes ins Leben gerufen und angeregt wird, treibt zur Gestaltung, und Ottokar ist der Träger einer solchen Idee. Der Aufbau eines großen Reiches ohne Rücksicht auf Nationalität und Humanität, bloß um der Herrschaft willen; das Infragestellen alles bereits Erreichten, die allmählig überwiegende Notwendigkeit fortgesetzter Gewalttaten als Folge von Gewalttaten, die entweder gebieten, immer noch weiter zu gehen, oder den Untergang drohen, wie dies schließlich bei Napoleon der Fall war; selbst die beiden Frauen, von denen er die erste, die sein Glück begründen half [verstößt] und die an gebrochenem Herzen stirbt, weil er sie verstößt um eine jüngere an sich zu ziehen – sogar diese Symptome menschlichen Ehrgeizes und Übermutes, welche ich an Napoleon sich entwickeln sah, haben mir bei Ottokar vorgeschwebt. Daß ich aber in der leichtsinnigen Kunigunde hätte auf Marie Louise anspielen wollen, daran hab ich nicht einen Moment gedacht und das ist auch erst später anderen Leuten eingefallen.

(Gespr 1191)

Marie von Ebner-Eschenbach berichtet 1866

Grillparzer [...] hat die sehr bestimmte Meinung geäußert, der Inhalt eines Theaterstückes, eines Romans, einer Novelle müsse sich in einem kurzen Satz, einem Sprichwort ausdrücken lassen. Als [...] Beispiel führte er seinen Ottokar an, der heiße: »Hochmut kommt vor den [!] Fall.« (Gespr 1519)

Grillparzer zu Marie von Ebner-Eschenbach 12. Mai 1869

Ach was – Der Ottokar. Ich hör, daß der Wagner ihn gut geben soll und daß viel applaudiert wird. Der Anschütz hat ihn auch gut gegeben, und die Leute haben gelärmt und gejubelt. Aber mir war schon alle Lust an Arbeiten dieser Art genommen worden. Von einem halben Dutzend Stücke aus unsrer Geschichte, die mir im

Kopf herumgegangen sind, hab ich kein einziges mehr aufgeschrieben. Wissen Sie denn, wie das gewesen ist mit diesem Przemisliden[5], zu dem mir der Stoff gleichsam mit beiden offnen Händen entgegengekommen war? (Gespr 1741)

Marie von Ebner-Eschenbach berichtet 12. Mai 1869

In ihm wirkten die zahllosen Bitternisse, die er erlitten hatte, lebendig nach, aber in seine Anklagen mischten sich allmählich Selbstanklagen. Einen Teil der Ursachen seines Mißgeschickes lud er seinen eignen Schultern auf, schob sie auch auf Fehler, die seinem Werk anhafteten, stellte sie ins schärfste Licht und verurteilte sie schonungslos. Den Schlußakkord seiner Schmerzenslieder bildete dann das halb trostlose, halb versöhnliche: »Sei's!« (Gespr 1741)

Heinrich Laube berichtet[6] 1872

Es ist außer Zweifel, daß die Figur Napoleons I. Grillparzer vorgeschwebt hat bei Bildung der Ottokarfigur. Natürlich nur in gewissen Punkten. Grillparzer selbst hat mir das gesagt, indem er lächelnd all der Einschränkungen erwähnte, welche die bloße Veranlassung mit sich bringt. (Gespr 1535)

Des Meeres und der Liebe Wellen
Entstanden 1820–1829
Erstdruck Wien 1840
Uraufführung am 5. April 1831 am Wiener Hofburgtheater

Tagebuch Winter 1820/1821

Hero und Leander. Wie kein Mann sie rühren kann, und sie Priesterin der Venus wird. Dann sieht sie Leander. Beim Wasserholen im Hain der Göttin findet sie ihn wieder. Er schöpft ihr Wasser. Der dritte Akt schließt damit: daß Leander, zum erstenmal nach Sestos zu dem Turm der Hero hinüberschwimmt, zu ihr hinauf-

5 Ottokar.
6 Nachwort zur ersten Gesamtausgabe von Grillparzers Werken.

steigt, nachdem sie ihm einen Mantel hinabgeworfen, sich damit zu bedecken. Gespräch der Liebe. Hero hört ein Geräusch außen, und indem sie die Lampe nimmt, um nachzusehen, was es sei, heißt sie unterdes Leander in ihr Schlafgemach treten. Vierter Akt. Hero mit dem Gefühle als *Weib*. Der Priester hat etwas von dem Verständnis bemerkt, und Fischer haben ihm von der Lampe erzählt die allnächtlich am Turme leuchte. Er ahndet den Zusammenhang, und beschließt, streng und ernst will er das Unerlaubte im Keime ersticken. Hero, die die Nacht gewacht, ist schläfrig. Er gönnt ihr nicht Zeit zu schlafen; er beschäftigt sie unausgesetzt. Der Abend kommt. Hero zündet die Lampe an, will sich wach erhalten, schläft aber doch ein. Der Priester löscht die Lampe aus. 5. Akt. Fischer finden die Leiche Leanders. (Tgb 322. W IV, 356f)

Notiz Herbst 1821

Hero im Turm. Sie hat die Lampe hinausgehängt, weil Leander sie darum gebeten, nicht als Zeichen, daß er kommen dürfe, sondern nur als Zeichen ihres Daseins, sichtbar bis zum andern Ufer der Meerenge. Sie kämmt ihr Haar und denkt an Leander. Ich wollte, meine Stimme reichte so weit, als mein Licht und ich könnte ihm zurufen: Gute Nacht! – Gute Nacht! antwortet leise Leander, der von außen, durch die Lampe geleitet, den Turm erklommen hat. – Wer antwortet? Ah! Echo kommst du bis zu mir in meine Einsamkeit? Schöne Nymphe!, sei gegrüßt! – Sei gegrüßt schöne Hero! – Hero? Kennst du mich? Liebst du mich? – Ich liebe dich, gib, daß ich dich kenne! – Nun erkennt sie Leandern. (HKA I, 19, 187)

Notizen Anfang 1826

[Zu III, 4:] Hero. Tempelwächter. Der Wächter ist durch das noch so spät in Heros Gemach brennende Licht aufmerksam gemacht worden, auch hat er einen Mann, von außen der Turm umschleichend, gewahrt. Soll er nicht, um Heron versteckt zu warnen, ihr die Geschichte einer Priesterin erzählen, die, weil ein Mann sich ihr unbewußt im Tempel versteckt hatte, plötzlich, nicht ohne Verdacht heimlicher Priesterrache, verschwand, und nie mehr zum Vorschein kam. Wenn er nun geht und

5. Leander aus dem innern Gemache wieder zu Hero heraustritt,

könnte nun Leander, der alles angehört, nicht die eigene, sondern Heros Gefahr scheuend [bricht ab]

Hero auf ihre Geburt stolz. Alle ihre Vorfahren Priester und Priesterinnen desselben Tempels.

Im II Akt Leander und Naukleros. Letzterer treibt jenen zur Abreise. Leander weigert sich ohne einen Grund anzugeben. Naukleros stellt ihm vor: Beide Küsten seien feindlich, nur das Fest habe den Bewohnern von Abydos erlaubt den Tempel zu Sestos zu besuchen. Da gesteht endlich Leander seine Liebe. Naukleros stellt ihm anfangs das Widersinnige, das Unmögliche seiner Leidenschaft vor, da aber Leander immer heftiger wird und sich unheilbar zeigt, denkt der Freund auf Mittel ihn zu fördern. Da wird er Hero in der Ferne gewahr. Er rät Leandern ihr seine Liebe zu entdecken.
Hero kommt einen Krug auf dem Kopfe, um Wasser für den Tempel zu holen. Leander tritt einige Schritte vor, dann bleibt er furchtsam stehen. Hero ohne ihn zu bemerken.
Naukleros tadelt die Unentschlossenheit des Freundes. Hero kommt zurück mit dem gefüllten Kruge. Leander zögert noch, doch da sie sich anschickt fortzugehn, stürzt er ihr vor die Füße, ohne aber ein Wort zu sprechen. Hero drückt ihre Verwunderung aus und fragt, was das bedeute. Da tritt Naukleros vor und erklärt ihr des Freundes Wunsch und Verlangen. Hero erklärt ganz ruhig, wie jede Erfüllung von ihrer Seite unmöglich wäre. Sie sei Priesterin der Venus, und als solche verpflichtet alle Gemeinschaft mit Männern zu meiden. Sie zeigt ihr Wohlgefallen an Leander, ihr Mitleid. Da sie, in die Ferne blickend, gewahrt, daß ihr Gespräch beobachtet wird, und sie es den beiden andeutet, beifügend, daß sie sich entfernen müsse, begehrt Naukleros, den Grund ihres Beisammenseins zu verdecken, von ihr zu trinken. Sie hält ihm den Krug hin, aber Leander stößt ihn heftig zurück, trinkt selbst, und nun, wie von Wein begeistert, führt er selbst in den leidenschaftlichsten Ausdrücken seine Sache. Hero setzt sich zu ihnen auf eine Bank, wo Gesträuche das Auge der Späher abhalten, und so zwischen ihnen sitzend, erklärt sie, vorzugsweise zu Naukleros gewendet (wie zu einem, der als der Ruhigere den Zusammenhang dem Freunde erklären werde) ihr Verhältnis. Sie lehnt Leanders Bitte, sie im Tem-

pel wiedersehen zu dürfen, ab, und ermahnt ihn sie zu vergessen, sie wolle dasselbe tun. Während des Gespräches kommt der Priester vom Tempelwächter geführt. Ohne Verlegenheit steht Hero auf und erklärt, Leander »für einen kranken Mann«. Den Freunden wird Entfernung geboten.

Der Priester sucht zu verheimlichen, nachdem er nicht mehr verhüten kann. Er forscht (IV) vom Tempelwächter nach allen Umständen, sucht sich von Leanders Unternehmung Gewißheit zu verschaffen, da er sie aber erhalten hat, nachdem er überzeugt ist, weist er des Wächters Besorgnisse und Vermutungen als ungegründet von sich. Zuletzt (V) befiehlt er, die um Hero und den toten Leander versammelten Menge mit Gewalt zu zerstreuen; und er mag etwa auch damit das Stück schließen, daß er den Vorschlag, die Leichen der beiden Liebenden in *ein* Grab zu legen, verwirft und den Göttern dankt, daß die Priesterin gestorben, ehe sie sich des Gedächtnisses unwert gemacht.

Der Gang des III Aktes möchte ungefähr der sein. Inneres von Heros Turm. Der Priester führt die Jungfrau in ihr Gemach, in das sie nun zuerst als Priesterin tritt. Er macht sie auf den Unterschied ihrer vorigen und jetzigen Bestimmung aufmerksam. Er gibt einige Winke über die Verhältnisse, denen sie durch ihr Gelübde der Ehelosigkeit entsagt. Er bemerkt wie nötig es sei, den ersten Veranlassungen einer Leidenschaft auszuweichen, die in ihren Folgen den Menschen entadelt und durch Nachgiebigkeit unwiderstehlich wird. Alles das so leise angedeutet als möglich. Hero denkt kaum verschieden von ihm. Er geht.
Hero allein. Sie ist von ihrer früheren Unbefangenheit doch schon so weit gekommen, daß sie das Gegründete von ihres Oheims Bemerkung einsieht. Überhaupt wäre die Aufgabe in Hero eine durchaus nicht leidenschaftliche Natur darzustellen d. h. ohne Übergewicht der Empfindung, denn leidenschaftlich zeigt sie sich allerdings in ihrer Heftigkeit, wo sie ein Unrecht bemerkt, oder Vernachlässigung der Pflicht (I bei den Tempeldienerinnen). Sie ist ehrgeizig und stolz auf ihre Abstammung.
Sie hat bis zu ihrem Zusammentreffen mit Leander in völliger Unbefangenheit gelebt. Von früher Jugend dem Tempeldienste ge-

widmet sagt das würdige, alles Gemeine ausschließende, reinliche, Gemütsruhe bewahrende desselben, ihrem aufs Rechte gestellten Sinne vorzugsweise zu. Die Priesterwürde war in ihrer Familie erblich, und sie rechnet sichs zum höchsten Glücke das hohe Vorrecht ihrer Ahnen in ihrer Person zu bewahren und fortzusetzen. Als sie daher (I) Leander bemerkt, als sie selbst (II) mit ihm spricht, ist sie noch so wenig berührt und erschüttert, daß sie (II) Leandern und seinem Freunde ganz ruhig ihre Verhältnisse auseinandersetzt, ihm Mittel zur Heilung an die Hand gibt, und ihr Gefühl nimmt ganz die Gestalt des Mitleids mit einem »Kranken« an.

In Leander nimmt aber auch sein Zustand die Gestalt eines Körperschmerzes, einer Krankheit an. (Erinnere dich des eignen Zustandes im Verhältnis zu Theresen [1]). (HKA I, 19, 191 ff)

Tagebuch März 1826

Hierauf kam Hero und Leander an die Reihe. Den Plan hiezu hatte ich schon aus früherer Zeit im Kopfe, nur war er dunkel geworden, ich brauchte ihn daher nur aufzufrischen. Es gelang zum Teile, aber sobald ich die Feder ansetzte und die Ausbildung der einzelnen Teile dem Verfolgen der Arbeit vorbehalten wollte, gerieten gleich die ersten Zeilen so kalt, so leblos, das was mich eigentlich an den Personen interessierte kam in der Darstellung so wenig zum Vorscheine, daß ich wieder ablassen mußte. (Tgb 1428. W IV, 395)

Notizen Ende 1826

(Die Liebe soll hier allerdings innere Hindernisse gewalttätig zu besiegen haben, aber kein brausender Wasserfall, ein Bach der durch Kiesel schäumt, und gleich wieder hell wird).

Wenn Hero, durch Fußtritte aufmerksam gemacht, hinaus geht und mit dem Tempelwächter spricht, so kommt sie zwar allerdings verändert zurück, die Angst für Leanders Sicherheit hat ihre Gefühle aus dem Gleichgewicht gebracht, und schneller gereift, aber der Gesamteindruck sollte immer *süß* bleiben.

(HKA I, 19, 196 f)

1 Schauspielerin.

Hero I: Hero soll da hinaus gehn, weil sie den Tempelwächter hört, dann, verändert, zurückkommen. Der Wächter fragte mich: ob ich niemand gesehen, ich aber sagte: nein. [nachgetragen:] *Soll nicht die Beschämung gelogen zu haben sie weich machen? NB.*

Im 3 Akt zu gebrauchen, wie damals Charlotte[2], als sie den ganzen Abend wortkarger und kälter gewesen war, als sonst, beim Weggehen, an der Haustür das Licht auf den Boden setzte, und sagte: ich muß mir die Arme freimachen, um dich zu küssen. Nicht gerade die Begebenheit soll dort Platz finden, sondern die Gesinnung, die Gemütsstimmung.

III. Soll nicht Leander ihr sagen, wie er die ganze Nacht nach ihrer Lampe emporgesehen habe? *Hero.* Du erinnerst mich wohl, die Lampe früher auszulöschen, sie zu verbergen. *Leander.* O nein.

IV 1. Naukleros führt Leander zu seiner Hütte, den er, auf dem Meere rudernd, als ermatteten Schwimmer angetroffen und in den Kahn gezogen hatte.[2a] Er sagt ihm auf den Kopf zu, daß er in Sestos, bei Hero gewesen sei. Leander muß gestehen, er tut es mit Entzücken. Auch diese Nacht wolle er hin. Die Lampe werde ausgehängt. Naukleros stellt ihm das Gefährliche vor, die Weite des Wegs, den schon jetzt drohenden Sturm. Endlich umfaßt er ihn um die Mitte des Leibes, und erklärt ihm, er, als der Stärkere werd' es nicht zugeben, und ihn zwingen in seiner Hütte zu bleiben. Leander geht endlich wirklich hinein, kommt aber bald darauf mit Helm, Schild und Schwert zurück, halb scherzend, halb mit Entschlossenheit die Bemühungen des unbewaffneten Freundes zurückweisend. Er will fort, Naukleros folgt ihm, besorgt ihm seinen Namen nachrufend. (Bis hierher war Leanders Hauptzug eine dumpfe Schüchternheit; nun ist er kühn geworden.)

Hero, umgekehrt, soll von vorn herein einen Zug von Heftigkeit haben, im 4 Akt ist sie milde und träumerisch geworden, Janthe hatte dieselbe Nacht die Tempelwache und verließ ihren Platz. Der

2 Charlotte von Paumgartten.
2a später umgewandelt zu: »den er, am Meere wandelnd, als ermatteten Schwimmer gesehen und ans Land gezogen hatte«.

Priester erzählt es Heron. »Ich denke, Herr, wir sehen ihr es nach? – Bist du so mild gestimmt? – Nun so entscheide du! – Dir kommt es zu. – So wollen wir uns Zeit zur Überlegung gönnen. Vielleicht kommt beßrer Rat.«

I. Janthe und eine zweite Dienerin eilen lauschend vorüber, sie haben die beiden Jünglinge gesehen, und lassen das Gittertor offen.
Naukleros Leander. Wie er seit dem Tode seiner Mutter, mit der er allein am Ufer des Meeres lebte, abgestumpft ist für alles. Nur im Kahn sich hinzulegen auf den Rücken, oder schwimmend die Wellen zu durchschneiden, gewährt ihm noch Lust.
Dazu der Tempeldiener, Entfernung gebietend.
Janthe tritt vor, und meint sie könne die Jünglinge auf eine sanftere Art selbst entfernen. Sie und die zweite Dienerin führen die beiden durch das Gittertor.
Tempeldiener macht das Gittertor zu und entfernt sich nach der entgegengesetzten Seite. [Später nachgetragen:] *unwillig*. Sie wissen alles besser, als ob, Recht zu haben, im vornehmern Stande läge und ein Eigentum der Herren wäre.
Nun kommt Hero aus der Cella des Tempels und die Szenen gehen ihren weiteren Gang.
Zu ihr Janthe und die Dienerin. Vorwürfe der Nachlässigkeit, Janthes Spott, Zorn der Hero.
Dazu Operpriester. Hero beklagt sich, nennt aber doch die Schuldige nicht. Hero Oberpriester.
Dazu Heros Eltern.
Heros Vater ganz der Meinung seines Bruders untergeordnet, gegen alle andern eigensinnig und von einer schwächlichen Heftigkeit.
Die Mutter an Nachgeben und Unrechthaben gewohnt, übrigens nicht ohne Tiefe, doch im Kleide des Gewöhnlichen. Sie spricht wenig. Der Vater viel, sobald aber sein Bruder einer andern Meinung ist, nimmt er die seinige nicht zurück, sondern vergißt, daß er sie gehabt hat, und stimmt sonach in allem mit seinem Bruder überein. Er wünscht Heron als Priesterin, in der von *den Ahnen ererbten* Würde zu sehen. Die Mutter hat einen Rückhalt[3].
Hero gegen die Mutter liebevoll, gegen den Vater beinahe gleich-

3 Sinn: getraut sich nichts zu sagen.

gültig. Gerade die Untertänigkeit der Mutter gegen den so oft im Unrecht befindlichen Vater, hat ihr von Kindheit auf einen Widerwillen gegen das häusliche Verhältnis beigebracht.
Im Tempel lernte sie sich fühlen. Sie erklärt, daß sie bei ihrem Vorsatz beharre, Priesterin zu sein. (HKA I, 19, 196 f)

Notiz Januar 1827
Vielmehr soll hier [Akt 4] der Priester in kurzen Worten seine Furcht ausdrücken, das zu finden was er sucht. Zugleich seinen Entschluß, Heron keinen Augenblick sich selbst zu überlassen, sie den ganzen Tag zu beschäftigen, so daß ihr keine Zeit bleibt, Botschaft zu senden, Rat zu ersinnen, sich zu sammeln, auszuruhn. [. . .]
(HKA I, 19, 220)

Notizen Frühjahr 1827
Der Priester hält Naukleros zurück, der Heron folgen will. Er stellt ihm vor, daß er selbst, als Beförderer des Vergehens, der Strafe verfallen sei, doch wolle er ihn entlassen, nur möge er den Leichnam des Freundes mit sich nehmen, ihn begraben, und sein Wort geben, nie mehr diese Küste zu betreten. Naukleros versprichts.

Ob Hero stirbt im Augenblick als Leanders Leiche fortgetragen *wird* oder nachdem sie fortgetragen *worden ist.* Ersteres nach außen effektreicher, letzteres vielleicht inniger.

[Am Rand nachgetragen und später dicht ausgeringelt:] Hero etwas vom Gleichgewichte der S-z.[4]
Hero mit einem durchgehenden Zuge von *Heiterkeit,* unbefangen, verständig, gefaßt.
Leander, unentwickelte Dumpfheit, schüchtern. Er ist kleiner und schwächer als Naukleros; braun, dieser blond. Das bestimmt beider Verhältnis.
Im 3 Akt soll sich Heros Leidenschaft mehr selbsttätig entwickeln als daß Leander sich besonders tätig dabei bewiese.
Frisch, tatkräftig soll Leander nur im 4 Akt sein.

4 Marie Smolk von Smolenitz, Gr.s Geliebte und später Daffingers Frau.

Nie soll Hero darauf ein besonderes Gewicht legen, daß jenes Verhältnis verboten, oder vielmehr *strafbar* sei. Es ist mehr ihr *Inneres*, das sich früher nicht zur Liebe hinneigte, und das nicht ohne Widerstreben nachgibt, als daß sie ein *Äußeres* fürchtete. Die *Gefahr* dieser Liebe wird nur aus dem Munde der Nebenpersonen klar. Im 4 Akte ist daher keine Spur von Ängstlichkeit in Heros Wesen, obschon es ihr ziemlich nahe liegt, daß man Verdacht geschöpft habe. Sie ist schon wieder ins Gleichgewicht des Gefühles gekommen, aber eines neuen, des Gefühles als *Weib*.

Zwar im Gleichgewichte aber doch höchst gesteigert, sensuell, all das dämonische, der ganzen Welt vergessende, taub und blinde was die Weiber befällt wenn eine wahre Liebe eine Beziehung auf die Sinne bekommen hat. Dasselbe was mir dem Weib in der Tragödie von Yorkshire eine so furchtbare Wahrheit gibt, nur unendlich gemildert durch Heros Charakter. Ihre Gedanken sind bloß auf das neu erwachte Gefühl und dessen Gegenstand gerichtet, keine Furcht mehr vor Entdeckung, für Namen, Ruf. Der Priester läßt ihr seinen Verdacht nur allzu deutlich merken, sie bemerkt ihn nicht. Man spricht von einem nahenden Sturm, sie zündet doch die Lampe an. Träumerisch, sensuell.

IV. Bei den *inquisitorischen* Szenen, die hauptsächlich *gegen Janthen* gerichtet sein sollen, Hero immer auf einer gewissen Höhe gehalten, so daß sie, nicht gerufen, sondern freiwillig erscheint, da sie vernimmt, daß man Janthen befrage, wo sie denn gewissermaßen schützend ins Mittel tritt. Bei dieser Gelegenheit mag sie denn ihren träumerischen, sensuellen Zustand auf alle jene Art äußern, die bereits angedeutet ist.

Ursprünglich war dem Priester beiläufig die Rolle des *Schicksals* zugedacht. Eben so verhüllt, kurz, kalt. Das muß wohl einige Modifikation leiden. (HKA I, 19, 231 ff)

Notizen Herbst 1827

Hero als Weib. Genuß. Nicht Hero allein; beide, beide, beide! Leander kleiner, braun; Muskel, aber mehr der Form als der Kraft dienend. Naukleros, größer, blond, knochiger.

Priester keine moderne Humanität. Priestertum, Stammerbteil. Familienstolz.
Orakel? Gemeinschaft eines Stammvaters mit den Göttern?

Vater. Sie sieht unsrer Schwester ähnlich. *Priester.* Was fällt dir ein? Die Züge mögen ähnlich sein. Doch jene war ein schwaches, sehnsuchtkrankes Wesen und diese ist sich selbstbewußt und klar.

IV. Die Rolle welche der Priester im Turme zurückläßt, mag ein Aufsatz über jene frühere nahverwandte Priesterin sein, absichtlich für Hero in ihrem Gemache zurückgelassen. Hero aber hat sie übersehen, wie alles.

Soll der *Priester* nicht zur Strenge umschlagen, nachdem Hero etwa Zweifel über die Heiligkeit ihres Gelübdes [am Rand: *NB.*] geäußert oder es widersprechend gefunden hat, daß die Liebes-Göttin der Liebe Werk in ihren Priesterinnen verdammen sollte? Ihn von vornherein so herb und düster zu halten als anfangs die Meinung war, daß er gleichsam den Repräsentanten des ἔχθρος ἀητης [widrigen Windes] vorstellte, dürfte mit Rücksicht auf die Ökonomie des Ganzen kaum möglich sein.

Einen Anklang von egyptischem (orientalischem) Priester?

(HKA I, 19, 233 f)

Notizen — Frühjahr 1828

IV. Der Priester soll sie absenden

1. einen Pilgerzug, der eben angekommen, von einem heiligen Orte zum andern zu geleiten.
2. Räucherwerk und Spezereien mitzubringen.
3. Soll einer von den Landleuten, die den Eltern das Geleite gegeben, einen Brief zurückgebracht haben. Dieser wäre ausfindig zu machen und zu holen.

Priester mehr Betrachtung, weniger Effekt. Höchstens im letzten Akt.

(HKA I, 19, 234)

Notiz — Frühjahr/Sommer 1828

Nur kein Komödien-Fünfter Akt! (HKA I, 19, 234)

Notizen Herbst 1828

Der Priester befiehlt Janthen, als derjenigen, deren Rat Heron verleitet, zurückzubleiben. Hier ihr kurzer Monolog.

Der Wächter nennt Heron, als sie fragt, wohin man Leander gebracht, einen falschen Ort. Doch sie findet instinktmäßig den rechten aus, und da der Priester befiehlt, den Toten herbeizubringen, um ihn seinen Freunden zu übergeben, folgt Hero, auf eine Dienerin gestützt, der Bahre.

V. Hero sagt Janthen, ein naher Freund ihrer Eltern habe zu Schiff ankommen wollen. Ihm zu Gunsten habe sie die Lampe hingestellt, die nun der Sturm verlöscht.
Sie ist getröstet »Die Götter sind so gut!« Aus dem Abgang des Öls schloß sie, daß die Lampe unmittelbar nachher ausgelöscht, als sie eingeschlafen war.
Hätte sie länger gebrannt, der erwartete Verwandte wäre abgeschifft, und vom Sturm ereilt, zu Grunde gegangen; so aber blieb er wohl im sichern Hafen und ist gerettet. Die Götter sind so gut!
Auch der Priester bezeichnet den Fremden um den Hero trauert als einen Verwandten ihrer Eltern.
Priester dennoch vorherrschend Verstandesschärfe und Kälte.

(HKA I, 19, 238 f)

Tagebuch 18. Februar 1829

Nach dem Frühstück versucht, mich in den vierten Akt von Hero und Leander hinein zu denken. Vergebens. Die Gemütslage Heros, die mir so deutlich war, als ich sie niederschrieb, ist mir nun verschlossen. (Tgb 1692. W IV, 445)

Tagebuch 19. Februar 1829

[...] Hero und Leander unklar. [...] (Tgb 1698. W IV, 446)

Tagebuch 21. Februar 1829

Hierauf zur Arbeit. Hero und Lander will sich aufhellen, wenn der Schimmer nicht bloß vorübergehend ist. Den Gedanken der Aufführung wieder ertragen können. Mehreres berichtigt und verbessert. Der zu theatralische Schluß ist denn nun schon so mit dem Ganzen verwachsen, daß er sich nicht mehr nach der ursprünglichen

Idee wird herstellen lassen. Ich rechne auf die große Bildlichkeit des Stückes. (Tgb 1709. W IV, 448)

Tagebuch 22. Februar 1829

Müßger Tag. Die kostbaren Momente der wieder erwachten Lust an Hero und Leander zum Redigieren bereits ins Reine gebrachter Szenen verwendet, statt die noch unvollendeten Partieen zu bearbeiten. (Tgb 1713. W IV, 449)

Tagebuch 23. Februar 1829

In der Verbesserung von Hero und Leander fortgefahren. Es ist die höchste Zeit, daß ich mir das Zeug vom Halse schaffe.

(Tgb 1717. W IV, 450)

Tagebuch 25. Februar 1829

Der Morgen wie gewöhnlich: Beschlossen, mit Hero und Leander kurzweg einen Abschluß zu machen. Dieser herrliche Stoff ist ohne die erforderliche Liebe ausgeführt worden. Mehr um überhaupt etwas zu machen, als weil ein innerer Drang gerade zu dieser Hervorbringung nötigte. Ja im Ärger über die nicht zu bezwingende Unlust, und gleichsam mit herausforderndem Trotze hatte ich unter mehreren Stoffen gerade denjenigen gewählt, dessen Ausführung die meiste Innigkeit forderte. Häufig bei einzelnem begeistert, fehlte im ganzen der Stimmung die eigentliche Folge, und ich fürchte eine verfehlte Arbeit gemacht zu haben. Es soll sich zeigen. Ich selbst habe kein Urteil mehr darüber. Ich ändere und ändere, ohne daß das Geänderte besser wäre als das vorige. Jetzt müssen fremde Augen urteilen. Hinaus damit! (Tgb 1724. W IV, 451)

Tagebuch 26. Februar 1829

Hero und Leander zum Abschreiben gegeben.

(Tgb 1729. W IV, 452)

Tagebuch 1830

Motto zur Hero

Je ne connois rien de si difficile qu'un dialogue où les choses dites et répondues ne sont liées que par des sensations si delicates, des idées si fugitives, de mouvemens d'ame si rapides, des vues si légères, qu'elles en paroissent décousues, surtout à ceux qui ne sont pas nés pour éprouver les mêmes choses dans les mêmes circonstances. *Diderot, discours sur la poësie dramatique*[5].

(Tgb 1763. W IV, 458)

Tagebuch 20. April 1831

Am 5 dieses Monats Hero und Leander aufgeführt; *nicht* gefallen. Die ersten 3 Akte wütend applaudiert, die zwei letzten ohne Anteil vorüber gegangen. Traurig, daß die Stimme des Publikums mit meinen eigenen Zweifel so sehr zusammentrifft. Der fünfte Akt ist zwar leider nur zu wirksam, zu theatralisch (weshalb ich ihn auch immer ändern wollte) er litt aber offenbar unter der Wirkungslosigkeit des 4ten Aktes, denn auf einmal Zerstreute wirkt nichts mehr. Sonderbar! Diesen 4ten Akt schrieb ich gerade mit der meisten Innigkeit, dem nächsten Einleben, und er schien mir auch im ersten Augenblicke sehr gelungen; aber schon bei der zweiten Überarbeitung, ein Jahr später, konnte ich mich selbst nicht mehr darein finden. Das Ganze ist offenbar mit zu wenig Folge, abgerissen, und mehr mit einer allgemeinen, als mit einer besondern, mit einer Stoff-Begeisterung geschrieben. Mehr Skizze als Bild. Die Aufgabe war ungeheuer. Wenn die Lösung gelang, war der Gewinn groß für die Poesie. Sie gelang nicht. Und doch und doch! Wenn ich durch ein paar noch folgende, gelungene Leistungen mich in der Zahl der bleibenden Dichter erhalten kann, möchte leicht eine Zeit kommen, wo man den Wert des, wenn auch nur Halb-Erreichten in diesem 4ten Akte einsehen dürfte.
Sonderbar die Wirkung, die dieses Mißlingen auf mich machte! Anfangs höchst unangenehm, wie natürlich, aber schon den zweiten Tag gewann ein höchst beruhigendes Gefühl die Oberhand. Aus

5 Ich kenne nichts, das so schwierig wäre wie ein Dialog, in dem der Inhalt der Reden und Antworten nur durch so zarte Empfindungen verbunden ist, durch so flüchtige Ideen, durch so rasche seelische Bewegungen, durch so unbedeutende Ansichten, daß er dadurch zusammenhangslos erscheint, besonders für die, die nicht dafür geschaffen sind, unter gleichen Umständen Gleiches zu empfinden.

der Knechtschaft des Publikums und des Beifalls gekommen zu sein, wieder mein eigner Herr, frei zu schreiben oder nicht, zu gefallen oder zu mißfallen, kein obligater Schriftsteller mehr, wieder ein Mensch, ein innerlicher, stille Zwecke verfolgender, nicht mehr an Träumen, an Wirklichkeiten Anteil nehmender Mensch. Ja wenn ich es wieder dahin bringen könnte! Jede Demütigung der Eigenliebe sollte mir für den Preis willkommen sein.

(Tgb 1893. W IV, 466 f)

Tagebuch 10. Oktober 1832

Ich kann mich einmal nicht an eine Regelmäßigkeit in diesen Blättern gewöhnen. Was ist in dieser letzten Zeit geschehen? So viel als nichts. Doch halt! Die Arbeitslust hat sich zum Teile wieder eingestellt. Überhaupt gibt mir jeder Wohnungswechsel neue Entschlüsse und ist insoferne nicht so übel. Ich fange an vor sieben Uhr aufzustehen und – habe Hero und Leander wieder vorgenommen. Ich möchte gern damit zu einem Abschluß kommen und das Ding, neu durchgegangen entweder noch einmal aufführen oder doch drucken lassen. Ohnehin mahnt mich meine Schuld an Wallishausser an Mittel zur Zahlung zu denken. Ich mag fast meine Bücher nicht mehr lesen, weil ein Teil davon noch auf Rechnung steht.

(Tgb 2021. W IV, 489)

Tagebuch 13. Oktober 1832

Ich habe Hero und Leander wieder vorgenommen und will sehen, was sich tun läßt. Auch für meine Geldverlegenheiten wäre das ein guter Ausweg. (Tgb 2034. W IV, 492)

Tagebuch 27. Oktober 1832

Ich habe meine Revision von Hero und Leander fortgesetzt; ob mit Glück, weiß ich nicht. Der Erfolg wirds lehren. [. . .]

(Tgb 2037. W IV, 493)

Tagebuch 27. Oktober 1832

Eine Schauspielerin Fournier aus Berlin hat mich in meinem Vorhaben in Bezug auf die Hero sehr bestärkt. Sie kam zu mir, das Stück für die Berliner Bühne zu begehren, und ihr Äußeres entsprach den Forderungen der Rolle so völlig, daß ich mich plötzlich in Gang gesetzt fühlte. Ich habe sie seitdem in einzelnen Szenen spielen gesehen (denn ein ganzes Stück auszuhalten hindert mich mein heftiger Widerwille gegen das Theater) aber das Innere der guten Person entspricht der äußern Ankündigung nur wenig. Dies könnte Heron zu einem zweiten Falle verhelfen. Gleichviel, ich will es vollenden. (Tgb 2038. W IV, 493 f)

Tagebuch November 1832
Ich fahre in Hero und Leander fort, und schreibe das Ding ab, da ich sonst keine Art weiß mich wieder lebhaft zugleich ins Ganze und in die Einzelnheiten zu versetzen. Manchmal gefällt mir das Ding ungemein, manchmal macht es gerade die entgegengesetzte Wirkung. Der vierte Akt wird immer die Hauptschwierigkeit bleiben. Ich habe die drei ersten Aufzüge dem Hoforganisten Sechter (gegen meine Gewohnheit) vorgelesen. Er weinte bei den kalten Partieen; die warmseinsollenden schienen ihn nicht besonders anzusprechen. Doch vollendet muß es werden. Der vierte Akt ist absichtlich etwas unförmlich; ja gedehnt angelegt; er soll ja auch zugleich einen großen Zeitverlauf ausdrücken. Aber die Leute wollen sich durchaus nicht ein bißchen ennuyieren. Geistreich gelangweilt ist auch unterhalten! (Tgb 2044. W IV, 495)

Notiz November 1832
Im Monolog (4 Akt) soll sie immer den Entschluß aussprechen in den Turm hinaufzugehn um der Lampe zu wahren, aber der Müdigkeit nachgebend, bleiben. Ich muß hinauf, wär dann ein immer wiederkehrender Refrain. (HKA I, 19, 240)

Eduard von Bauernfeld berichtet Dezember 1832
Des Meeres und der Liebe Wellen. Der Dichter gab mir das Stück mit dem spanischen Titel vor dem Druck zur Durchsicht. Ich schrieb ihm darüber, auch verkehrten wir noch mündlich.
Einige schlechte Verse und Härten wurden verbessert, sonst ließ er sich nichts ein- oder abreden. Daß die Heldin aus heiler Haut stirbt, bleibt immer mißlich, meinte ich.
»Sie haben vielleicht recht!« versetzte er – »aber was soll ich mit ihr

anfangen? Sich wieder ins Wasser stürzen lassen, wie die Sappho, mag ich sie nicht, auch liegt schon der Leander darin. Vor dem ›Sich erstechen‹ hab ich auch eine Abneigung. Leben bleiben *kann* sie nicht – folglich muß sie sterben, so oder so!« (W IV, 936)

Tagebuch 12. April 1834

Ich habe Zedlitz Hero und Leander zu lesen gegeben. Es gefällt ihm nicht. Er findet, daß der Ausführung Wärme fehle. Ich bin seiner Meinung. Und doch ist seitdem wieder eine Art Bosheit in mir entstanden, mir das Stück doch gefallen zu lassen. Mangel an Wärme. Das wäre es: der Plan ist gut, ich möchte kein Haar daran geändert. Aber Mangel an Wärme in der Ausführung. Ich erinnere mich noch, daß ich nichts mit größerer Anschaulichkeit gearbeitet, als dieses Stück, aber das Äußere, die aufeinander folgenden Tableaux ward mir dadurch gewissermaßen die Hauptsache, wo noch besonders dazu kam, daß ich in der ersten Figur immerfort Marien [von Smolenitz] vor mir sah in aller ihrer damals wirklich himmlischen Schönheit. (Tgb 2132. W IV, 506)

Wien, 4. November 1834

Grillparzer an Graf Wilhelm von Redern

Bei dieser Gelegenheit erlaube ich mir aber die Erinnerung an ein früheres Stück zu erneuern, das in Wien nur teilweise Wirkung getan, mir aber viel mehr am Herzen liegt, als dieses letztere mit »Wut« aufgenommene[6]. Es ist dieses Hero und Leander (des Meeres und der Liebe Wellen). Ich habe es mit meiner gewöhnlichen Sorglosigkeit bis jetzt liegen gelassen, zum Teil aber auch, weil ich in Deutschland keine junge Schauspielerin wußte, der die Hauptrolle anzuvertrauen wäre. Besitzt Berlin eine solche, als fertiges oder dem Rate zugängliches Talent (eine Ratgeberin besitzt Berlin) so bitte ich mir einen Wink darüber zu geben, um das Manuskript einzusenden. Die beiden Stücke sind in gleicher Zeit geschrieben, mich würde freuen, sie zugleich aufgeführt zu sehen, wenn auch nur um zu zeigen, daß das Bunte des »Traumes« vom Stoffe geboten und nicht zur Effektmacherei gewählt wurde. (HKA III, 5, 264)

6 »Der Traum ein Leben«.

Grillparzer an Theodor Hell 22. Dezember 1834

Ich habe noch eine andre Sache auf dem Herzen. Wollten Sie wohl Fräulein Gley[7] oder vielmehr Mad. Rettich gefälligst in meinem Namen fragen, ob sie nicht Lust hätte mit dem Trauerspiel: des Meeres und der Liebe Wellen in Dresden einen Versuch zu machen? Ich halte große Stücke auf diese Arbeit und obwohl es in Wien kein sonderliches Glück gemacht hat, so wäre wohl möglich, daß es auf ein Publikum, das gegenüber dem gemütlichen Enthusiasmus der Wiener, an eine besonnenere Würdigung der ihm dargebotenen Genüsse gewohnt ist, eine bessere Wirkung machen könnte. Ich habe das Stück im Verdruß, und aus löblicher Faulheit zurückgelegt, wäre aber sehr erfreut es zu Ehren gebracht zu sehen. Alles wird jedoch von der Entscheidung der genannten von mir hochverehrten Künstlerin abhängen, die, hoffe ich, mich gut genug kennt, um zu wissen, daß ein einfaches *Nein* meiner Hochachtung für sie nicht ein Jota entziehen wird. (HKA III, 2, 123)

Grillparzer an Ferdinand Philippi Wien, 25. Januar 1835

Eine frühere [Arbeit] (Des Meeres und der Liebe Wellen) das auf dem Theater weniger gefallen hat, auf das ich selbst aber große Stücke halte, liegt noch in meinem Pulte. (HKA III, 2, 127)

Tagebuch 4. Mai 1836

Mußte ihm[8] den Plan von Hero und Leander erzählen, über den er entzückt schien. Glaube es wohl. An dem Plan ist auch wenig auszusetzen. Es fragt sich nur, ob die Ausführung nicht hinter dem Vorsatze zurück geblieben, und darüber kann mich niemand zur Gewißheit bringen. (Tgb 3014. W IV, 570)

Tagebuch Ende 1836 / Anfang 1837

Man hat sonderbar gefunden, daß ich dem aus dem Stoffe von Hero und Leander gezogenen Stücke den Titel: des Meeres und der Liebe Wellen gegeben. Mir lag aber daran, gleich von vornherein

7 Die Schauspielerin Julie Gley, seit 1833 mit Karl Rettich verheiratet.
8 einem englischen Bekannten: David Koreff.

anzudeuten, daß die Behandlung, obgleich mit antiker Färbung, doch romantisch gemeint sei. Es war überhaupt ein Versuch, beide Richtungen zu vereinigen. Die Ausführung mag zurückgeblieben sein, oder vielmehr: ich weiß, daß sie es ist; aber das Vorhandene scheint mir noch immer beachtenswert. Die Fehler sind im vierten Akte, aber leider von der Art, daß sie nicht wegzuschaffen sind. Das pflegt immer so zu gehen, wenn man an einem in früher Zeit, unreif aber warm gedachten Plan, später bei der Ausführung ändert und umstellt. Vor allem ist die Figur des Priesters dabei zu kurz gekommen. (Tgb 3247. W IV, 641)

Grillparzer zu Max Löwenthal 3. Mai 1838

Der ungünstige Erfolg von »Hero und Leander« tat mir wehe, weil ich mir sagen konnte, ich habe es an der nötigen Lebendigkeit der Darstellung fehlen lassen. (HKA I, 19, 136)

Heinrich Laube berichtet 30. November 1851

So schüttelte er auch das Haupt, als man ihm sagte: Hero, die vor zwanzig Jahren abgefallene Hero ist gestern [29. November 1851] im Burgtheater wieder aufgeführt worden und hat gefallen, hat sehr gefallen. – Ah?! Welcher Zufall hat denn da geholfen? – war seine Frage. [...] Zwar sagte er immer noch: Zu spät! Es ist zu spät für mich! Aber in Wahrheit machte es ihm doch eine tiefe Freude. (W IV, 965)

Salomon Mosenthal berichtet etwa 1851

Nach der Wiederaufnahme der Hero, circa 1851, ging er nach dem II. Akt heim: »Ich war müd und abgespannt und, um die Wahrheit zu sagen, da hatte mir der Anschütz vier Zeilen weggelassen, die ihm wahrscheinlich der Laube gestrichen hat, und da bin ich mir vorgekommen, als läge ich bei lebendigem Leib auf dem Seziertisch!« (Gespr 15)

Aus der »Selbstbiographie« 1853

Auch ein neuer dramatischer Stoff fand sich, oder vielmehr ein alter, den ich wieder aufnahm: Hero und Leander. Eine wunder-

schöne Frau[9] reizte mich, ihre Gestalt, wenn auch nicht ihr Wesen, durch alle diese Wechselfälle durchzuführen. Der etwas prätios klingende Titel: des Meeres und der Liebe Wellen, sollte im voraus auf die romantische oder vielmehr menschlich allgemeine Behandlung der antiken Fabel hindeuten. Mein Interesse konzentrierte sich auf die Hauptfigur und deshalb schob ich die übrigen Personen, ja, gegen das Ende selbst die Führung der Begebenheit mehr zur Seite als billig. Aber gerade diese letzten Akte habe ich mit der eigentlichsten Durchempfindung, jedoch wieder nur der Hauptperson, geschrieben. Daß der vierte Akt die Zuseher ein wenig langweile, lag sogar in meiner Absicht, sollte doch ein längerer Zeitverlauf ausgedrückt werden. Aber auch sonst ist nicht alles wie es sein sollte. Man kann eben nicht immer was man will.
Als es zur Aufführung kam, erhielten die drei ersten Akte begeisterten Beifall, die zwei letzten gingen leer aus. Erst nach mehreren Jahren gelang es einer begabten Schauspielerin[10] das Ganze zu Ehren zu bringen, ohne übrigens meine Überzeugung von den Kompositions-Fehlern dieser letztern Akte aufzuheben. In Deutschland wurde es nirgends gegeben. Es fehlte nämlich, wie an Dichtern, so auch allgemach an Schauspielern und endlich sogar an einem Publikum. (W IV, 177 f)

Weh dem, der lügt
Entstanden 1820–1837
Erstdruck Wien 1840
Uraufführung am 6. März 1838 am Wiener Hofburgtheater

Notiz — Ende 1820 / Anfang 1821

Weh dem, der lügt! nach der Erzählung des Gregor von Tours von dem Küchenjungen Leon, der Atalus, den Neffen des Bischof Gregor von Langres aus seiner Gefangenschaft als Geisel bei einem »Barbaren« in der Gegend von Trier, befreit. Die Idee des Ganzen

9 Marie von Smolenitz.
10 Marie Bayer-Bürck.

soll sein, daß der Bischof Gregor, ein Eiferer gegen die Lüge, dem Küchenjungen Leon, der sich erbietet, den Neffen seines Herrn zu befreien, zur Bedingung setzt, sich dabei keiner Lüge zu bedienen. Wie Leon daher, da er, ohne zu lügen, kein Mittel weiß, sich in das Haus, wo Atalus gefangen gehalten wird, einzuschleichen, sich von einem Pilger, der sein Wegweiser war, als Sklaven an den Hausherrn verkaufen läßt; durch ein halb natürliches, halb angenommenes barsches Wesen, sich das Recht erwirbt, freie Scherze machen zu dürfen, so daß er das Kühnste sagen kann, ohne daß man es übel nimmt, ja selbst ohne daß man mehr besonders darauf acht gibt. Dadurch erspart er sich jede Lüge und kann selbst seinem gegen ihn mißtrauisch gemachten Herrn zur Antwort geben, er gehe damit um, sich selbst und einen seiner Landsleute aus dessen Gewalt zu befreien, ohne daß dieser das Geständnis für etwas anderes nimmt, als für einen kecken Scherz eines groben Spaßmachers.
Zuletzt, nachdem er den Atalus befreit hat und, allen Verfolgern entronnen, schon beim Bischof angekommen ist, wo Atalus sich mit der Tochter des Barbaren, die mit ihnen die Flucht genommen hat, verbünden will, erklärt Leon, er bleibe nicht länger und müsse fort. Der Bischof, der schon seine Beobachtungen gemacht hat, fragt ihn um die Ursache. Leon gibt einen Scheingrund an.
Du sprichst [die] Unwahrheit, weist ihn ernst der Bischof zurecht. Nun denn, so wißt es, ruft Leon, ich gehe, weil ich selbst die Braut eures Neffen liebe; weh dem, der lügt! Es zeigt sich, daß dem Mädchen eigentlich immer Leon lieber war, und das Vermeiden der Unwahrheit, das seine Aufgabe war, wird nun sein Lohn.

(W II, 1249 f)

Tagebuch — Sommer 1822

Die Geschichte des Küchenjungen Leon, der sich in dem Hause als Sklave verkaufen läßt, wo Atalus, der Neffe seines Herrn, des Bischofs von Langres, als Geisel zurückgehalten wurde, und die Pferde hüten mußte. Wie er sich durch seine Kochkunst die Gnade ihres gemeinschaftlichen Herrn erwirkt, und endlich mit Atalus entflieht und ihn glücklich wieder in die Arme seines Oheimes zurückbringt III. 15[1].

(Tgb 4480. W IV, 379 f)

1 Gregor erzählt die Geschichte Leons im 15. Kapitel des III. Buches.

Notizen 1822
Galomir soll Mißtrauen gegen Leon haben [2].

Leon schon von vornherein munter, keck, und um eine Lüge nicht verlegen. (HKA I, 20, 260)

Notizen vielleicht 1824
II Er läßt sich von dem Pilger in dem Hause des Barbaren verkaufen. Da jener einen zu geringen Preis fordert, erklärt Leon daß er um so wenig nicht feil sei und steigert die Summe.

Leon konnte [= könnte?] selbst des indirekt Lügenhaften seines Benehmens sich bewußt sein, und sich darüber Vorwürfe machen. (etwa 3 Akt)
Edrita ernst. Sie errät daß Leon entfliehen will. Ihre Neigung verrät sich, die Verbindung mit Galomir ist ihr unerträglich. Leon gesteht ihr seinen Plan. Sie will mit ihm fliehn. Leon verweigert es. Nichts Unerlaubtes soll vorfallen bei Atalus Rettung, so hat es sein Herr gewollt. (HKA I, 20, 260 f)

Tagebuch April 1835
Leon darzustellen, wie er getreulich dem Befehle des Bischofs nachkommen will, aber durch seine Lebhaftigkeit ewig darüber hinausgerissen wird, daher auch Selbstvorwürfe und Reue.
(Tgb 3302. W IV, 641)

Notizen April 1837
Wie? wenn mehr der Himmel dafür sorgte, daß nicht gelogen wird, als daß es aus freiem Entschluß hervorginge.

Wunder! Wunder! Wunder [!]

Daß etwa Gott selbst die gesagte Lüge zur Wahrheit machte.
(HKA I, 20, 263 f)

Notiz Oktober 1837
Atalus in den ersten Szenen hochmütig. (HKA I, 20, 265)

2 später gestrichen.

Eduard von Bauernfeld berichtet 26. Juni 1837

Gestern mit Feuchtersleben in Döbling im neuen Kasino gegessen. In Heiligenstadt Grillparzer begegnet, der uns in seine Wohnung führte und uns aus freien Stücken sein Stück vorlas: »Weh dem, der lügt!«, was er ein Lustspiel nennt. Es ist noch teilweise Skizze. Der erste Akt gefiel uns, obwohl er wenig Inhalt hat; im zweiten sind ein paar drastische Szenen gut, doch stutzten wir über manches. Dritter, vierter und fünfter Akt schwach. Eine Trottelfigur, Galomir, der in halb unartikulierten Lauten spricht, wäre auf der Bühne geradezu unerträglich. Wir sagten das dem Dichter so verblümt wie möglich. Er wies auf den Kaliban. – »Der spricht wild«, sagte ich, »aber er *spricht* doch!« – Wir widerrieten schließlich die Aufführung. Auch der Küchenjunge, prächtig angelegt, verlaufe sich zuletzt wie im Sand. Der junge Adelige sei gleichfalls gut, nur seine schließliche Sinnesänderung nicht gehörig motiviert. Grillparzer meinte, er habe eine ähnliche Figur machen wollen, wie ich sie für Fichtner schriebe. Ich weiß nicht recht, was er damit meinte. – Das Mädchen lobten wir beide, obwohl ihr Davonlaufen aus dem Vaterhaus mit den jungen Leuten gleichfalls bedenklich scheine, noch mehr das Schlafen in der Scheune mit Atalus. – Grillparzer sagte zu allen unseren Einwendungen: »Sie haben recht, aber – –.« Wie es seine Art ist. Kurz, er wills aufführen lassen. Habeat sibi! Das Stück ist geistreich und hat disjecta membra poetae. Es könnte gut werden, wenn es nicht zu zerrissen und pathologisch wäre (was der Verfasser immer an H. Kleist tadelt!). Das Rätsel ist: die Produktionskraft hat abgenommen, auch fehlt die Frische. (W IV, 944)

Grillparzer an Karl Albrecht Fichtner Wien, 25. Februar 1838

Verzeihen Sie, daß ich diese Zeilen in Bezug auf die penible Rolle des Atalus an Sie richte. Ich glaube, es macht sich besser so, als bei den Proben sich ein doktrinäres Ansehen geben und ohne Not zu stören. Treffen Ihre Ansichten mit den meinen zusammen, so wäre das allerdings erwünscht. Haben Sie sich aber schon selbst eine teilweise abweichende lebendige Idee gebildet, so bitte ich, sich durch gegenwärtiges nicht stören zu lassen, da der Fall häufig vorkömmt, daß bedeutende Schauspieler dieselbe Rolle verschieden auffassen, und sie doch gleich bedeutend darstellen. Ich selbst aber ziehe was

als ein lebendiges Ganzes aus dem Künstler hervorgeht, jeder zerstückelten Richtigkeit vor.
Die Rolle des Atalus ist darum so schwierig, teils wegen ihrer negativen, ans Widerliche streifende[n] Haltung, teils weil ihr so wenig Raum zur Entwicklung und Verständlichmachung gegeben ist.
Atalus war keineswegs immer so wie er im Stücke anfangs auftritt. Weichlich erzogen, verhätschelt, den Studien bestimmt »wird er unter Wilde, unter Halb-Tiere[«] geworfen, die ihn verhöhnen, mißhandeln, herabsetzen. Ein kräftiger Jüngling würde entflohen sein, sich widersetzt haben: ihn versetzt es in einen dumpfen, mißmutigen Trotz.

> Und auch das grobe Hemd kratzt mir die Haut
> Und nichts als Brot und grüne Kost zur Nahrung.

Er grollt der ganzen Welt, ja selbst seinem Ohm, von dem er vermeint, daß er sich seine Rettung nicht genug angelegen sein lasse. Er ist keineswegs so ahnenstolz als es scheinen könnte, und nicht als eine Satire auf den Adel gemeint. Aber von Halb-Tieren geringschätzig behandelt, flüchtet er sich in das Bewußtsein seines Wertes und ist dadurch gewissermaßen immer für sich allein da, ohne von dem, was um ihn vorgeht, besondere Notiz zu nehmen.
Der Haupthebel seines Betragens im Verlauf des Stückes ist sein Widerwille gegen Leon, der ihn durch sein hofmeisterndes, derbes Benehmen verletzt. Er, als untergeordnete, zweite Person gegenüber dem Küchenjungen seines Oheims!
Aber schon im dritten Akte treten die Spuren seines ursprünglichen Charakters hervor. Die Worte: »Ich dring ins Haus! – So pack ich ihn am Hals«, sind keineswegs komisch gemeint. Er hat Mut und würde sich, ein Schwert in der Hand, allenfalls tüchtig herumgeschlagen haben.
Die Streitszene zu Anfang des vierten Akts denke ich mir mit einiger Heftigkeit, so wie in der Szene mit Edrita sein Antagonismus gegen Leon hervortritt. Dieser vierte Akt hat überhaupt etwas Jugendliches, auf das ich Wert lege. Es ist wie eine Republik von Kindern.
Der Wendepunkt seines Charakters tritt aber bei den Worten: »Mich weht es an! Hab ich doch nun ein Schwert«, ein. Er ist nun

nicht mehr der verachtete Pferdehüter, »frei, bewaffnet:[«] Er lebt mit seinen Gedanken wieder in der Heimat. Leon sagt selbst von ihm im fünften Akt.

ist gleich sein Wesen
Verändert und gebessert seit der Zeit,
Da er hinwegschied aus der wilden Fremde.

Der Zuseher versöhnt sich mit ihm, wenn er neben Leon hinkniet um mit ihm zu beten.
Im fünften Akt, wenn er zu seinem Ohm hinläuft, ist er unschuldig, knabenhaft.
Ich habe, ein Feind zu ängstlicher Motivierungen, im zweiten Akte[3] eine Rede des Leon weggestrichen, die die Lage des Atalus sehr verdeutlicht:

Er scheint mir was verwildert hier im Freien,
Hat erst der Mensch kein Beispiel als das seine,
Wird er wohl ab und zu sein eignes Zerrbild.

So viel dem denkenden Künstler. Wie viel er davon benützen will, bleibt ihm überlassen. Denn, wie gesagt, ein abweichendes lebendiges Bild, ziehe ich dem genauen leblosen vor. Ich würde mir diese Andeutungen nicht erlaubt haben, wenn die Verbindungen nicht absichtlich so im Dunkeln gehalten wären, daß es dem Schauspieler, der nichts vor sich hat als seine Rolle, beinahe unmöglich wäre, den Faden überall zu verfolgen. (Jb III. Folge, 3, 28 ff)

Ludwig August Frankl berichtet 1837/1838
Man lachte, zischte wohl auch, und der Dichter äußerte schmerzlich, als ihm seine Freundin[4] diesen Erfolg berichtete: »Das habe ich nicht verdient!« (W IV, 945)

Tagebuch 7./8. März 1838
Wenn wir an dem Werke des ofterprobten Mannes einzelne Fehler bemerken, so können und werden wir oft recht haben; wenn wir

3 nach V 831.
4 Kathi Fröhlich.

aber glauben er habe sich völlig und im ganzen Umfange geirrt, so sind wir in Gefahr, gar nicht zu wissen, um was es sich handelt.

(Tgb 3342. W IV, 643)

Tagebuch 7./8. März 1838

Die Geier in Schönbrunn sollen mit ihrem Wärter sehr unzufrieden sein, weil er ihnen frisches Fleisch gegeben hat, indes doch Aas ihre Lieblingsspeise ist. Sie sagen, und zwar mit Recht, er hätte sich nach ihrem Geschmacke richten sollen. (Tgb 3343. W IV, 643)

Epigramme 7./8. März 1838

Was hängt ihr euch an mich und meinen Lauf
Und strebt dem Höhern plumpen Dranges wider?
Ich zieh euch, merk ich, nicht zu mir herauf,
Doch ihr, weiß Gott! mich auch zu euch nicht nieder.

Den Küchenjungen nehmt ihr krumm,
Leon, ihr wißt, so heißt er.
Doch ist er, wär er noch so dumm,
Noch lang kein Küchenmeister[5]. (W I, 429)

Grillparzer an Johann Ludwig Deinhardstein Wien, 13. März 1838

Gutgesinnte und mit dem Theater ziemlich bekannte Menschen sind der Meinung, daß nachdem die Stimmung des Publikums sich jenem berüchtigten Stücke zuzukehren scheint, es geraten wäre, die Aufführung etwa nächsten Donnerstag, und wenn sich der Erfolg günstig zeigte, den darauf folgenden Sonntag zu wiederholen, von wo an es in die gewöhnliche Reihe der Theater-Konvenienz zurückzutreten hätte.

Ich weiß nicht, ob diese Leute recht haben, aber ein wenig fühle ich mich geneigt ihnen beizustimmen. Übrigens überlasse ich alles Ihrem Urteil. Einige Ehrenrettung ist das Theater mir und die Direktion sich selbst schuldig. Wenn es je geraten war ein Stück zu poussieren, so dürfte es bei gegenwärtigem der Fall sein.

(HKA III, 2, 193 f)

5 Grillparzer richtet sich gegen den Oberstküchenmeister und Burgtheaterdirektor Fürstenberg.

Tagebuch Mitte März 1838

Zeitungsartikel

Das Burgtheater bietet seit der Aufführung des Stücks: Weh dem der lügt! einen Anblick dar wie der Schönbrunnergarten nach einem heftigen Sturm. Sowohl die Parterre als die Menagerie sind dadurch sehr in Unordnung gebracht worden. (Tgb 3352. W III, 89)

Grillparzer zu Max Löwenthal 3. Mai 1838

Ich mache für jetzt nichts. Die Lust zu produzieren ist ohnedies nicht groß, und mein letzter Erfolg war eben nicht gemacht, sie zu beleben. Ich wollte in diesem Stücke mehr zur Ursprünglichkeit der Poesie, zur Anschauung zurückkehren. Die Schauspieler, wenn auch sonst gut, wußten sich da nicht auf den rechten Punkt zu stellen, und so hatte auch das Publikum nicht das wahre Verständnis der Sache. Der ungünstige Erfolg von »Hero und Leander« tat mir wehe, weil ich mir sagen konnte, ich habe es an der nötigen Lebendigkeit der Darstellung fehlen lassen. Hier aber, wo ich mit aller Wärme eines Jünglings gearbeitet, machte das Mißgeschick des Stückes mehr den Eindruck des Lächerlichen auf mich.

(HKA I, 20, 224)

Tagebuch Anfang Juni 1838

In den Erzählungen beim Calderon kommt das Dialektische der Rede, ja der Predigt, nicht bloß vor, es ist vielmehr als eine besondere Schönheit eigens gesucht und mit Vorliebe nachgeahmt.

(Tgb 3361. W III, 597)

Tagebuch Ende 1838/Anfang 1839

Der Erfolg läßt sich nicht bestimmen, am wenigsten von mir, der ich vor kurzem einen Beweis gegeben habe, wie wenig die Bedürfnisse des Publikums mir geläufig sind. (Tgb 3427. W III, 828)

Tagebuch Ende August/Anfang September 1839

Der Schauspieler, der in dem verunglückten Lustspiele: Weh dem der lügt! den Galomir gab, glaubte ihn gar nicht genug als Idioten, als Cretin halten zu können. Ganz unrichtig. Galomir ist so wenig dumm, als die Tiere dumm sind; sie denken nur nicht. Galomir kann darum nicht sprechen, weil er auch nicht denkt; das würde ihn aber nicht hindern z. B. in der Schlacht den rechten Angriffspunkt instinktmäßig recht gut herauszufinden. Er ist tierisch, aber nicht blödsinnig. (Tgb 3491. W IV, 644)

Tagebuch Frühjahr 1842

En verité le mentir est un maudit vice. Nous ne sommes hommes, et ne nous tenons les uns aux autres que par la parole. Si nous en connoissions l'horreur et le poids, nous le poursuivrions à feu, plus justement que d'autres crimes[6]. Montaigne des Menteurs. Wer wird nicht glauben, daß ich diesen Gedanken von Montaigne entlehnt habe? Und doch war jener Monolog des Bischofs in: weh dem der lügt! der genau dasselbe ausspricht, schon vor 5 Jahren geschrieben, und den Montaigne lese ich heute.

(Tgb 3590. W IV, 645)

Grillparzer zu Adolf Foglar 25. August 1844

Galomir ist eine Rolle, auf die ein tüchtiger Schauspieler reisen könnte. Naturmenschen sprechen nicht in Sätzen, sondern in einzelnen Worten. Aber Lukas hat einen Kretin daraus gemacht. – Bei der Rollenverteilung sah ich immer nur darauf, ob ein Schauspieler *äußerlich* das Zeug dazu hatte; wie er dann spielte, war seine Sache. (Gespr 838)

Betty Paoli berichtet Ende der Fünfziger Jahre

Ich *werde* sie[7] verhindern, rief er so heftig, wie ich ihn bei keiner anderen Gelegenheit gesehen habe, ich werde sie verhindern, und müßte ich mich direkt an den Kaiser wenden, um ein Verbot zu erwirken. (Gespr 13)

6 In Wahrheit ist die Lüge ein verdammtes Laster. Wir sind nur Menschen und verkehren miteinander nur durch das Wort. Wenn wir ihre Verabscheuungswürdigkeit und ihre Bedeutung kennten, würden wir sie mit Feuer bekämpfen, mit größerem Recht als andere Verbrechen.

7 eine geplante Neuaufführung von »Weh dem, der lügt!«

Grillparzer zu Helene Lieben August 1860

Ich glaube wohl, daß an dem vollkommenen Durchfallen des Stückes das Spiel mit schuld gewesen sein mag; Lucas, der den Rüppel gab, sagte mir selbst, er finde sich in seine Rolle nicht, und er fand sie auch nicht. Jetzt glaub ich, hat der Gabillon die Rolle gewünscht und er hätte sie gewiß auch gut gegeben etc. etc. Übrigens ist der Bischof auch ein Hindernis, die Leut' wollen keine Predigt hören und doch kann man den Bischof nicht ändern etc. etc. etc. (Gespr 1081)

Grillparzer zu Wilhelm von Wartenegg November 1860

Seitdem man mir bei »Weh dem, der lügt« so entgegengetreten ist, seitdem hab ich mir gedacht: Hol euch alle der Teufel, ich will nichts mehr mit euch zu tun haben. [...] Sie sind noch nicht mit allen Rücksichten bekannt, die man namentlich im Burgtheater nimmt. Erstlich durfte der Bischof gar kein Bischof sein. Man hat ein Wesen aus ihm gemacht, das die Leut für einen Meßner angesehen haben. Dann haben sie gesagt, der halt' eine Predigt im ersten Akt. Dann hat mirs der Adel sogar übel genommen, daß ein Koch die Edrita heiratet, die eine Grafenstochter ist. Endlich, was die Schauspieler betrifft, so hab ich von der Edrita hauptsächlich deshalb von der Aufführung viel erwartet, weil ich sie der Peche zugedacht hab, für die die Rolle besonders gepaßt hätte. Nun war damals ihr Bruder krank, und der war nicht in Wien; es ist eine Verstellung zugrunde gelegen[8]. Die Regisseure, die kommen zu mir und sagen, auf die Peche ist nicht zu rechnen, sie phantasiert immer nur von ihrem Bruder und kann die Rolle jetzt gar nicht studieren. Am Ende kommt es an dem festgesetzten Tage gar nicht zur Aufführung. Die Rettich aber hat große Lust auf diese Rolle gehabt, und da hab ich mich zuletzt entschließen müssen, ihr die Rolle zu überlassen. Die Rettich ist eine große Künstlerin, aber diese Rolle hat sie elend gegeben. [Auf Warteneggs Einwand hin, Leon hätte

8 Grillparzer hatte die Rolle der Edrita für die Halbfranzösin Therese Peche vorgesehen; mit Hilfe von Intrigen übernahm die Tragödin Julie Rettich diese Rolle.

eher dem Schauspieler Fichtner gebührt:] Er war damals nicht so gut, wie er jetzt ist. – Der Löwe war mir viel lieber. Ich habe dem Löwe den Leon gegeben, dem Fichtner den Atalus, und er hat ihn sehr schlecht gespielt. Der Lucas bekam den Tölpel und der Lucas war sehr aufrichtig. Nach längerer Zeit kommt er zu mir und sagt: »Ich kann die Rolle nicht finden.« – Es war in meinem Bureau. Da die Zeit gedrängt hat, so mach ich ihm selber die Rolle klar, hab ihms gezeigt, wie er spielen soll, wie er alle Laute auszustoßen, wie er sich zu benehmen hat; als es aber endlich zur Aufführung kommt, hat er seine Rolle vollständig vergriffen. [...] Wohl, hören Sie nur, wie es gegangen ist: Wie er auf der Bühne erscheint und einen Laut auszustoßen hat, bringt er einen Ton hervor wie ein steirischer Trottel mit einem großen Kropf an der Seite, wie ein rechter Kretin. Das Publikum lacht darüber, und der Lucas glaubt, jetzt hat er das Richtige g'funden. Er arbeitet daher so fort, und auch – zum Mißlingen des Stückes. [...] Was mich am meisten kränkt, daß nach allen meinen Bemühungen, gerade für Wien, das Wiener Publikum eben sich in einer solchen Weise gegen mich benommen hat – am ärgsten in den Logen. [...] Darum aber hab ich mir auch vorgenommen, ich will nichts mehr mit euch zu tun haben; mit Deutschland schon lange nicht, und wenn man mir in Wien so entgegenkommt, auch mit Wien nicht. Es soll sie alle der Teufel holen.

(HKA I, 20, 234 ff)

Ludwig August Frankl berichtet nach dem 15. Januar 1861

Ich wagte die Ansicht auszusprechen, wie es auffallend sei, daß der Bischof mit der herrlichen, gegen die Lüge gerichteten Rede auftrete, ohne daß dies motiviert sei. Wie anders aber, wenn Atalus nicht, wie es im Stücke dargestellt ist, der Neffe, sondern der Sohn des katholischen, an den Zölibat gebundenen Bischofs wäre. Als solcher muß er all sein Lebelang den leiblichen Sohn, an dem er mit aller Zärtlichkeit hängt, verleugnen. Er ist zu fortgesetzter Lüge gezwungen, und nun begriffe sich die Zornrede, mit der er auftritt. Grillparzer erwiderte: »Die Quelle, der ich den Stoff entnommen habe, spricht ausdrücklich nur von einem Neffen des Bischofs. Sie haben aber den Sohn richtig herausempfunden. Die Handlung wird dadurch wahrer und dichterischer. Es lag auch in meiner ursprüng-

lichen Absicht[9], die Handlung so zu führen. Aber kennen Sie nicht unsere Zensur, die in Schillers ›Kabale und Liebe‹ den Vater in einen Oheim, den Präsidenten in einen Vizedom verwandelt hat.«
(Gespr 1103)

Auguste von Littrow-Bischoff berichtet Mai 1865
Er hielt gerade das Stück, mit welchem er keinen Erfolg gehabt (eben sein Lustspiel), für eines der besten und so lange sein Urteil sich darin nicht ohne sein Zutun ändere, so lange er bei Durchlesung des mißliebigen Stückes nicht dahin komme, die Richtigkeit jener öffentlichen Urteile einzusehen, so lange könne er nicht hoffen, etwas zu schaffen, das einer ihm unverständlich gebliebenen Kritik entspräche.« (HKA I, 20, 237 f)

Grillparzer zu Ludwig August Frankl 7. März 1871
Ich protestiere entschieden gegen »Weh dem der lügt!« [10] Es muß der Mann als *Bischof* auftreten, dann hat das Ganze einen Sinn. Es muß von einem katholischen Nimbus umgeben sein und einen Bischof lassen sie nicht auftreten. Sie sollten eigentlich froh sein, wenn ein solcher einmal als honetter, ehrenwerter Charakter auftritt. (Gespr 1278)

9 Nicht sicher, ob Grillparzers Antwort richtig wiedergegeben wurde; eine entsprechende Absicht geht aus Entwürfen und Plänen nirgends hervor.
10 Grillparzer wendet sich gegen eine Neuinszenierung unter den gegebenen Umständen.

Hannibal
Fragment[1]
Entstanden 1822
Erstdruck 1838
Uraufführung am 21. Februar 1869 in Wien

Anonymer Bericht nach dem 10. Februar 1844

Auf meine Frage, ob das Trauerspiel »Hannibal«, von welchem ich im Witthauerschen Album für die Pesther Überschwemmten[2] ein herrliches Bruchstück, eine Unterredung des Carthagers mit Scipio gelesen, vollendet sei, antwortete er mit der aufrichtigsten Naivität, daß von dem ganzen Stücke keine Silbe mehr geschrieben sei, als dieses Fragment enthalte. Ja, ich glaube sogar: er gestand mir, es sei eigens geschrieben worden, um auch etwas zu dem wohltätigen Unternehmen beisteuern zu können. (Gespr 813)

Grillparzer zu Auguste von Littrow-Bischoff Januar 1869

Ich hatte wohl später einmal die Idee, einen Hannibal zu schreiben – aber Sie wissen ja, ich war ein fauler Mensch, ich kam nicht dazu. Jedenfalls wäre der Held darin auch zugleich der tragische Charakter geworden und nicht das Hauptgewicht der Persönlichkeit auf Scipio gefallen, wie in diesem Fragmente, während doch Hannibal das tragische Interesse für sich hat, und in der Tragödie haben müßte. [...] Der Beisatz auf dem Titel [Szene aus einem unvollendeten Trauerspiele] ist, wie ich schon sagte, eine reine Erfindung des Herausgebers, um die ich mich nicht kümmerte, um so weniger, als ich nie gedacht hätte, daß man darauf verfallen könne, dieses hingeworfene – ich möchte fast sagen Gespräch – aufführen zu wollen. Es ist gerade das Gegenteil von der Esther – das ist ein Bruchstück aus einem Drama, welches bestand, freilich nur in meinem armen Kopfe – und dessen Idee und Ausführung mir vorgeschwebt. Hannibal aber ist eine selbständige Szene, die ich hin-

1 Das Manuskript bricht nach V. 182 ab.
2 Grillparzer gab das Fragment als Beitrag für ein »Album«, dessen Erlös den durch Hochwasser der Donau Geschädigten in Budapest zugute kam.

schrieb ohne Überlegung, ohne Vorbedacht auf Nachfolgendes, ohne Zusammenhang mit Vorhergehendem, wie sie sich mir eben gestaltete, da ich einmal den Livius wieder durchging; und ich meine, man merkt ihr das auch an. (Gespr 1217)

Grillparzer zu Robert Zimmermann 15. Januar 1869
Ich habe niemals ein Trauerspiel: Hannibal und Scipio, geschrieben, auch in dem Sinne, wie die Szene vorliegt, nie eins schreiben wollen. Nie hätte mir einfallen können, ein Stück zu schreiben, in dem Hannibal Unrecht hätte, der in der Szene von Scipio wie ein Schulbube heruntergemacht wird. Die Szene, wie sie vorliegt, ist zufällig bei der Lesung der Stelle im Plutarch entstanden, sie ist eigentlich nichts weiter als das dramatisierte Kolloquium, wie es dort vorkommt! Nein! Hannibal hätte niemals Unrecht haben dürfen! Er ist ja der einzige wirkliche Held, nur viel, viel größer als Scipio und jeder andere Römer! Hier der Einzige, nichts vor ihm, nichts nach ihm, und dort eine endlose Reihe, die sich immer wieder ablöst. (Gespr 1218)

Grillparzer zu Ludwig August Frankl 1869
Als ich den Stoff im Tacitus – er [...] verbesserte sich, auf sein sehr geschwächtes Gedächtnis anspielend – im Plutarch las, schrieb ich die Szene als Studie. Ich dachte weder früher noch später an die Komposition eines Trauerspieles zu gehen, in welcher Hannibal, der in der betreffenden Szene wie ein Schulbub abgekanzelt wird, Unrecht behielte. Ich muß doch wohl sagen, die Szene ist gut. Hannibal ist doch größer als Scipio, trotzdem dieser siegt. Er ist der Napoleon seiner Zeit. (Gespr 1220)

Libussa

Entstanden 1822–1847/48

Erstdruck Stuttgart 1872 (Vorabdruck des I. Aufzuges in Wien, 1841)

Uraufführung am 21. Januar 1874 am Wiener Hofburgtheater

Tagebuch — Januar/Februar 1822

Über den 5ten Akt der Libussa bin ich noch nicht einig. Primislaus ordnet und schlichtet. Libussens Zeit ist vorbei. Ihre begeisterte Weisheit (der Gegensatz von ihres Gatten Verstande) wird bloß in Anspruch genommen, um verwickelte Fälle zu schlichten, Schätze zu entdecken. Sie will keinen Gebrauch mehr von ihrer Ahnungsgabe machen. Der allgemeine Volkswille, der Wille ihres Gatten nötigt sie, noch einmal, zum letztenmale. Weissagend von einem kommenden ehernen Zeitalter, schaudernd vor dem was sie sieht, erliegt ihre gebrochene Natur, sie stirbt. (Tgb 981. W IV, 364 f)

Tagebuch — Anfang März 1822

Die böhmische Libussa als Stoff für ein dramatisches Gedicht. Libussa, Frauenherrschaft des Gefühls und der Begeisterung (Wlasta, Jungfernkrieg) goldenes Zeitalter. – Die Böhmen wollen aber bestimmte Rechte und Grenzen des Eigentums. – Primislaus, Festigkeit, Ausdauer, ordnender Verstand. – Von den Böhmen gedrängt, sich einen Gatten zu wählen, verwirft sie die rohe Stärke des Eberbezwingers Biwog; die Mut- und Energie-lose Weisheit des Lapak, die Reichtümer des Domaslaw. Spottend frägt sie schon: was denn die Herrschaft des Mannes über die Frau rechtfertigt? Da besiegt sie die *Festigkeit* des Primislaus. Gleichsam um sich über sie lustig zu machen, befiehlt sie den Landesherrn, ihrem Leibroß zu folgen und den als ihren Gemahl heimzubringen, den sie auf einem eisernen Tische sein Mittagsbrot essend finden würden. Gezwungen ihr Wort zu halten, legt sie dem Primislaus verschiedene Proben auf, die er freiwillig übernimmt und alle besteht. Nun empört sie ihn durch Hohn und er gibt freiwillig ihre Hand auf. Die Stände, dadurch entrüstet, wählen ihn zum Herzog. Nun bietet er Libussen die Hand, die sie gleichfalls ausschlägt. Er entfernt nun die Aufrührer und nun ohne wechselseitige Gewalt geben sie sich die Hände. (Tgb 1035. W IV, 368)

Das Pferd der Libussa, das in der Folge den künftigen Herzog den Abgeordneten anzeigt, könnte ihr ja früher einmal von Primislaus gegeben worden sein; unerkannt auf der Jagd, in irgend einer Fährlichkeit, so daß es also, zum Schiedsrichter in jener wichtigen Sache gemacht, eigentlich nur den Weg zu seinem alten Herrn zurücklegt, wenn es die Gesandten zum Primislaus führt[1].

Halb im Spott, halb in undeutlicher Erinnerung des Jünglings, der ihr das Pferd einst anbot und der ihr doch noch der erträglichste unter den Männern schien, die mit ihrer plumpen Habsucht sie umringen und drängen, soll sie dem Pferde die Zügel lassen und die Landherrn anweisen dessen Leitung zu folgen.

Kascha und Tetka ganz in ihr Wissen vertieft, und ohne Lust etwas davon ins Leben treten zu lassen. Libussa weniger abstrus, lebhafter und zum Wirken geneigt. Die beiden ältern Schwestern schlagen die ihnen zuerst angebotene Krone aus und warnen die Jüngere, als sie Lust dazu bezeigt. Libussa nimmt sie an.

Ein Zug von empörender dumpfer Roheit geht durch die ganze ältere böhmische Geschichte. Keine Spur von Heldensinn.
Die höhere Geistesbeweglichkeit der Weiber gibt ihnen ein entscheidendes Übergewicht. Immerwährender Konflikt zwischen den Bergbauern und Ackerleuten. Der oft wiederkehrende Mangel an Lebensbedarf, den diese Spaltung hervorbringt, verlängert die Barbarei bis in späte Zeiten hinaus.

Der frühe Bergbau brachte sie wohl auf die Idee von finstern, unterirdischen, unholden Gewalten.

Soll nicht Libussa unter andern auch dadurch das Volk unwillig machen, daß sie die Kultur der lachenden, heitern, Himmel-überspannten Erdfläche begünstigt [am Rand: NB] gegen den trüben Gewinn der düstern Bergschacht[e]?
Das Volk will Abteilung der Grenzen, genaue Abwägung des neidischen Rechtes; Libussa wohlwollendes Genügen und Gönnen, Leben in Freude und Erhebung. Darum verlangt jenes einen männlichen Gebieter. (HKA I, 20, 371 f)

1 später gestrichen.

Der starke Biwog, der kluge, hinkende Lapak, der reiche Domaslaw. Soll sie nicht ihre Ahnungen über den Wersch (Stammvater der Werschowczen) äußern und Primislaus sie zurückweisen, als einer, der nicht nach dunkeln Gefühlen, sondern nach Überzeugungen handeln will? – Ferner, daß etwa einer mit dem Tode zu bestrafen ist, wovor Libussa zurückschaudert, aber von ihrem Gemahle auf die Notwendigkeit verwiesen wird. – Es wird Gold gebracht, die Beute des Bergbaus. Libussa verwünscht das Metall und den Bergbau. Primislaus empfängt das Gold und lobt die Geber. – Soll er nicht auch seinen Untertanen etwas sagen, was er selbst nicht für wahr hält? z. B. Tut recht und wirkt mit Fleiß, dann wird Überfluß eure Felder segnen und alles Guten Fülle mit euch sein! Libussa fragt ihn, ob er an die Zusage selbst glaube, die er dem Volke getan? Er muß selbst gestehen nein!

Primislaus hat das mittlere Kleinod aus ihrem Gürtel genommen, und, die beiden Stücke der goldenen Kette zusammengefügt, ihr den Schmuck als Halsband umgehängt.

Die Schwestern wollen mittelst ihrer Gürtel um die Krone losen. Libussa hat keinen Gürtel, nur ein Halsband. *Schwestern.* Weh, weh! Verletzt das Zeichen jungfräulicher Zucht! *Libussa.* Was soll das Zeichen, wenn die Sache da? Ich will denn gar nicht losen. Gebt mir die Krone, ich nehme sie! (Die Schwestern wollten nämlich losen, wer die Krone nehmen *müsse,* dem Andenken ihres Vaters zu Ehren, da keine sie eigentlich nehmen *wollte.)*

5 Akt. Libussa am Spinnrocken. Wlasta mit bewaffneten Jungfrauen dazu. Sie spotten ihrer. Entfernen sich, frei zu sein und zu bleiben.

Primislaw. Er bittet sie der Legung des Grundsteines der Stadt Prag beizuwohnen. Libussa gebrochen. Sie versichert, daß der Geist der Weissagung von ihr gewichen. Es schaudert ihr mit den überirdischen Mächten Gemeinschaft zu haben. Endlich folgt sie.

Freie Gegend, die Anfänge der Stadt Prag. Das Volk und Wlastas Mägde in Streit, es kommt zu den Waffen. Primislaus Libussa. Libussa treibt die Mägde zu Paaren. Diese entfernen sich. Das Volk begehrt von Libussa das künftige Schicksal der neuen Stadt vorherzusagen. Sie weigert sich. Primislaw besteht darauf. Sie tritt zum Opferaltar. (HKA I, 20, 382 f)

Tagebuch Anfang Februar 1826

Wieder etwas zu schreiben. Ja! Aber was? Libussa? Das Ganze läuft Gefahr aus dem Kreise der menschlichen Gefühle hinaus in das Reich der bloßen Ideen zu spielen. Dann ist wohl das Bild, in dem sich die Hauptidee abspiegeln soll, der Idee selbst würdig? Das weibliche Geschlecht tut es dem männlichen in allem gleich, wenigstens in einzelnen Fällen. Wissen und Verstand, Mut und Entschlossenheit, alle diese Gaben besitzt, in seinen Erlesenen, auch das sogenannte schwächere Geschlecht, alle diese Gaben besitzt auch Libussa, Primislaus steht ihr sogar in mancher davon nach. Nur in einem überwindet er sie: in der Ausdauer, der Beharrlichkeit auf seinem Entschlusse. Es war die Idee, dieser Beharrlichkeit ein äußeres Gegenbild zu geben. Libussa, im Walde verirrt und von den Fluten eines Bergstromes fortgerissen, wird von Primislaus gerettet, oder vielmehr er hilft ihr die Gefahr bestehen, denn die letztere ist durchaus nicht so ernsthaft gemeint, daß ohne seinen Beistand, Libussens Lage hilflos gewesen wäre. Er begehrt, oder sie gibt ihm selbst ein Zeichen als Andenken des geleisteten Dienstes, mit der Erklärung, daß im Falle des Bedarfs, durch Vorzeigung dieser Gabe, Gunst und Hilfe ihm nicht entstehen werde. Primislaus in der Folge dazu aufgefordert, getrieben, selbst mit dem Tode bedroht, verschmäht es sich darauf zu berufen, da er aus Libussens herrischem Benehmen schließen muß, daß ihre Hand ihn nicht zum Herzog, sondern zu der Herzogin Gatten und ersten Diener machen soll, Libussa muß ihn selbst bitten, das Zeichen ihr auszuliefern, da sie sich selbst gelobt, nur den zu wählen, der durch Darbringung desselben sich als denjenigen ausgewiesen, der in jener frühern Zeit im Walde einen, verleugneten aber dennoch unzweifelhaften Eindruck auf ihr Herz gemacht hat. Dieses Zeichen sollte nun irgend ein Kleinod sein. Alle aber, die ich auffinden konnte, gaben entweder zu gar keinen, dem Gange des Schauspieles notwendigen Zwischenfällen Anlaß, oder waren nicht äußerlich würdig genug, um als

Repräsentanten der geistigen Bedeutung gebraucht werden zu können. Ein Porträt! Trägt Libussa ihr eignes Bild bei sich? Dann droht hier Calderon mit tausend Ähnlichkeiten. Ein Ring! Was gibt es der Ringe so viele! Dann möchte ich mir nicht einen andern in petto befindlichen Stoff verderben, der sich um den Ring des Gyges dreht. Ein Halsgeschmeide, ein Gürtel. Das war ursprünglich gemeint. Aber nicht das ganze Geschmeide soll der Retter empfangen, sondern um den Verdacht, als locke ihn die Kostbarkeit desselben, zu vermeiden, wählt er nur das mittlere Kleinod, und stellt die reichen Ketten, die es halten, zurück. Diese Ketten nun gibt Libussa in der Folge, von ihren Freiern gedrängt, zweien der vornehmsten unter ihnen, indem sie ihnen, mit den schon irgend anderswo aufgezeichneten rätselhaften Worten, die Hinzufügung des Fehlenden zur Pflicht macht, wenn sie irgend ihre Hand ansprechen wollen. Primislaus findet die beiden über den Besitz der Goldspangen streitend. Er macht ihnen glauben, daß der Wille der Fürstin eigentlich nur auf den Besitz des abgetrennten Kleinods gehe, und verspricht es ihnen zu schaffen, nur bedingt er sich dafür den Besitz der Kette, als einer Nebensache. Der Tausch geschieht, und Libussa wird, was Primislaus wollte, dadurch auf ihn erinnert, und nun, da das Volk in seiner Forderung einen Gatten an ihrer Fürstin Seite zu sehen, immer ungestümer wird, beschließt Libussa jene geschichtliche Gesandtschaft abzusenden, denen sie als Führer jenes weiße Roß gibt, das ursprünglich Primislaus Eigentum, sie in jener Nacht aus dem Walde getragen, und von dem sie voraussetzt, daß es den Weg zu dem Gehöfte seines Herrn wieder finden werde. – Aber nun, welche kleinlichen Vorgänge mit dem Aus- und Einhäkeln der Kette, dem Ablösen des Kleinodes. Ich kann den Gedanken daran nicht ertragen. Im übrigen liegt die Idee des ganzen Stückes ziemlich deutlich vor mir, aber daran fehlt es noch. (Tgb 1412. W IV, 387 ff)

Tagebuch März 1826

Diesen Winter über beschäftigten mich nacheinander 3 Stoffe zu Trauerspielen.[2] Anfänglich Libussa. Hier konnte ich sogar den Plan

2 »Libussa«, »Des Meeres und der Liebe Wellen«, »Ein treuer Diener seines Herrn«.

nicht zur Genüge ausbilden. Die Verwicklung ward so spitz, so kaltwitzig, daß ich bald alle Lust verlor. (Tgb 1428. W IV, 395)

Tagebuch
17. Dezember 1831
Morgens versucht an der Libussa zu bosseln, aber ohne Erfolg, da das Ganze nicht interessiert und der ganze Plan schlecht ist. Bloßes Gedankenzeug, nicht einmal streng abgegrenzt, beinahe ohne Gefühls-, wenigstens ohne Leidenschafts-Motive. Ich schreibe daran fort in dem Bewußtsein daß dabei nichts herauskömmt, bloß um dem innern Krieg eine Diversion zu machen und die Vormittagsstunden zu töten, die mich töten würden wenn ich mich mir selbst überließe. (Tgb 1930. W IV, 475)

Tagebuch
19. Dezember 1831
Heute und gestern in der Libussa nicht fortfahren können. Das Ganze drückt gegen den Boden zu und müßte doch in der Luft gehalten werden. Nicht die Phantasie fehlt; das Herz ist tot; und das Gefühl ist die eine Hälfte der Phantasie, so wie auch der Verstand nur halb im Kopfe liegt und halb in der Brust.
(Tgb 1932. W IV, 476)

Notizen
20. Dezember 1831
Volk. Nicht Glück wollen wir; Recht, *Recht!*

In ihrer letzten Vision mag sie die Zeit voraussehen, wo der einzelne Ausgezeichnete sich nicht mehr geltend macht, sondern das Glück und die Gleichheit *aller* Zweck und Bestimmung des Ganzen ist. Die Götter werden zusammenschmelzen in *einen* Gott, und dieser Gott wieder sich ausdehnen und vereinzeln, bis so viel Götter als denkende Wesen sein werden. Da wird das Schöne mit dem Guten zusammenfallen und die Begeisterung mit dem kalten Nützlichen nicht mehr fremd sein, sondern von ihm ausgehend und ihr Feuer entlehnend von seiner Kälte [bricht ab]

In dem Ganzen der Streit über den Vorrang der Männer vor den Weibern in den Vorgrund gestellt, obgleich es sich eigentlich um den Widerstreit der Gefühls- und Verstandswelt, des goldenen Weltalters und der nüchternen Ordnung handelt.

Sie soll die Kette den beiden nicht geben als Stellung einer Bedingung von deren Lösung ihre Hand abhängt, sondern wie man ein Rätsel aufgibt, daß der andre es löse. Von dieser Seite stellt es auch Primislaus den beiden Nebenbuhlern dar, und in dem Kleinod gibt er ihnen die Lösung. Da sie aber dies Kleinod Libussen zurückbringen, ergreift diese die Wendung, daß die ganze Aufgabe nicht gelöst sei, weil die Kette fehlt. (HKA I, 20, 385 f)

Tagebuch 1. Juli 1834

Libussa. Bei den Ameisen sind die Arbeiterinnen allein ungeflügelt und suchen die Männchen zurückzuhalten, wenn diese sogleich nach ihrer Enthüllung den Haufen verlassen. Die Weibchen fliegen bald den Männchen nach, um sich zu begatten, kehren aber nach der Befruchtung zurück, und legen dann freiwillig die Flügel ab, indem sie sie stark ausbreiten, nach allen Richtungen strecken, und so lange drehen, bis sie abfallen, worauf sie in die Erde gehen: im Freien haben sie der Geschlechtslust gelebt; in stiller Zurückgezogenheit, den Arbeiterinnen gleich werdend, bringen sie dann die Frucht zur Reife. Ist ein Weibchen außerhalb des Baues geblieben, so wird es von den Arbeiterinnen genötigt, hereinzukommen, und dann sorgfältig bewacht, daß es nicht mehr entweichen kann. Ist es unbefruchtet geblieben, so behält es auch seine Flügel. Burdach, Physiologie II. B. p. 23. (Tgb 2140. W IV, 506 f)

Grillparzer zu Johannes Nordmann[3] Sommer 1848 [?]

Erstens habe ich nichts Fertiges auf dem Lager, um mich praktisch gemäß den modernen Anforderungen auszudrücken, und fände sich selbst etwas vor, was nur der letzten Feile bedürfte, so wäre ich wieder nicht gewillt und aufgelegt, damit vor das Publikum des heutigen Theaters zu treten. Ich passe nicht mehr für den Rahmen der jetzigen Zeit, und meine Stücke taugen schon gar nicht mehr für das neugeartete Theater. Das Publikum verlangt eine Kost, die ich ihm nicht zu bieten vermag. Man bleibe mir überhaupt mit den Leuten, die heute in das Theater gehen, vom Halse.

(HKA I, 20, 334 f)

3 Wiener Schriftsteller, der ihn nach fertigen Werken fragt.

Grillparzer in seinem Testament 7. Oktober 1848

Von den ungedruckten Schriften will ich jedoch, daß die beiden, dem Scheine nach vollendeten Trauerspiele: Kaiser Rudolf II und Libussa nicht gedruckt, sondern ohne Durchsicht vernichtet werden. Ich habe sie in den Zeiten des härtesten Geistesdruckes, in langen Zwischenräumen, mehr um mich zu beschäftigen, als mit eigentlicher Hingebung und Begeisterung geschrieben. Sie sollten mir mehr den Gedankengang im allgemeinen feststellen, indes ich die Ausarbeitung auf bessere Zeiten verschob. Diese bessern Zeiten sind nicht gekommen und ich will nicht, daß mein Name durch derlei leblose und ungenügende Skizzen geschändet werde.

(W IV, 964)

Grillparzer zu Wilhelm von Wartenegg 1. März 1860

Ich hab in der Tat noch einiges geschrieben, doch bin ich nicht ganz damit zufrieden und mag es deshalb nicht aufführen lassen. Es ist mir gleich im Anfang etwas nicht nach Wunsch gegangen, und das schleicht sich durch das ganze Stück wie eine Sünde, und ich les es mit bösem Gewissen. Soll ich mich in meinen alten Tagen noch einer chute auf dem Theater aussetzen? (HKA I, 20, 341)

Grillparzer zu Wilhelm von Wartenegg 7. September 1860

Glauben Sie, wenn ichs für gut hielt, würd ichs zurückhalten?[4] Das Vorspiel[5], [...] das ist auch das Beste dran. Das Vorspiel zur Libussa ist gut, ist vielleicht das Beste, was ich geschrieben hab, ist vortrefflich. Das verteidige ich. Überhaupt würde ich Libussa am ehesten aufführen lassen, wenn wir eine Schauspielerin hätten, wie ich sie dafür und auch für meine frühern Stücke verlange ... Aber wie soll ichs auf einen zweifelhaften Erfolg wagen? Mein Ziel liegt hinter mir. (HKA I, 20, 341 f)

Josephine Freiin von Knorr berichtet 8. Mai 1863

Von seinen eigenen Werken sagte er [...] »Libussa« sei vollendet, werde nach seinem Tode wohl gedruckt und aufgeführt werden, allein er sei damit nicht zufrieden. (Gespr 1125)

4 über zurückgehaltene Werke.
5 zur »Libussa«.

Heinrich Laube berichtet — Anfang der Sechziger Jahre

In viel früherer Zeit schon, etwa zu Anfang der Sechzigerjahre, hatte er mir das ganz vollendete Manuskript der »Libussa« gegeben, mit der ausdrücklichen Erlaubnis, es aufzuführen. Er knüpfte aber eine Bedingung daran, welche mich bei seinen Lebzeiten immer gelähmt hat. »Sie werden es nicht aufführen«, sagte er, »wenn Sie nicht des Erfolges sicher zu sein glauben. Selbst ein günstiger Erfolg hat für mich keinen besonderen Wert mehr, ein ungünstiger aber würde mich doch kränken.« (Gespr 11)

Ende März/Anfang April 1868

Grillparzer zu Ludwig August Frankl

Daß ich ein Narr wäre, bei der herrschenden Ungründlichkeit und Gemeinheit der Kritik, die mit Vorliebe sich und nicht das Werk zu zeigen bemüht ist und, was das Schlimmste ist, nicht selten geistreich frech schreibt! Nach meinem Tode können Sie geben, was Sie von mir vorfinden werden. Ich will mir nicht die Ruhe stören lassen. Gefiele die »Libussa«, würde es mich kaum mehr freuen; mißfiele sie, würde es mich sehr schmerzen. Wen Gewinn nicht freut und Verlust schmerzt, der darf nicht spielen. Nach meinem Tode meinetwegen! Ich kenne die Fehler an der Sache zu gut, kann sie aber nicht mehr verbessern. (HKA I, 20, 347)

Notiz im Fremdenblatt — 10. Mai 1868

Lasset den alten Mann ruhig sterben, sagte er – ich lebe ja so nicht mehr lange, dann werdet ihr alles haben, was ich geschrieben, alles![6] (HKA I, 20, 347)

Emil Kuh berichtet — 8. Februar 1871

Nach seinen eigenen Worten hält er dieses Vorspiel und den ersten Akt der »Libussa« für das bedeutendste, was er geschrieben. »Im fünften Akt ist mir die Libussa nicht so geraten«, meinte der Dichtert, »der fünfte hätte so groß werden müssen wie der erste; ja selbst die Mittelakte sind mir durch eine dramatische Intrigue aus

6 Äußerung Grillparzers, als er gebeten wurde, »Libussa« aufführen zu lassen.

der tragischen Sphäre gerückt worden. Dies ist auch der Grund, wenigstens der stärkste unter meinen Gründen, welche mich veranlassen, meine Werke im Kasten zu behalten. Ich fühle die Verpflichtung zu ändern, zu verbessern und kann es zugleich nicht mehr. (Gespr 1148)

Ein Bruderzwist in Habsburg
Entstanden 1824–1848
Erstdruck Wien 1872
Uraufführung am 24. September 1872 am Wiener Stadttheater

Notitzen 1824/1825

Ein dunkles Gewühl von Bildern und Gedanken, die auf einen Kaiser Rudolf II hinweisen.

Rudolf, Mathias, Ferdinand.
Ahnungsvolle Unschlüssigkeit – Leichtsinnige [später: eitle] Zuversicht – Verhärtung und Entschluß.

Rudolf von sich und Mathias: Wir beide haben von unserm Vater keine Tatkraft geerbt, aber ich *weiß* es, und *er* weiß es *nicht.* [Am Rand:] I [Akt].

Rudolf manche Züge der Unschlüssigkeit, des Mißtrauens und der Despotie von N N [= Kaiser Franz], Mathias eine Gattung E[rz]-h[erzog] J[ohann].

Rudolf, der stille, blöde, langsame, verschlossene schon in seiner Jugend seinem Bruder Mathias nachgesetzt, dessen unzusammenhängende Anlagen mehr in die Augen Fallendes haben, aber keine Richtung und keinen Brennpunkt. Maximilian der Vater nicht ohne gewisses josephinisches Jucken, das auch zum Teil in Mathias steckt, daher sich zu diesem hinneigend.
Ursprung der frühen Abneigung Rudolfs gegen diesen Bruder.

(Wie wenn Rudolf das Unheil der kommenden Zeiten vorausgesehen, und die Unmöglichkeit gefühlt hätte, ihnen vorzubeugen [am Rand senkrecht angestrichen]. Für die Tragödie ein grandioses

Motiv seiner Untätigkeit. »Mein Vorfahr, der große Karl hats nicht gekonnt; ich kann es auch nicht!« Karls Zurückziehen nach St. Just schwebt ihm, als ein nachahmenswertes Ziel vor Augen. Aber er hat keine Kinder, *will* keine haben; *will* keine zurücklassen für die kommende, furchtbare Zeit. Seine übrigen Verwandten aber achtet er nicht, Mathias ist ihm verhaßt, vor dem Gräzer hat er ein unheimliches Grauen).

(Soll ihm nicht auch Philipp II Härte in den Niederlanden, und der Widerstand der Niederländer ein abschreckendes Beispiel sein?) [Am Rand:] I [Akt.]

Könnte nicht Ferdinand (nachher als Kaiser der II) um den Einbruch der Passauer gewußt, ihn wohl gar heimlich gebilligt und zum Teil veranlaßt haben, da er denn doch eigentlich gegen die Protestanten gemünzt war? [später:] Nein.

Er sieht in Don Cäsar das Bild seiner wildbewegten, das Höchste antastenden, frevelhaften Zeit. Dies ist das Band, das jene Episode in das Ganze verflicht. I [Akt.]

Das Stück könnte allenfalls mit einigen Szenen aus dem wilden Leben dieses letztern beginnen. In der Nacht vor den Fenstern seiner Geliebten. Hierauf Verwandlung, im Vorsaale des Kaisers, wo Mathias unter den Höflingen, eine Audienz bei seinem Bruder zu erhalten wünscht, die ihm verweigert wird. Clesel könnte in seiner Begleitung sein. Mathias demütigt sich, tut jene An[ge]bote zu Verzichtleistung, deren die Geschichte erwähnt; alles umsonst. Man hat dem Kaiser irgend ein Kunstwerk hingestellt, vor das er sich nach seinem Auftreten betrachtend hinsetzt und ohne zu sprechen, und mit dem Ohre an dem Teil nimmt, was seine Umgebungen, über die Zeitverhältnisse sprechend, ihm indirekt wissen lassen. Don Cäsar, der verwöhnte Liebling, stürmt herein. Nun erst spricht der Kaiser, dem Wilden bittere Vorwürfe machend. Anspielung auf Tycho Brahes Voraussagung, daß dem Kaiser von seinen nächsten Verwandten Unglück drohe. In Cäsar erfüllt. Tycho Brahe habe in den Sternen gelesen. Er, der Kaiser, habe diese Kunst nie begriffen. Oft habe er sichs erklären lassen, tage-, jahrelang darüber studiert; er müsse glauben, ihm fehle der Sinn dazu.

Wahr aber sei die Kunst, der Erfolg habe es ihm tausendmal bewiesen.

Den zweiten Akt könnte ein Gemälde der damaligen Zeit und der Art mit den Türken Krieg zu führen beginnen. Er spielt im Feldlager Mathias in Ungarn. Völker die vom Plündern zurückkommen. Wallonen die den Deutschen ihren Raub wieder abjagen. Soldaten, die sich wegen Sold empören. Protestantische und katholische Hauptleute, die, da sie des andern Hilfe bedürfen, einig sind, mit einander zechen [am Rand: *NB NB*] u.s.w. Der Erzherzog hat gegen den Willen des Kaisers Frieden mit den Türken geschlossen. Sogleich fangen die Protestanten an von ihrer Religionsfreiheit zu sprechen, die protestantischen Magnaten und Landherrn in Östreich werden ungestüm. Klesel rät nachzugeben, man müsse sie gegen den Kaiser benützen. Rat der Erzherzoge. (HKA I, 21, 106 ff)

Notizen Mitte 1824

Rudolf II scheint besonders streng bei Vergehungen gewesen zu sein, die aus Liebesverhältnissen herrührten. Die Hinrichtung des Feldmarschalls Roswurm, so wie seines eigenen natürlichen Sohnes.

Soll nicht dieser Rudolf in der Theorie alles erkennen und in der Praxis alles verfehlen?

Könnte die Hartnäckigkeit womit Rudolf, gegen die Meinung der Prinzen seines Hauses, auf der Fortsetzung des Krieges gegen die Türken nicht den doppelten guten Grund gehabt haben: erstens den unruhigen Köpfen und erhitzten Gemütern in Deutschland und in seinen Erblanden durch jenen Krieg ein sfogo zu geben, und zweitens im Falle des Losbrechens der besorglichen Religions- und Partei-Kämpfe sogleich ein versuchtes und gerüstetes Heer an der Hand zu haben, das ihm noch dazu bis zum Ausbruch jener einheimischen Gefahr noch dazu seine Gegner in Deutschland aus Furcht vor den Türken großenteils selbst erhielten.
Der Erfolg hätte dieses Räsonnement wenigstens bestätigt. Kaum hatte Mathias, gegen des Kaisers Willen, den Frieden mit den Türken geschlossen, so brachen die Intrigen in dem eignen Hause, so brachen die Religionsunruhen im Reiche mit einemmale los.

(HKA I, 21, 128 ff)

Notiz März/April 1825

Rudolf II: I Akt müßte entweder mit Unbesonnenheiten Don Cäsars vor den Fenstern seiner Geliebten, oder mit der Hinrichtung des FeldMarschalls Rusworm wegen Ermordung des Grafen Belgiojoso, anfangen.

Das Letztere angenommen, wird Rosworm eben zum Tode geführt als Don Cäsar sein Freund und Spießgeselle mit einem Trupp junger Leute herumschwärmend, auf den Zug stößt und den Verbrecher zu befreien sucht.

Die Szene verwandelt sich dann in den Saal des Kaisers wo unter Höflingen Erzherzog Mathias steht und der Gnade harrt, bei dem Kaiser vorgelassen zu werden. Übermut mit dem er von den Höflingen, besonders von des Kaisers Kämmerer behandelt wird. Rudolf verweigert ihm die Audienz. Er erlaubt ihm jedoch zum Heere nach Ungarn abzugehen, gibt ihm sogar das Kommando der Truppen in Niederungarn, wobei er aber so an den Rat und die Beistimmung des Grafen Mansfeld in allen Unternehmungen gebunden wird, daß er im Grunde nichts als den Namen zu führen, jener aber wirklich den Befehl hat. Er geht, demütig und zufrieden.

Don Cäsar ist eingetreten, vorlaut und lärmend; das verzogene Kind. Er schweigt jedoch und zieht sich zurück, gleich den übrigen, da der Kaiser erscheint.

Dieser tritt auf düster und in sich gekehrt. Ohne ein Wort zu sprechen, setzt er sich an den Tisch auf dem der kleine bronzene Merkur des Johann von Bologna [?] steht, in dessen Betrachtung er vertieft scheint, indes der oberste Kämmerer den Rapport abstattet. Als ihm der Dank des Erzherzogs Mathias gemeldet wird, lächelt er höhnisch, spricht aber kein Wort. Als die Reihe auf die Exekution Rusworms kommt, ruft Don Cäsar aus: er war ein tapfrer Mann! Der Kaiser vor sich hin: ein tapfrer Mann, allein ein böser Mensch! Wer sprach? *Cäsar.* Ich! *Kaiser.* Schweigt bis man euch reden heißt. Ging alles ruhig hin? Der Kämmerer stockt. Da tritt Cäsar vor und erzählt selbst was er gewagt. Der Kaiser, höchst erzürnt, fährt ihn mit harten Worten an, nennt ihn einen Spießgesellen des Verbrechers, erwähnt seines sträflichen Liebesverhältnisses und bedroht ihn bei gleichen Vergehen mit gleicher Strafe, da Cäsar nicht schweigt, heißt er ihn den Degen ab [geben und] gehen, und wäh-

rend Cäsar laut und übermütig seine Verteidigung führt, tritt Erzherzog Ferdinand, durch den Lärm herbeigeführt, für den Kaiser besorgt auf. Cäsar wird fortgebracht.
Nun öffnet sich der Kaiser. In diesem Cäsar sieht er das Bild seiner eignen Zeit. Übermütig, tolldreist, frech mit dem Heiligsten spielend. Ohne Sinn für Lehre und Kunst. Des Kaisers Abscheu gegen Untersuchung in Religionssachen. Darum ist ja die Religion heilig und göttlich weil sie über dem Menschen und seiner Forschung liegt. Wo zu forschen erlaubt sei, in Kunst und Wissenschaft, geschehe nichts. Seine Empfindlichkeit, daß die Protestanten den neuen Kalender anzunehmen verweigern. Daß die Parteien nur den Augenblick erwarten, um loszubrechen. Daher sei der Türkenkrieg gut, deshalb wolle er keinen Frieden. [Am Rand: III Akt.] Er kommt auf Mathias. Seine Verachtung desselben. Er spricht von seiner Eitelkeit, seinem Tatendurst ohne Tatkraft. Wie ihm unerträglich sei, ihn als seinen Nachfolger zu wissen. Warum er selbst nie geheuratet. Tycho Brahe. Dessen Weissagung. Glaube an die Astrologie, obgleich er selbst, trotz aller Mühe, nie sie erlernen können. In Don Cäsar werde jener Ausspruch wahr: daß ihm von seinen nächsten Verwandten Unglück drohe. Zwar *Brüder* seien auch Verwandte und – *Neffen* auch. Jetzt zieht er sich von Ferdinanden zurück und entläßt ihn.
Sobald er allein ist, wendet er sich zur Statue auf dem Tische und spricht die Glückseligkeit des Lebens nach Innen aus. Da er am wärmsten geworden, ertönt die Betglocke, sich selbst tadelnd über seine Begeisterung vor der Bildsäule des heidnischen Gottes, rückt er ihn von sich, faltet er die Mütze zwischen den Händen und steht betend da. Der Vorhang fällt. (HKA I, 21, 135)

Notizen 1825/1826
Wie wenn Rudolf ungefähr so schlösse: Als Gott die Menschen schuf rein und im Geiste lebend, da schwebte sein Geist über ihnen und sie lebten durch ihn, in ihm; durch den Abfall aber bekam der Körper die Oberhand und der wird durch Körperliches bestimmt Von da an gewannen die Gefühle Einfluß auf die Menschen.

Wie wenn Rudolf in jener Szene mit Ernst von Braunschweig (3 Akt) heiter, gutmütig, still, in grellem Gegensatze mit dem 1ten

Akte wäre, gleich aber jenes mißtrauische, halb tiberische Betragen annähme, sobald der ihm unbekannte Prokop (Lukrezias Vater) ihn antritt. (HKA I, 21, 136 f)

Tagebuch 24. August 1826

Diese Stadt [Prag] bringt mir, außer einem wirklich ausgeführten (Ottokar) auch noch 2 entworfene Trauerspiele ins Gedächtnis. Drahomira und Rudolf II. Von ersterem, besonders dem H. Wenzel ist namentlich die Domkirche übervoll [...] Hingegen kaum eine Spur von Rudolf II zu finden, und doch muß er für Prag so viel getan haben! Das königliche Schloß trägt seines Bruders Mathias Namen an der Stirne. Hat es denn nicht schon Rudolf bewohnt? Der stille Kaiser Rudolf! (Tgb 1494. W IV, 409)

Notizen April 1827

Rudolf fühlt sich schon durch sein Amt als römischer Kaiser, zur Beschützung der römischen Kirche aufgefordert. [...]

Am Schluß des III Aktes soll der Kaiser endlich *handeln* und dadurch sich noch tiefer ins Unglück stürzen. Hier mag Ehg Leopold vorkommen.

(III) Er will Leopolden wenigstens die Nachfolge in Böhmen und die Kaiserwürde sichern. Dazu die Passauer.

Im III Akt (mit Herzog von Braunschweig oder Mettich) soll Rudolf erst im Besonderen von der Ursache seines Betragens sprechen. Warum er untätig sei. Sisyphus. – Was er gegen die protestantische Religion habe. Der Zweifelgeist werde nicht stehen bleiben (Bauernaufstand). – Was gegen den Frieden mit den Türken. (HKA I, 21, 141)

Notizen Frühjahr 1827

Wenn Rudolf (IV Akt) am offenen Fenster steht, an dem er die Malediktion über Prag gesprochen, der untergehenden Sonne nachsieht, Vergleichungen zwischen ihr und sich macht – spricht er plötzlich: Wer faßt mich im Nacken an? – Niemand, gnädiger Herr – Noch einmal! – Niemand! Überzeugt euch selbst! – Nun, so bist du es Mahner, Mahner an ein baldiges Ende. Er heißt sie nicht traurig sein. Wie er auf seiner Überfahrt nach Spanien sehnsuchtsvoll der Küste entgegengeschaut. Prophezeiung künftiger Tage, wie man den *stillen* Kaiser Rudolf zurückwünschen werde. Er widerruft die Malediktion, er segnet Prag und Böhmen. Die Sonne ist ganz untergegangen. Sie blickt noch einmal empor. Rufst du mich? Ich komme, ich komme! – Er sinkt in den Stuhl. – Er stirbt! Er stirbt! – Noch nicht! Noch ist Lebensguts in seinem Herzen. Laßt ihn uns in sein Gemach bringen.

Unmittelbar vor dieser Szene die Abbitte der beiden Erzherzoge.

Vorher Szene im Garten. Man gibt ihm den Schlüssel des Badezimmers in dem Don Julio eingeschlossen. Er wirft ihn in den Brunnen. Er entfernt sich. Ein Ruf: Wer da? wird gehört, drauf ein Schuß, der Kaiser kommt erschreckt zurück. Hier spricht er kein Wort. Die Bürgerwache hat ihn angerufen und Alarmschuß getan. Rudolf will in sein Zimmer. Die Musik der anrückenden österreichischen Völker wird gehört.

Don Julio kann im 1 Akt vorkommen. Zum Schluß des 2t Aktes mag er Lukrezien rauben. Im 3 Akt kommt er nicht selbst vor; wohl aber Lukreziens Vater der über die Gewalttat beim Kaiser klagt, worauf dieser Julios Verhaftung befiehlt. Im 4 Akt wieder Julius selbst.

Sollte nicht Rudolf im Anfang seiner Regierung Wunsch und Hoffnung gehabt haben, die katholische Religion völlig in seinen Landen wieder herzustellen, bald aber die Unmöglichkeit bemerkend, nun mit Hinneigung zur Milde, gewissermaßen neutral, und nach seinem Charakter untätig bleiben.

Ferdinands dezidierter Reformationsgeist mag ihm eben so befremdlichen Schauder erregen, als der Protestantismus selbst, und Mathias endliche Begünstigung desselben, bloß des äußern Vorteils wegen.

Soll nicht Rudolf (III [Akt]) mit höchster Indignation von Philipp III Abhängigkeit von seinen Ministern sprechen, mit Verstand und Einsicht, und sich unmittelbar wieder selbst von den seinigen noch abhängigen beherrschen lassen. [...]

Er soll in diesen Szenen die allerweisesten Urteile über Spaniens Lage und die Mittel der Verbesserung vorbringen, und im nächsten Augenblick gerade das Gegenteil in seinen eignen Angelegenheiten tun.

Er glaubt anfangs nicht, daß Mathias, den er aufs äußerste verachtet, wagen werde, gegen ihn zu ziehen. Als er endlich davon sichere Nachricht erhält, regt sich in ihm alles zum Widerstand, er läßt sich seine Waffen bringen, und nach einigen Momenten der Entschlossenheit, fängt er an die vortreffliche Arbeit des Schildes und Panzers zu bewundern, erzürnt auf die Diener, die Flecken darauf kommen ließen, und endet damit, philosophische Betrachtungen über das Entsetzliche des Krieges anzustellen.

Hier im III Akt mag er sich auch über die Ursachen seiner Abneigung gegen einen Frieden mit den Türken aussprechen, aber nur gelegentlich, in abgebrochenen Äußerungen.

Hier soll auch zuerst und hervorspringend seine Zurückgezogenheit und Abschließung merkbar werden.

Audienz von Lukrezias Vater.

Mathias, falscher Enthusiasmus. Springt sogleich von seiner Meinung ab und nimmt die fremde an, die er sogleich mit gleichem Feuer verteidigt. Endigt damit, ganz so unschlüssig zu sein als Rudolf.

Clesel anfangs einschmeichelnd, speichelleckerisch, zuletzt bauernstolz.

Mathias bildet sich manchmal ein, freisinnig zu sein, wie sein Vater, ist aber mehr angewöhnungskatholisch als Rudolf.

Mathias und Clesel am meisten dadurch aufgereizt, daß Rudolf sie verachtet.

Rudolf soll in Religionssachen bloß aus Überzeugung handeln, wenigstens ohne Rücksicht auf äußern Vorteil; Mathias auf Anstiften Klesels (haereticis non est servanda fides) begünstigt die Protestanten, da er sie gegen seinen Bruder gebrauchen will, obwohl er von der Falschheit ihres Bekenntnisses viel blinder überzeugt ist als Rudolf, der nur mit einer dumpfen Scheu jede Prüfung vermeidet. (Als ob er fürchtete, in dem Protestantismus mehr Wahres zu finden, als ihm lieb wäre)

Soll (am Schluß des III Akts) Rudolf seinen Grundsätzen untreu werden, indem er die Passauer herbeiruft und den Protestanten den Majestätsbrief erteilt, und dadurch das erstemal seine Untätigkeit überwindend, sich selbst ins Verderben stürzen? oder soll dieser Einbruch ohne sein Wissen geschehen, und er von denen, die ihm helfen wollen, den letzten Schlag empfangen?

II Akt. Ferdinand ist auch bei der Versammlung der Erzherzoge zugegen. (Mathias. Maximilian. Ferdinand.) Er spricht anfangs für den Kaiser. Doch da ihm Klesel Schuld gibt, es mit Rudolf zu halten, weil er dessen Nachfolger zu werden hoffe [bricht ab]

Wie wenn Rudolf im 3t Akte zwar allerdings glaubte, daß ein, wenn gleich nicht bedeutendes, Heer mißvergnügter Protestanten gegen Prag rücke, das er leicht zu begütigen oder zu zerstreuen hofft, keineswegs aber sich überreden kann, daß Mathias gemeinschaftliche Sache mit ihnen gemacht, daß er an ihrer Spitze stehe. Ein Erzherzog von Österreich gegen den Chef seines Hauses? gegen sein Haus?

(HKA I, 21, 142 ff)

Notizen

Frühjahr/Sommer 1827

Rudolf ist gegen den Frieden mit den Türken

1. Weil die Furcht vor diesem äußern Feinde die Parteien in Deutschland von jedem Ausbruch abhielt.
2. Weil jeder Friedensschluß mit Opfern erkauft werden mußte, und Rudolf wohl wußte, daß ihn die Türken nicht halten würden; wie denn auch in der Folge wirklich geschah.
3. Weil durch den Frieden die Erzherzoge nur Muße zu Ausführung ihrer Plane gegen den Kaiser erhalten wollten.

Wenn Rudolf nach seinem Tode so sehr bedauert wurde, so lag dabei gewiß die Überzeugung zu Grunde, daß seiner Untätigkeit, wenn auch natürliche Trägheit daran vielen Anteil hatte, doch auch ein kluges Temporisieren zu Grunde lag.

Es kann keine Frage sein, daß ein *entschlossener*, talentreicher Mann in Rudolfs Lage wohl zweckdienlichere Mittel zu Ausgleichung der sich kreuzenden Interessen würde gefunden haben; einer von gewöhnlichen Anlagen aber, und der dieses Mangels an außerordentlichen Gaben sich *bewußt* war, konnte nicht viel anders und nicht viel *besser* sich behelfen.

Als der gleich beschränkte Mathias positiv zu Werke gehen wollte, brach auf der Stelle die Flamme von allen Seiten aus.

Hierüber äußert sich Rudolf in seinen Gesprächen mit Ferdinand (dem Gräzer) am Schluß des 1 Akts. Er bietet ihm die Nachfolge an. Ferdinand schlägt sie aus, weil sein Gewissen ihm verbiete, das Eigentum eines andern zu begehren. Er bittet den Kaiser, seinen Bruder Mathias gütiger zu behandeln. Da entschließt sich Rudolf, diesem das Kommando in Oberungarn anzuvertrauen. Aber er verhehlt nicht seine Besorgnisse vor Mathias mit Untüchtigkeit gepaarten ehrgeizig prickelndem Streben.

Soll Rudolf zu Anfang der Mißhelligkeiten mit seinem Bruder (III Akt) sich nicht weigern, Kriegsvolk zu sammeln, teils weil er Mathias verachtet, teils weil der Gedanke ihn empört, Krieg, Bürgerkrieg, Meinungskrieg, Bruderkrieg zu veranlassen. Es könnte ja angenommen werden, daß damals schon das Passauische Heer geworben war, und nur seinen Befehl erwartete in Böhmen einzubrechen, und ihn unabhängig zu machen. Man rät es ihm, die Protestanten erbieten sich zu Beistand (als *Böhmen* wenigstens, stolz auf die Ehre ihres Landes). Rudolf aber weist ihre Ratschläge zurück. Da kommt Mathias wirklich mit einem Heere und – Rudolf muß Ungarn und Östreich abtreten. Da könnte er nun wohl (am Schluß des III Aktes) den Einbruch der Passauer zugeben. [Am Rand:] (etwa einen Boten absenden, darauf bereuen, einen zweiten nachschicken um zu widerrufen. Dieser letzte aber von Rudolfs Umgebung aufgehalten) Und wie nun (IV Akt) der Strom hereinbricht und jedes Dammes spottet.

Heinrich von Thurn könnte wohl als der Wortführer der böhmischen Protestanten auftreten.

Soll nicht am Schluß des III Aktes die Audienz von Lukrezias Vater, die Bestrafung Cäsars, die er anordnete, seinen Geist wieder erheben und die Idee erwecken, daß er denn doch Kaiser ist. Da kommt denn EH. Leopold. Nun wird Rudolf übertäubt, er erlaubt, daß die Passauer an die Grenze gezogen werden dürfen, eine drohende Stellung annehmen.

Will nicht vielmehr der Sinn des Ganzen daß Rudolf *nicht* handle, und die ihn verderben, die *für ihn* [Am Rand dreimal unterstrichen: *NB.NB.NB.*] zu seinen Gunsten handeln. Also Leopold auf seine eigene Faust.

Seine Untätigkeit wäre das Glück, die Tätigkeit der übrigen zerstörte alles.

Dann würde der Majestätsbrief im IV Akt unterschrieben. Um die Ruhe wieder herzustellen.

Im III Akt erschrickt er über jeden Kanonenschuß.

Er fährt zusammen und begehrt heftig, daß man aufhöre zu schießen. – Ihr zittert? – Mein Leib erschrickt, der Geist ist unbezwungen.

(HKA I, 21, 145 f)

Notiz — Ende 1828 [?]

Das Tragische wäre denn doch; daß er das Hereinbrechen der neuen Weltepoche bemerkt, die andern aber nicht, und daß er fühlt, wie alles Handeln den Hereinbruch nur beschleunigt.

(HKA I, 21, 148)

Notizen — Anfang 1829

Dieser Rudolf II war mir so deutlich; der ganze Plan, bis auf die einzelnen Reden, alles war da. Und nun alles wieder verdunkelt.

Es könnte ja auch [so gemacht werden, daß] (1 Akt) im Gespräch mit Ferdinand, Rudolf die den Protestanten günstige Seite hervorkehrt, und (3 Akt) gegen den Herzog von Braunschweig das was für die alte Lehre spricht.

(HKA I, 21, 148)

Notizen Frühjahr 1831

1600. Zeit der achten Wiederkehr der Vereinigung Jupiters und Saturns im feurigen Trigon.

R[udolf]. Diese Periode zeichnet sich jedesmal durch unerhörte Ereignisse aus. Trifft sie einen großen Mann, so verbreitet er Segen über die ganze Welt, doch findet sie einen Schwachen, dann züchtigen ebenso ungeheure Unfälle die sternbewegte Erde.

Und wenn das alles nur Träumerei wäre. Prophezeiende Kraft des Menschen, der sich in das All versetzt, alle Kräfte seines Wesens in *einen* Punkt vereinigt. (HKA I, 21, 150)

Tagebuch 26. August 1831

In Gastein den Erzherzog Johann getroffen. Wenn ich je meinen Rudolf II ausführen sollte, so wird dieser Erzherzog Johann wohl darin als Erzherzog Mathias figurieren. (Tgb 1920. W IV, 472)

Tagebuch 27. Oktober 1832

Ich gedenke sodann den: Traum ein Leben vorzunehmen und sogar an Rudolf II zu gehen, wenn die Götter zustimmen. Noch ist die Gemütsverfassung wenig poetisch und mehr fleißig als gehoben. Aber wir wollen sehen. (Tgb 2037. W IV, 493)

Notiz September 1833

Sein [Klesels] Wahlspruch: Fortiter et suaviter. (HKA I, 21, 159)

Tagebuch März 1839

Rudolf soll in D. Cäsar nicht nur ein Bild seiner Zeit sondern auch ein Vorbild der künftigen, der *heutigen* sehen.
Daß ich dich nicht versteh ist meine Qual. (Tgb 3835. W IV, 644)

Moritz Hartmann berichtet Anfang 1845

Grillparzer hat schon seit Jahren ein Trauerspiel »Rudolf II.« vollendet, aber es darf in Wien nicht aufgeführt werden, da hier wie in Berlin das großsinnige Zensurgesetz besteht, das alle Anverwandten des regierenden Hauses von der Bühne verbannt [. . .] Aus dieser Ursache läßt Grillparzer das Stück auch nicht im »Ausland«

aufführen, da ihm das Lob Fremder nicht genügen würde, wo ihm das Lob seiner Landsleute fehlt. (HKA I, 21, 55)

Grillparzer zu Cesare Cantù 1845
Monsieur, ma tragédie n'est pas achevée; il y a là des archiducs et des évêques, qui me donnent beaucoup de peine! (HKA I, 21, 55 f)

Wien, 21. Januar 1848
Grillparzer an Johann Malfatti Edlen von Monteregio
Indem ich die mir gütigst geliehenen Bücher nach so langer Zeit zurücksende, weiß ich nicht wie ich mich entschuldigen soll. Oder vielmehr, es gibt keine Entschuldigung, höchstens, hoffe ich, eine Verzeihung.
Es war eben die Beschäftigung mit einem widerspenstigen dramatischen Stoffe, dessen nicht geringste Schwierigkeit darin bestand, zu wissen, auf welche Art die Astrologen ihre Meinung gegenüber der Vernunft und der Ordnung der Dinge, wenn auch nur scheinbar gerechtfertigt haben, was mich in derlei Lesungen hineinwarf. Ich habe weder in diesen, noch in vielen andern Büchern das Wort des Rätsels gefunden, aber es braucht lange bis man sich von einer lieben Hoffnung ganz und gar trennt. (HKA III, 3, 26)

Heinrich Laube berichtet 1872
Weniger einschränkend sprach er, als er mir den »Bruderzwist in Habsburg« übergab. »Machen Sie damit, was Sie wollen. Sie sind nicht mehr im Burgtheater, wo es ja doch seines dynastischen Stoffes wegen nie gegeben werden kann, und ehe Sie im Stadttheater dazu kommen, bin ich vielleicht nicht mehr da.« (Gespr 11)

Heinrich Laube berichtet 1875
Er hielt ihn [Bruderzwist] nicht für fertig zur Aufführung, weil ihm für den vollen Mittelpunkt um Kaiser Rudolf noch etwas fehlte. »Ich habs gewußt, was fehlt«, – pflegte er zu sagen –, »ich habs auch schon beim Zipfel gehabt, aber ich bin gestört worden, und jetzt bin ich ein alter Mann, der es vergessen hat.« (Gespr 1150)

Adolf Foglar berichtet 1891

Über »Ein Bruderzwist in Habsburg« äußerte Grillparzer zu mir: »Von den Gründen, die mich bestimmten, dieses Stück zurückzulegen, war einer der, daß am Schluß Wallenstein und die Aussicht auf den Dreißigjährigen Krieg erscheint – *eine Vorhersagung post festum,* die ich z. B. an Halms Trauerspiel ›Sampiero‹ selbst getadelt habe.« (Gespr 20)

Esther
Fragment[1]
Entstanden 1830–1848
Erstdruck Wien 1863 (bis V. 731)
Stuttgart 1887 Gesamtabdruck
Uraufführung am 29. März 1868 in Wien

Notiz Herbst 1821

Die Ursache warum Ahasverus die Vasthi verstieß, war, weil er sie bei einem öffentlichen Mahl holen ließ, um ihre Schönheit den Versammelten zu zeigen, sie aber verweigerte zu kommen.

(HKA I, 21, 449)

Notizen Frühjahr 1830

Als Hintergrund aller Intrigen am Hofe die verstoßene Königin Vasthi, die aber selbst nie erscheint.

Dem Aman werden gleich von vornherein Anträge von ihrer Seite gemacht, die er aber halb mürrisch zurückweist, wie einer der nicht hören will, gleichsam weil er seiner nicht sicher ist, wenn er einmal gehört hat. Erst im 5 Akt, nach seiner äußersten Demütigung durch Mardochäus, läßt er die Anträge gleichsam über sich ergehen, indem er nur: Ja, ja! Gut, gut! darauf erwidert.

Daß Mardochäus das Haupt nicht vor ihm beugt, liegt wie eine Krankheit auf ihm. Diese Geringschätzung, indes alles vor ihm auf den Knieen liegt, läßt ihn nicht essen, nicht ruhn.

1 Das Manuskript bricht zu Beginn des III. Aufzuges (V. 979) ab.

Eitelkeit sein Grundzug. [Am Rand nachgetragen:] Haman, Mardochäus. Eitelkeit, Stolz.

V. [Akt] Die Ursache des Mahls ist, daß sie den König bitten will, sie nicht von seiner Seite zu vertreiben. – Und wer will das? – Du und Haman. – Ich? – Da du das Volk der Juden auf Hamans Rat zu vertreiben beschlossen hast.

II [Akt] Mardochäus sitzt vor dem Tore, der Pförtner will ihn wegschaffen, er bleibt. Da kommt der Schwarze der Königin Vasthi und gibt dem Pförtner den Brief. Letzterer fürchtet, die beiden Kämmerer möchten nicht mehr kommen und geht den Brief ihnen zu übergeben. Er bittet unterdessen Mardochai seine Stelle einzunehmen und stellt seinen Pförtnerstab an dessen Seite. Kaum ist er fort, so kommen die beiden Kämmerer und fragen Mardochai, der ihnen ein Pförtner zu sein scheint, nach dem Brief den der Schwarze gebracht. Als in der Folge der Verschnittene Haman anspricht, und dieser ihn von sich weist, und als einen Abgesandten der Königin Vasthi bezeichnet, wird Mardochai erst aufmerksam auf den Brief, den er für die beiden Kämmerer hinterlassen, die bald darauf mit dem Pförtner kommen und den Brief in der Hand halten. Mardochai beargwohnt sie daher der Verräterei und gibt Esther Nachricht davon.

1 Akt. Der König hat das *Vertrauen* in Menschen verloren.

(HKA I, 21, 450 f)

Notizen Ende 1831

La hermosa Ester von Lope de Vega. Grüne Augen offenbar damals eine Schönheit in Spanien, denn Ahasverus vergleicht die Augen der Königin Vasti mit Smaragden (esmeraldas) (auch bei Calderon ist oft die Rede von grünen Augen).

Diese *hermosa Ester* scheint, dem Anfange nach zu urteilen, ein vortreffliches Stück zu sein. Wie das orientalisch Despotische in dem Verfahren Ahasverus dadurch gemildert wird, daß eigentlich seine Hofleute es sind, die ihn bereden die Königin Vasthi zu verstoßen, daß sie es sind [die] den Befehl geben, alle Jungfrauen von Schönheit und Verstand sollten der Wahl des Königs gestellt werden, indes er selbst in dem Andenken an die verstoßene und den-

noch geliebte Vasti sich unglücklich fühlt. Los quales . . . tristes De sus amadas vidas[2] offenbar dem Griechischen nachgebildet φιλον ἦτος[3]. Einem neuern Dichter wären diese Milderungen nahe gelegen. Lope de Vegan aber müssen sie hoch angerechnet werden. Welche ruhige Schönheit in dem Gespräche zwischen Esther und Mardochai. Wie herrlich das Gebet der Esther, und wie glücklich der Entschluß Esthers sich vor dem König zu stellen, aus dem Wunsche abgeleitet, ihrem leidenden Volke nützlich zu sein.
Im übrigen auch sehr gut. Vortrefflich der Gegensatz Hamans und Mardochais. Wie der eitle Haman sich beinahe körperlich krank fühlt über den Gedanken, daß ein Mann im Lande sei, der ihm die schuldige Achtung versage. Die Szene, die wirklich auf dem Theater vorgeht, wo Haman das Pferd am Zaume führt auf dem Mardochäus im Triumph einherzieht, und beide sich über ihre Lage in kontrastierenden, länger fortgesetzten Reden äußern, voll von jener naiven Sinnbildlichkeit, die im Dramatischen von so großer Wirkung ist, wenn das Publikum sich einmal aus jener engen französischen Wahrscheinlichkeit hinausgedacht hat, die der Zerstörer alles Großartigen ist. Der Gang des ganzen Stückes überhaupt unschuldig und simpel wie die Quelle aus der es genommen.
Dieser Lope de Vega bemeistert sich meiner mehr, als einem Dichter neuerer Zeit gut ist. Er ist die Natur selbst, nur die Worte gibt die die Kunst. Wir aber wissen mit der gesunden Natur nichts mehr zu machen, höchstens ihre Extreme setzen uns in Spannung.

(W III, 433)

Grillparzer zu Emil Kuh[4] — Anfang August 1862

Der erste Akt gefällt mir nicht. Je nun, Sie werden ja sehen; aber der zweite Akt, nu, der ist gut. (HKA I, 21, 412)

Josephine Freiin von Knorr berichtet — 8. Mai 1863

Von seinen eigenen Werken sagte er, er habe die »Esther« nicht vollendet, weil man vieles nicht auf die Szene hätte bringen können.

(Gespr 1125)

2 Welche . . . traurig in ihrem lieben Herzen.
3 liebes Herz.
4 Emil Kuh, österr. Dichter und Literat, war der erste Herausgeber der »Esther«.

Notiz 1863

Aman y Mardocheo von Felipe Godinez. Das Stück hat schon das Gute, daß es sich an die Bibel hält und dadurch die gefährlichen spanischen Absurditäten vermeidet, übrigens geht es auch den Härten der Bibel mit Ermordungen ganzer Völker glücklich aus dem Wege. Der König höchst poetisch und sentimental. Esther gilt geradezu für eine Vorläuferin und Vorbild der Jungfrau Maria, wie sie denn auch der Liebesbote des Königs geradezu mit den Worten des englischen Grußes anredet. Auch dem Mardochäus wird sein Verbrechen, ein Jude zu sein, darum verziehen, weil er immerfort auf den künftigen Messias hindeutet, ja sogar die Jahre seiner Ankunft ausrechnet. Dagegen alles ist denn nun nichts einzuwenden. Freilich steht es unendlich unter der Esther Lope de Vegas.

(W III, 629 f)

Grillparzer zu Robert Zimmermann 6. Januar 1866

Die Ester? ja die Esther! Was gedruckt ist, sind nicht ganz zwei Akte[5]. Die letzte Szene des zweiten fehlt. Geschrieben ist sie, aber ich wollte sie nicht mit abdrucken lassen, weil sie schon zu sehr ins Weitere eingreift. Es ist die Szene, wo Mardochai an der Tür des Palastes sitzt. Weiter ist nichts fertig. Ich pflege mir meine Sachen nicht ins Detail zu notieren; nicht wie Lessing, der seine Oden erst in Prosa schrieb und dann versifizierte; ich will doch auch beim Arbeiten eine Freude haben, ich will mich überraschen lassen. Der König sollte sich als ein schwacher, aber sehr edelmütiger Mann zeigen; die Esther und der Mardochai ganz nach der Bibel. Der Hamann sollte durch seine Frau verleitet werden, auf die Partei der Königin Vasthi zu treten. Zuletzt sollte sich alles ganz gut lösen, mehr wie im Schauspiel. Niemand sollte umkommen, außer dem Haman. Die Szene zwischen Esther und dem König? Ja, ja, die ist gut so; das glaube ich auch. Und der Haman? Ja, ja, Sie haben recht, das wäre so ein rechter versatiler Staatsmann, so eine Art Polonius. Das ist alles, was ich weiß, ich könnte es jetzt nicht mehr weiterführen, wenn ich auch wollte. (W IV, 971)

5 Im Erstdruck wird »Esther« nur bis V. 731 abgedruckt.

Josef Pollhammer berichtet 1863–1872

Über das Fragment »Esther« sagte er mir, er habe dies in frühen Jahren geschrieben, dann nach 30[6] Jahren wieder versucht, es zum Drama auszuarbeiten; er habe aber nicht mehr die früheren Anknüpfungspunkte gefunden und so sei es Fragment geblieben.

(HKA I, 21, 413)

Ludwig August Franke berichtet März/April 1868

Bald nach der Aufführung[7] des »Esther«-Fragments erlaubte ich mir zu sagen, daß die schönste Stelle die sei, wo Esther dem Könige auf die Rede: daß wir Könige / Die Welt so sehr beglücken, daß das Höchste / Das sie uns gibt, nicht abträgt ihre Schuld erwiderte: Es wird wohl nicht so sein [V. 596–599]. Das freut mich, sagte Grillparzer, daß Ihnen das gefallen hat, mir gefällts auch. Ich unterließ die Vollendung des Dramas, weil die Szene, wo die Rede ist: »Was würdest du einem Manne tun, der das und das und das getan hat?« und es dann heißen muß: »Nun, du sprachst dein eigenes Urteil«, mir komisch vorkam, eher für ein Lustspiel als für ein Trauerspiel geeignet. Als ich weiter bemerkte, daß der Torso doch wie ein Ganzes wirkte, erzählte er lächelnd: Ich habe einmal einer sehr schönen Kellnerin in Oberösterreich gesagt, daß sie schön ist. Darauf antwortete sie mir: Es muß schon so sein, weil ich so geschaffen bin. Als ich mitteilte, daß der Hofschauspieler Lewinsky das Fragment öffentlich vortragen wolle, äußerte er: Ich begreife das nicht. Wie will er die kurzen Sätze markieren? Und immer die Namen der Personen lesen? [. . .] Zudem soll Lewinsky eine predigerhaft monotone Vortragsweise haben, sonst aber ein guter Schauspieler sein und wenn er es unternimmt, so bin ich überzeugt, daß er, der, wie ich höre, es ernsthaft mit seiner Kunst nimmt, es gut machen wird! Die Schauspielerin Rettich las auf Wunsch der Erzherzogin Sophie das Fragment vor, und wurde von dieser der Wunsch ausgesprochen, daß es bald wieder aufgeführt werde . . . Wir kehrten noch einmal zum Trauerspiele »Esther« zurück. Als ich Grillparzer fragte, warum er es nicht vollendet habe, – gab er mir folgenden

6 Grillparzer meint wohl: 20 Jahre.
7 29. März 1868.

wunderlichen Bescheid: Ich wohnte damals im Sommer in Döbling. Die Hausleute waren sehr freundlich gegen mich, ebenso deren Kinder. Dieselben machten viel Lärm. Zutunlich und lustig wie sie waren, mochte ich ihnen nicht wehren. Sie besuchten mich jeden Morgen, pumperten wohl auch, wenn ich sie verschlossen hielt, an meiner Türe. So wurde ich fort und fort gestört und ich verlor die Stimmung. Wohl auch, weil die Handlung mir politisch auszuarten drohte. (HKA I, 21, 416 f)

Auguste von Littrow-Bischoff berichtet Mai 1868

Meine Begleiterin hatte einen großen Strauß Maiglöckchen mitgebracht und übergab sie mit einigen artigen Redensarten. Ich ergriff jedoch bald das Wort, um über die ersten Begrüßungen hinüber zu helfen, die für den Tauben peinlich waren.
»Sie reicht Ihnen sichtbare, vergängliche Blumen«, sagte ich, »wir bringen Ihnen aber beide unsichtbare, unverwelkliche Zweige eines grünen Kranzes, der gestern bei der Aufführung der ›Esther‹ von tausend Händen in Gedanken für Sie geflochten wurde.« Wir schilderten hierauf den Eindruck, den wir empfangen, und freuten uns dessen in frohen und begeisterten Worten.
Grillparzer hörte uns freundlich an und erwiderte, er höre, daß diese Bruchstücke sehr gut gegeben würden, und daß namentlich Fräulein Bognar in der Titelrolle Wunder wirke.
»Es freut mich«, fuhr er fort, »daß diese kleine Arbeit, die ich hingeworfen – ich weiß selbst nicht, wie ich gerade diesen Teil so fertig hingeschrieben, denn ich hatte ein ganzes Stück im Sinne – den Leuten so gefällt. Es kommt vermutlich von der Darstellung, die, wie ich von meinen Hausfräulein[8] erfahre, nicht nur durch die Esther, sondern auch durch die Art und Weise, wie Sonnenthal den König auffaßt und wiedergibt, einen besondern Eindruck hervorbringen soll, obschon man, wie sie meinen, Laubes leitende Hand vermisse.«
Ich bestätigte diese Bemerkung. Es schien mir ein Fehler der Inszenesetzung, daß Bigthan, der sich gleich beim Eintritt beklagt, daß man ihm, dem Neuangekommenen, die Hand entziehe, den beiden ihm Begegnenden Zares und Theres so fern stehen bleibe,

8 die Schwestern Fröhlich.

daß die Schauspieler zehn Ellen lange Arme haben müßten, um ihm über die Bühne hin die Hände zu reichen. Auch glaubte ich, daß Lewinsky den Haman zu sehr als Idiot gebe. –
»Das ist es nicht«, fiel Grillparzer ein, »er soll ein geistloser, aber dabei schlauer und berechnender Schranze sein.«
Auch anderer Mißgriffe gedachte ich, die indes nur Einzelheiten seien, während wir alle doch im Eindruck der vortrefflichen Darstellung – der herrlichen Dichtung, im erhebenden Genuß des Ganzen geschwelgt hätten. –
»Gleichwohl ein unwillkommener Genuß«, erwiderte Grillparzer, »denn diese Bruchstücke sind wirklich nur Teile eines ungeschriebenen gebliebenen Dramas; ich habe den Liebesszenen nicht die Bedeutung gegeben, welche man ihnen beimißt, indem man das Stück damit abgeschlossen und keiner Steigerung mehr fähig hält. Die große Anzahl von Personen, die mit verschiedenen Interessen auftreten, deren weiter keine Erwähnung geschieht, zeigt ja schon, daß das Drama in dieser Liebesszene seinen Abschluß *nicht* finden könne, ja ich hatte dieselbe nicht einmal zum Aktschluß bestimmt gehabt. Bei dieser Gelegenheit ist mir auch unter anderem aufgefallen, wie diese so bekannten Geschichten doch eigentlich wenig bekannt sind, denn ich bin von mehreren Seiten gefragt worden, woher ich die Namen genommen hätte, indes ich mich doch ganz an die biblischen gehalten habe.« Wir wollten das gerne glauben, meinten jedoch, das beste Mittel, das Publikum zu belehren, wäre, das, was die Schubladen des Schreibtisches hier vor uns enthielten, preiszugeben. –
»Die enthalten wenig, sehr wenig, von der Esther schon gar nichts«, antwortete Grillparzer. »Ich habe wohl ziemlich alles vorher gewußt im großen und allgemeinen, den Gang und auch einzelne Szenen, aber aufgeschrieben hab ich mir immer wenig. Ich war jederzeit der Ansicht, daß es damit gehe, wie im persönlichen Verkehre. Man findet Leute, die stets sagen, was sie früher einmal gedacht haben, oder was sie gar bei dieser oder jener Gelegenheit selbst schon gesagt haben. Und die unterhalten einen niemals. In der Dichtung ist es fast ebenso; sie wird dadurch lebendig, daß man der persönlichen und augenblicklichen Eingebung, wie sie die Vorstellung der Person oder der Lage [, die man] schildert und in die man sich ver-

setzt, mit sich bringt, ihr Recht läßt. Der Dialog wird dadurch wahr und belebt, daß man sich gehen läßt, sich ausspricht; man unterhält sich dabei selbst, und wenn man sich selbst unterhalten, hat man den andern auch unterhalten.«

»Wenn die Rose selbst sich schmückt, schmückt sie auch den Garten«, rief ich dazwischen.

– »Richtig! und das ist mir auch stets der allerliebste Spruch von Rückert gewesen.«

»Und was Sie da aussprachen«, bemerkte ich, »stimmt mit dem Hebbelschen Ausspruch überein, ›man muß sich hüten, in Gedanken das zu malen, was erst an der Staffelei vollendet werden soll‹.«

– »Ja, es ist ganz dasselbe. Man arbeitet dann mit eigener Lebendigkeit, indem man sich wohl des Zweckes, aber nicht ganz der Mittel bewußt ist. Was Schiller die lichte Dämmerung der Gedanken nannte – ein Bewußtsein der Absicht ohne Deutlichkeit des einzuschlagenden Weges, – das war es auch bei mir, und ganz besonders bei der Esther, deren Ziel und Plan mir vorschwebte mehr wie eine Musik, ohne daß ich Notizen gemacht oder andere Teile, als die nunmehr bekannten ausgearbeitet hätte.«

»Und haben Sie davon keine Erinnerung behalten?« frug ich. »Mich dünkt, ein Dichter, der mit solch einem Stoff umgeht, könne das nie wieder ganz vergessen.«

– »Das hat mich ja nach dem unglückseligen Sturz[9] so sehr geschmerzt, daß mir vieles sogar für immer abhanden gekommen und mir auch der Gang der Esther nicht mehr erinnerlich ist. Das weiß ich aber doch noch, daß der zweite Akt mit einer Szene endet, wo Mardochai unter dem Torwege auf Nachricht wartet, wie es Esther, von deren Triumph beim Könige die Kämmerlinge schon unterrichtet sind, ergehe. Haman, ängstlich, wie sich das alles wenden werde, denn auch sein Schicksal wird oben entschieden, findet hier den Mardochai, welcher als der einzige, der sich nicht vor ihm niederwirft, ihm sogleich auffällt. Da er (Haman) in diesem Momente nicht wagt, die Gemächer des Königs zu betreten, entsendet er den Torhüter, um Kundschaft einzuholen, und dieser, der seinen Posten nicht verlassen darf, stellt Mardochai an seine Stelle und lehnt den

9 Im Juni 1864 stürzte Grillparzer in Tüffer eine Treppe hinunter.

Hüterstab als Zeichen seiner Würde an dessen Seite. Hierdurch bekommt Mardochai als scheinbar befugter Türhüter Gelegenheit, von einer durch Bightan und die Königin Vasthi angesponnenen Verschwörung Kunde zu erhalten, und der Akt endigt damit, daß er Esther auf verborgenen Wegen Warnung zukommen läßt, auf ihrer Hut zu sein.« [...] »Besonders liegt das Motiv, daß das Stück in der Liebesszene *nicht* seinen Abschluß finden kann, in dem Befehl, den Mardochai der Esther gibt, ihre Herkunft geheim zu halten. Das sollte den Knotenpunkt des ganzen Dramas bilden, in welchem ich Ideen von Staatsreligion und Duldung aussprechen wollte, die mich hauptsächlich auf diesen Stoff geführt hatten, und die Religion und nicht die Liebe sollte den Inhalt dieses Dramas ausmachen, ja die letztere nur den Knoten in schöner Weise schürzen. Die Heirat des Erzherzog Karl, des Bruders von Kaiser Franz, des Feldherrn in den Napoleonischen Kriegen, mit der Prinzessin Henriette, welche eine Tochter des Herzgs von Nassau-Weilburg und eine gar herrliche Frau – die allgemein geliebt und verehrt wurde – und eine Protestantin war, hatte eigentlich im Volk, das heißt in der Wiener Bevölkerung, auf solche Ideen geführt, die damals in Österreich noch ganz fern lagen und nun in der Gesellschaft und in den Familien zu vielerlei Gesprächen über Religionsfreiheit und derartige Dinge führten. Das war auch vielleicht mit ein Grund, weshalb es bei mir nicht zur Fortsetzung kam; denn ich hätte ja meine Arbeit vor der Polizei sorgfältig verbergen müssen, und solche Heimlichkeiten waren mir äußerst verhaßt.«
Grillparzer wandte sich an meine Begleiterin und erzählte ihr, was ich schon wußte, daß zur Zeit von Kaiser Franz bei ihm strenge Untersuchung gehalten worden sei, ob sich keine staatsgefährlichen Schriften fänden.
»Ich kann mich nicht erinnern, ob Esther auch in biblischer Darstellung ihren Glauben verheimlicht«, sagte ich, um das Gespräch wieder auf den Gegenstand zu lenken.
– »Ja«, erwiderte Grillparzer, »sie verschweigt auf Mardochais Geheiß, daß sie eine Jüdin, eine Angehörige der in der Babylonischen Gefangenschaft befindlichen und dort verhaßten und verachteten Juden sei, und darin sollte die Schwere des Konfliktes liegen. Ich habe die Verschwörung gegen den König in einen Mordanschlag der

Partei Vasthi gegen Esther umgewandelt, von welchem Mardochai, wie schon gesagt, als Torwächter Kunde erhalten, und Esther hat dem Könige mitgeteilt, daß sie vor einem Anschlag gegen ihr Leben gewarnt sei. Und als die Kämmerlinge den Morgentrunk im dritten Akt in goldenen Bechern darreichen, einen dem Könige und einen der Königin, fordert Ahasverus, mißtrauisch gemacht, Esther in Bightans Gegenwart auf, die beiden Becher zu wechseln. Das liegt nicht in der Verschworenen Absicht; der König soll nicht sterben, im Gegenteil, er soll leben für Vasthi, und so fällt Bigthan ihm zu Füßen und gesteht sein Verbrechen. Der König fragt darauf Esther, wer ihr die Mitteilung dieser Untat gemacht, und sie, um ihre Herkunft nicht zu verraten, gibt vor, es nicht zu wissen, sie von einem Unbekannten erhalten zu haben, worauf Ahasverus befiehlt, den Unbekannten als einen, dem der König Dank schulde, in die Chronik einzutragen. Wie es in der Bibel steht.«
Der alte Herr hielt plötzlich inne; das Gespräch hatte offenbar alte Erinnerungen geweckt. Er schien sich zu besinnen und sah schweigend eine Weile vor sich hin.
»Und wie geht es dann mit der Entdeckung, daß Mardochai der zu diesem Danke Verpflichtende sei?« frug ich schüchtern nach einer Pause.
– »Mardochai«, fuhr Grillparzer fort, »Mardochai, welcher Haman fortwährend die Ehrerbietung weigert, die er nur seinem Gotte darbringt, sich nicht vor ihm zur Erde wirft, nicht auf den Knieen vor ihm liegt, wie es zu Susa üblich, erregt dadurch den Grimm des Mächtigen, der ihn für einen Feueranbeter oder Juden hält; da er ihn aber nicht allein vernichten kann, überträgt er seinen Haß auf alle Juden und beschließt diese Störrischen zu vertilgen, und Bightan, welcher aus Babylon kommt, wo gleichfalls großer Widerwille gegen sie bestanden haben mochte, bestärkt ihn in seinen üblen Absichten. Haman stellt nun dem Könige vor, wie die Verschiedenheiten der Religionen im Staate nicht zu dulden seien, und welche Gefahren daraus entspringen können. Hier wäre eine große Szene über das Recht des Staates der Religion gegenüber, über die Stellung der Religion im Staate, über Glaubensfreiheit, politische Rechte und kirchliche Satzungen gekommen. Das ist gleich so ein Punkt gewesen, der mir alle Lust zur weitern Arbeit nahm; denn das hätte

damals unter keiner Bedingung gespielt, vielleicht – ja ganz gewiß – nicht einmal gedruckt werden können. Und ich hatte, wenn ich etwas Dramatisches schrieb, immer die Vorstellung, das müsse gespielt werden, und ohne diese Voraussetzung hat mir die Lust zu aller Anstrengung, zu aller Arbeit gefehlt. Ja, und noch heute frage ich bei jeder Vorstellung, von der ich höre, zuerst: was hat das Publikum gesagt, und noch heute ist meine Überzeugung, daß nur das, was gespielt wird – lebt. Es gibt wohl ein Ausnahmspublikum, das dramatische Werke durch die Literatur kennen lernt, wie die beiden anwesenden Damen . . .« – »Ach«, unterbrach ich Grillparzer, »halten Sie uns nicht für weiser als wir sind. Wir hatten Esther gelesen, kannten sie beide genau, und doch waren wir ganz erstaunt über das, was wir sahen, über die Verschiedenheit des Eindrucks, welchen die Darstellung gegen die Lektüre machte, und wir begreifen gerade darnach am besten, daß der Dichter nur für die erstere arbeitet. Aber wie sollte das alles endigen?«
– »Ich habe das gar zu Grausame in der Heiligen Schrift gemildert. Die Galgen, welchen man aus ästhetischen Gründen in einem Drama füglich keinen Raum gönnen kann – obwohl manche jetzt oder später anders darüber denken mögen – sowie die durch diese Todesart beabsichtigte Vertilgung der Juden, habe ich in die für sie gewiß herbe Strafe der Auslieferung ihrer heiligen Bücher an die Perser und die Unterdrückung ihres Kultus umgewandelt. Und wie sie nun um ihres Glaubens willen verfolgt werden und in dem großen Jammer über den Verlust ihrer Heiligtümer, welcher ja ihr Höchstes und Teuerstes, den Bestand ihres Glaubens in Frage stellt, und da sich alles aufs schlimmste für sie gestaltet, befiehlt Mardochai der Esther für ihr Volk einzutreten und zu erklären, daß sie den Verfolgten angehöre. Diese aber ist durch Schweigen eine Königin geworden, durch Verheimlichen ist sie es geblieben; sie mag auch den König lieben, um so weniger aber fühlt sie Neigung, das Schicksal der Vasthi zu erfahren. Sie ist auch nicht so rein geblieben als sie war, und schon durch den Zwiespalt ihrer Stellung wird sie demoralisiert: – ich hatte sie auch zur *Liebes-* und nicht zur *Tugendheldin* bestimmt – und so weigert sie sich, dem Gebote des Alten Gehorsam zu leisten. Sie kann den König für die Juden gewinnen dadurch, daß sie, die Geliebte, dem verhaßten

Volke angehört, sie kann ihn aber auch dadurch für sich verlieren. Das sollte wieder eine wichtige Szene werden, in welcher die ganze Gewalt und Autorität talmudistischen Priester- und Rabbinertums sich geltend machen könnte, durch welche die rebellische und gottesleugnerische Tochter von der Hoffart der Welt zur Unterwerfung und zum Gehorsam unter die Herrschaft des Glaubens gebracht wurde. Hierauf wäre die Szene gefolgt, die biblische, wo sie es wagt, ungerufen vor den König zu treten, und Gnade findet vor den Augen des Gebieters, welcher nun auch zugleich bei Lesung jener Stelle in der Chronik von Esther erfährt, daß der Unbekannte, welchem sich der König zu Dank verpflichtet erklärt, gleichfalls ein Jude, daß es Mardochai gewesen. Das stimmt den launenhaften asiatischen Despoten völlig um und läßt ihn Hamans Bosheit deutlich erkennen, die er zu strafen beabsichtigt. Hinterlistig fragt er den indessen herbeigekommenen Günstling, wie er einen Mann belohnen solle für treue Dienste, und Haman, der da meint, es könne nur von ihm die Rede sein, schlägt vor, den Verdienstvollen auf einem prächtigen Pferde umherzuführen, das der höchste Diener des Staates am Zügel halten solle, und ihm königliche Ehren erzeigen zu lassen. Indem er hört, daß Mardochai der zu Ehrende, er selbst aber der Führer seines Rosses sein solle, wie das alles genau so in der Bibel zu lesen ist, bricht er sogleich zusammen in der Ahnung, daß es mit ihm zu Ende gehe und er erkennt in Esther, die nun offen als Jüdin auftritt, eine Feindin, mit welcher zu ringen nicht mehr in seiner Gewalt stehe. Im nächsten Akt liegt er vernichtet, Gnade flehend zu der Königin Füßen, welche er zu umfassen sucht; sie weist ihn kalt ab, indem sie dieselben gleichgiltig auf die Bank oder auf das Ruhebett, auf welchem sie saß, heraufzieht, und läßt Haman sterben. Auch die Zares, welche eine aufopfernde Rolle für die Vasthi gespielt und sich immer mehr gehoben hat, stirbt.«

Grillparzer schwieg, offenbar angegriffen von der Gewalt, die er sich angetan, entschwundene Erinnerungen zu sammeln und aneinander zu reihen. »Und die Esther?« frug ich nach einer Weile, in welcher wir der Freude über die Erzählung dieses interessanten Planes und dem Bedauern, daß es beim Plane geblieben sei, Ausdruck gegeben hatten – »und die Esther?«

– »Stirbt auch, stirbt auch, nachdem sie eine Kanaille geworden

ist«, erwiderte der Dichter mit einer Bewegung der Hand, welche andeutete, daß keine weitere Erörterung mehr von ihm zu erwarten sei, »stirbt auch, oder führt ein qualvolles Leben neben dem krankhaft erregten König, nachdem ihr selbst die Rolle Hamans zugefallen ist, den Launen des Gebieters zu frönen, und sie Mardochai, entweder weil er zu alt oder weil er auch schon gestorben, nicht mehr zur Seite hat, um sich gegen die nun sie allein bedrohenden Stimmungen des unstäten Despoten aufrecht zu erhalten.«
Wir waren sehr verwundert, daß das holdselige Geschöpf, die Esther der ersten Szenen so endigen sollte.
– »Sie muß sich gleich zu einer Entstellung der Wahrheit, zur Verleugnung ihres Glaubens bequemen. Darin liegt der Keim des Verderbens von Anfang an. Wie ich schon früher sagte, durch Unwahrheit ist sie Königin geworden und so ist die Unmöglichkeit, sich Unschuld und Reinheit zu bewahren, von vornherein gegeben. Sollte sie eine Tugend bleiben, so mußte die Verleugnung ihres Glaubens, die Weigerung ihn zu bekennen, weggelassen werden. Die Zwischenfälle, die das vorbereiten und die Umrisse, welche die Gestalt der durch Intrigen hart gewordenen Königin zeichnen, sind mir gänzlich entfallen.«
Diese in der Erzählung nur wenige Seiten füllenden Mitteilungen hatten über anderthalb Stunden in Anspruch genommen, in welcher Zeit der Greis immer lebhafter gesprochen, während das Material längst entschwundener Ideen ihm immer reichlicher zugeflossen war, und er selbst sein Erstaunen aussprach, wie er so viel darüber noch habe aus seinem »alten Kopf« zusammenbringen können. Es schien unbescheiden ihn länger zu belästigen. Mit Dank und Freude schieden wir, und da ich später, als einmal von Esther die Rede war, zu Grillparzers Verwunderung allerlei darüber wußte, dessen er sich selbst kaum mehr erinnerte, und ich ihm sagte, daß ich die Andeutungen, die er uns darüber gegeben, zu Hause aufgeschrieben hätte, ging er zu meiner großen Beruhigung stillschweigend darüber hin. (W IV, 975 ff)

Grillparzer an Paul Heyse Wien, 16. Juni 1870

Was den Wiederabdruck der Novelle »Der *alte* Spielmann« betrifft, so steht dem im Wege, daß die mir nächst Stehenden verlangen, daß ich eben diese Novelle zugleich mit dem dramatischen Fragmente Esther und (zur Raumausfüllung) mit noch einer andern Almanach-Novelle in einem eignen Bändchen drucken lassen soll. Und dieses zwar des Fragmentes Esther wegen, das wunderlicher Weise in der Aufführung auf dem Theater großes Glück gemacht hat [. . .] Ich bin dem Plane sehr entgegengesetzt, werde aber doch schwerlich aushalten können. (W IV, 875)

Grillparzer an August von Eisenhart[10] Wien, 18. Februar 1871
Sie haben mir mit Schreiben vom 12 d M mit Vorwissen oder im Auftrage Sr Majestät des Königs dessen Wohlgefallen an meinem dramatischen Fragment Esther und dessen Wunsch, das Bruchstück vollendet zu sehen, gütigst kundgegeben. Ja mein Herr, dieses Fragment rührt aus früherer Zeit her und wurde damals, ich weiß nicht mehr wodurch, unterbrochen, und manches aus der ursprünglich klaren Folge ist mir gänzlich aus dem Gedächtnis entschwunden. Gegenwärtig bin ich, außer meinem vorgerückten Alter, durch einen lebensgefährlichen Sturz vor 6 oder 7 Jahren in meinen Gehirnnerven so erschüttert, daß mir die Ausführung eine völlige Unmöglichkeit wäre. [. . .] (HKA I, 21, 433)

Heinrich Laube berichtet 1884
Mir persönlich hat er einmal gesagt, daß er den Plan für Esther total vergessen habe. (Gespr 1536)

10 A. von Eisenhart, Sekretär König Ludwigs II. von Bayern, hatte Grillparzer am 12. Februar 1871 im Auftrag seines Königs zur Vollendung der »Esther« aufgefordert: Seine Majestät dankt Ihnen einen neuen Genuß durch die Lektüre Ihrer »Esther«, welche, obwohl nur Fragment, auf seine Majestät einen gewaltigen Eindruck übte. Zugleich beklagen jedoch Allerhöchstdieselben, daß diese großartige Dichtung gewissermaßen nur Skizze geblieben und wären hoch erfreut, wenn Euer Hochwohlgeboren durch Vollendung des Werkes der deutschen Literatur ein Drama geben würden, welches sich den vorzüglichsten, die wir besitzen, würdig zur Seite stellt. Die Frische Ihres Geistes und Ihr reicher dichterischer Born sind für meinen Königlichen Herrn eine sichere Gewähr, daß Sie trotz Ihrer Jahre die hohe Aufgabe in vollendeter Weise zu lösen vermöchten. (HKA I, 21, 432)

Prosa

Das Kloster bei Sendomir[1]
Entstanden 1820–1827
Erstdruck 1827 in Aglaja für das Jahr 1828

Betty Paoli berichtet 1875
Die erste, minder bedeutende, jener Erzählungen verdankt einer äußeren Veranlassung ihr Entstehen. Es handelte sich darum, dem Herausgeber der »Aglaja« aus der Verlegenheit zu helfen, in die das Ausbleiben eines ihm zugesicherten Beitrages ihn gesetzt hatte, und so lieferte Grillparzer in Hast und Eile die in Rede stehende Arbeit.
(W IV, 925)

Rede am Grabe Beethovens
Entstanden 1827
Erstdruck in Heinrich Anschütz, Erinnerungen aus dessen Leben und Wirken. Wien 1866

»Anzeige« Grillparzers in der »Wiener Zeitschrift« 19. Juni 1827
Ich finde mich zu der Erklärung veranlaßt, daß die Einrückung der von mir verfaßten, am Grabe Beethovens gesprochenen Gelegenheitsworte, in ein Berliner Journal, und aus diesem in die Wiener Theater-Zeitung, ohne mein Vorwissen geschehen sei.
Wien, am 12. Juni 1827. Grillparzer. (W III, 883)

1 Vgl. Tgb 331, abgedruckt unter »Ein treuer Diener seines Herrn«.

Aus »Meine Erinnerungen an Beethoven« 1844

Zwei Tage vorher[1] kam Schindler des Abends zu mir, mit der Nachricht, daß Beethoven im Sterben liege und seine Freunde von mir eine Rede verlangten, die der Schauspieler Anschütz an seinem Grabe halten sollte. Ich war um so mehr erschüttert, als ich kaum etwas von der Krankheit wußte, suchte jedoch meine Gedanken zu ordnen und des andern Morgens fing ich an die Rede niederzuschreiben. Ich war in die zweite Hälfte gekommen, als Schindler wieder eintrat, um das Bestellte abzuholen, denn Beethoven sei eben gestorben. Da tat es einen starken Fall in meinem Innern, die Tränen stürzten mir aus den Augen und – wie es mir auch bei sonstigen Arbeiten ging, wenn wirkliche Rührung mich übermannte, – ich habe die Rede nicht in der Prägnanz vollenden können, in der sie begonnen war. Sie wurde übrigens gehalten, die Leichengäste entfernten sich in andächtiger Rührung und Beethoven war nicht mehr unter uns. (W IV, 202)

Grillparzer zu Gerhard von Breuning März 1860

Anbetrachts Schindlers werde ich übrigens nie vergessen, wie schmerzhaft durchdrungen er war, als er mir Beethovens nahe bevorstehendes Ende mitteilte [. . .] Da er schon nach ein paar Tagen mir Beethovens Ende anzeigte, geschah es, daß meine für Beethoven verfaßte Grabrede, wenigstens im letzteren Dritteile, nicht mehr so gut ausfiel, als ich sie gemacht hätte, wenn ich, statt sie so unvorbereitet schreiben zu müssen, noch mehr Zeit dazu gehabt hätte; denn ich war zu sehr von der Nachricht erschüttert, und, wenn ich von einer Sache ergriffen bin, kann ich nicht mehr gut arbeiten. (Gespr 1090)

Grillparzer zu Auguste von Littrow-Bischoff Januar 1866

Obschon ich übrigens sagen muß, daß diese Rede nichts weniger als ganz nach meinem Geschmack ist, wollte ich doch keine Einwendungen gegen deren erneute Drucklegung erheben. Es ist mir bei deren Abfassung eigen ergangen. Schindler kam mich zu be-

1 vor Beethovens Tod.

nachrichtigen, daß Beethoven gefährlich erkrankt sei und ich sollte etwas aufsetzen, um im Falle seines Ablebens einige feierliche Worte bereit zu haben. Ich setzte mich sogleich hin und schrieb in der Erregung etwas auf, das ganz gut war. Als aber schon am nächsten Tage die Nachricht seines Todes mich traf, war ich so ergriffen, daß mir kein Gedanke mehr zu Gebot stand, und das Ende fiel deshalb schlecht genug aus. Doch ich dachte: sei's – ich konnte nicht weiter. Und so ist diese Rede an seinem Grabe von Anschütz gesprochen worden, hat sich bis heute erhalten und mag meinethalben von anderen gelesen werden und Interesse haben, um Dessentwillen, dessen Andenken sie geweiht ist. (Gespr 1179)

Der arme Spielmann
Entstanden 1831–1842
Erstdruck in Iris. Deutscher Almanach für 1848, Pest 1847

Grillparzer an Graf Johann Majláth[1] Wien, 20. November 1846
Beiliegend übersende ich Ihnen die versprochene Erzählung. Da ich für die Überwindung meines Widerwillens gegen den Druck doch eine Belohnung verdiene und eine geringere gar zu sehr einem Trinkgelde ähnlich sähe, fordere ich 300 f K.M. dafür. Sollte Ihnen der Preis für die Verhältnisse Ihres Taschenbuches zu hoch, oder die Erzählung (ja nicht Novelle!) sonst nicht anständig sein, so habe ich Ihnen bereits erklärt, daß eine Zurücksendung mich durchaus nicht beunruhigen wird. (HKA III, 3, 12)

Tagebuch nach dem 9. November 1847
Ich habe vor einiger Zeit in einem hiesigen Blatte, von einem hiesigen – Kritiker[2] eine Beurteilung von Goethes Geschwistern gelesen. Da war nun die Meinung, daß an einer so einfachen Geschichte inner den Wänden einer bürgerlichen Wohnung, an der

1 von 1840–1848 Herausgeber der »Iris«.
2 Kritik von Heinrich Adami in der »Allgemeinen Theaterzeitung« vom 11. November 1833.

Liebe eines unbedeutenden Mädchens für einen ebenso unbedeutenden Mann, der sogar vor dem Laden einer Käsehändlerin stehenbleiben und dabei bewundernde Betrachtungen über die menschliche Gewerbstätigkeit anstellen könne, gar nichts Besonderes, und es daher unbegreiflich sei, wie man derlei Armseligkeiten einem an große Ideen gewohnten Publikum vorführen könne. Ich erinnerte mich dieser Rezension bei Gelegenheit einer andern von einem ähnlichen – Kritiker über meine Erzählung: ein alter Spielmann[3]. Es geht eben mit der Betrachtung von Kunstwerken wie mit der Beschauung von Naturgegenständen. Während der stumpfe Sinn des gewöhnlichen Hinschlenderers beim Anblick eines Baumes eben nichts bemerkt, als daß er grün sei, sieht das scharfe, wohl gar kunstgeübte Auge eine solche Welt von Abstufungen der Farbe und des Lichts, daß es stundenlange stehen und immer wieder den Baum betrachten kann, ja, wenn er Maler ist und eine Nachbildung versuchen will, gerät er in Verzweiflung auf der Palette jene Farben zu finden, die der andere mit der allgemeinen Bezeichnung: grün so schnell abgefertigt hat. Es soll hier nicht eine Parallele zwischen jener anspruchslosen Erzählung und einem Meisterwerke Goethes gezogen, sondern nur darauf aufmerksam gemacht werden, welch ungeheurer Unterschied bei den einfachsten Gegenständen zwischen einem sinnigen Betrachter sei und einem Dummkopf. (Tgb 3979. W IV, 713)

Grillparzer an Gustav Heckenast[4] 19. Dezember 1847 [?]
Sie haben mich in Ihrem werten Schreiben aufgefordert, Ihnen einen Beitrag für die Iris von 1849 zu liefern. So sehr mich dieses Begehren erfreut, da es beweist, daß Sie mit der heurigen Leistung zufrieden sind, so muß ich nur bemerken, daß Erzählungen überhaupt nicht mein Fach sind und der alte Spielmann wirklich nur durch ein eigenes Erlebnis veranlaßt worden ist, ich auch bei meiner leider vorherrschenden Stimmung mich auf eine bestimmte Zusicherung nicht einlassen kann. Wenn mir übrigens ein Stoff vor-

3 Journalistische Randglossen von Sigmund Engländer. 3. Grillparzer und Stifter in der »Iris« für 1848, in: »Der Humorist«, 11. Jg., 9. Nov. 1847.
4 Verleger der »Iris«.

kommt, der mich zur erzählenden Behandlung anlockt, so sein Sie überzeugt, daß ich immer der Iris den Vorzug geben werde, einmal der Persönlichkeit des Eigentümers, dann selbst des Druckortes wegen, der für mich eine erwünschte Mitte zwischen In- und Ausland einnimmt. (W IV, 836 f)

Grillparzer an Graf Johann Majláth Wien, 1847

Daß Ihnen die für die Iris bestimmte Erzählung gefallen hat, freut mich ungemein und ich wünsche nur daß es mit dem Publikum derselbe Fall sei. Aber da von Deutsch-Einheit, deutscher Flotte und deutscher Weltmacht nichts darin vorkommt und der darin vorkommende Landsmann von jener Tatkraft gar nichts hat, die der Nation auf einmal über Nacht angeflogen ist, so erwarte ich einen nur sehr geringen Beifall. Indes da das Ding geschrieben ist, sei es gedruckt. (W IV, 838)

Ludwig August Frankl berichtet[5] [etwa 1848 ?]

Diese Novelle Grillparzers, welche zu den wenigen klassischen Novellen in der deutschen Literatur zählt und deren seelisches Motiv Musik ist, veranlaßte mich, den Dichter zu fragen, woher er den Stoff zu derselben genommen habe?

Ganz zufällig! Ich speiste viele Jahre hindurch im Gasthause »zum Jägerhorn« in der Spiegelgasse. Da kam häufig ein armer Geiger und spielte auf. Er zeichnete sich durch eine auffällige Sauberkeit seines ärmlichen Anzuges aus und wirkte durch seine unbeholfenen Bewegungen rührend komisch. Wenn man ihn beschenkte, dankte er jedesmal mit irgend einer kurzen lateinischen Phrase, was auf eine genossene Schulbildung und auf einstige bessere Verhältnisse des greisen Mannes schließen ließ. Plötzlich kam er nicht mehr und so eine lange Zeit nicht. Da kam die große Überschwemmung im Jahre 1830. Am meisten litt die Brigittenau, wo ein berühmter Kirchtag, ein lustiges Volksfest, jeden Sommer gefeiert wurde. Ich wußte, daß der arme Geiger dort wohnte, und da er nicht mehr aufspielen kam, so glaubte ich, daß auch er unter den Menschenopfern in der Brigittenau seinen Tod gefunden habe. Ich wurde

5 in den Aufsätzen »Aus halbvergangener Zeit«, 1883.

eingeladen, für ein Taschenbuch eine Novelle zu schreiben, und so versuchte ich eine solche, in welcher mein armer, guter Bekannter als Held figuriert. (Gespr 1531)

Vorwort zur Ausgabe von Josef Schreyvogels literarischem Nachlaß
Entstanden 1832–1834
Erstdruck in Sämtliche Werke, Stuttgart 1872

Grillparzer an Friedrich Vieweg[1] Wien, 15. Januar 1835
[. . .] daß unmittelbar nach Schreyvogels Tode, sein Schicksal und die Art wie er behandelt worden war, sich fast zu einer Parteisache gestalteten, so daß freimütig über ihn zu schreiben, damals kaum möglich war, indes ich für jeden Fall entschlossen war, in meinem Vorberichte seinem Leben und Wirken ein Denkmal zu setzen. Das alles ist nun vorüber und geschehen, so daß der wirklichen Herausgabe nichts weiter im Wege steht. [. . .]
Diese Bände würde ich, wie gesagt, durch einen Vorbericht über Schreyvogels Leben und Wirken eröffnen, was der Verbreitung derselben nicht schädlich sein kann, wozu noch kommt, daß seine Verdienste um Theater und Literatur, in Wien wenigstens, seither eine allgemeinere, um nicht zu sagen eine allgemeine Anerkennung gefunden haben. (W IV, 805 f)

Grillparzer an Eduard Vieweg[1] Wien, 18. November 1836
Diese Novellen[2] würden 2 Bändchen geben, deren erster, wie gesagt durch ein Vorwort von mir eingeleitet werden würde, das wenn Zeit und Stimmung günstig sind, ziemlich polemisch ausfallen dürfte, was bei der gegenwärtigen Neigung der Lesewelt für derlei Erörterungen, dem Absatze nur förderlich sein kann.
(W IV, 823)

1 Friedrich und Eduard Vieweg, Verleger in Braunschweig.
2 von Josef Schreyvogel.

Selbstbiographie
Entstanden 1853
Erstdruck in Sämtliche Werke, Stuttgart 1872

Grillparzer zu Ludwig August Frankl[1] Ende der 60er Jahre[?]
Wenn ich einmal tot bin, muß man mich im Zusammenhalte mit meiner Zeit schildern. Unter Kaiser Franz mußte jeder Dichter oder Literator, wenn nicht vernichtet, so doch verkümmert werden.
(Auf meine Bemerkung, daß dies nur dann möglich sein werde, wenn er selbst Memoiren hinterließe, teilte er mit:)
Nun, ich habe diesfalls etwas getan. Ich schrieb, aufgefordert, wie jedes Mitglied der kaiserlichen Akademie der Wissenschaften in Wien, eine Biographie, aber nur bis zur Verfassung von »König Ottokar«. Später hätte ich über andere schreiben und anklagen müssen. Übrigens wird man einiges in meinem Nachlasse finden.
(Gespr 1531)

Heinrich Laube berichtet 1872
Grillparzer [...] pflegte es nachdrücklich abzuweisen, wenn man ihm den Wunsch aussprach: er möchte doch über seine Lebensschicksale und über die Entstehung seiner Arbeiten Memoiren niederschreiben. Sein Leben sei unwichtig, die Mittel und Wege zu seinen literarischen Werken seien Nebensache. Die Werke seien da, und das sei genügend. Das Werk müsse selbst für sich sprechen. Das viele Besprechen habe unsere Literatur nur zu sehr verwässert und von der Hingabe an wirkliche Hervorbringung abgewendet, so daß wir überfüllt seien mit Schriften ohne eigenen Kern und Gehalt.
(Gespr 1535)

1 Berichtet in den Aufsätzen »Aus halbvergangener Zeit«, 1883.

Allgemeines über das eigene Dichten

Tagebuch Mitte 1808

Ich hatte neulich mit Wohlgemuth und Altmütter Streit über den Satz, den ich aufstellte: Nur der Dichter kann den Dichter verstehen. Ich bin innig überzeugt, und werde es immer bleiben, daß der Satz wahr sei, daß nichts imstande ist mich davon abzubringen, obwohl meine Freunde sich verschworen zu haben scheinen, mir ihn streitig zu machen. Ich glaube die Ursache dieses Nichtübereinstimmens liegt darin, daß sie unrichtige Begriffe mit den Worten »Dichter« und »verstehen« verbinden. Unter *Dichter* verstehe ich jeden Menschen, der eine genug lebhafte Einbildungskraft besitzt, um, wenn er Anleitung gehabt hätte, ein Gedicht zu machen; dieser ist Dichter und wenn er auch nicht eine Zeile in Prosa oder Versen geschrieben hätte. Und unter *verstehen* denke ich mir nicht etwa das Erraten des Sinns, sondern ich will damit sagen: das Fühlen was der Dichter fühlte, als er seine Dichtung schrieb. Ich glaube jeder Mensch von Herz und Gefühl wird mich verstehn, und mit mir einstimmen, ob ich gleich mich zu schwach fühle es mit Gründen zu beweisen. Aber ich fühle was ich sagte.

(Tgb 15. W IV, 228 f)

Tagebuch 1808

Es ist doch in der Tat sonderbar, daß bei mir alles anders ist als bei anderen Menschen! Soll ich diesen Zug als ein Beleg meines Wertes oder Unwertes ansehen? – Alle Dichter (wie ich wenigstens glaube) freuen sich der ungestörten Muße um dichten zu können; wenn sie unbeschäftigt sind, entströmen gerade die feurigsten, schönsten Gedichte ihrer Feder. – Bei mir ist dies gerade umgekehrt! Ich dichte nie weniger, nie unlieber als wenn ich Muße habe. Ich schmiede nie *gern* Verse, aber dennoch am liebsten dann, wenn ich ganz mit andern Dingen mich beschäftigen sollte. Wenn ich umringt mit Folianten und Scharteken dem nahendem Examen entgegen sehe, fühle ich mich am aufgelegtesten zur Poesie, da ich hingegen nun, durch 2 Monate, die ich während den Vakanzen voll Überdruß und langer Weile zubrachte, mich nie entschließen konnte, auch nur einen Vers zu schreiben. (Tgb 31. W IV, 238)

Tagebuch 1808

Werde ich je ein mehr als mittelmäßiger Dichter werden, oder nicht? Dies ist eine Frage an deren richtiger Beantwortung ich beinahe verzweifle. Für beide entgegen[ge]setzten Behauptungen lassen sich wichtige Gründe anführen! Oft fühle ich innig, daß ich Dichter bin, oft zürne ich auf mich selbst, daß ich mich bei mir selbst eines Vorzugs freue, der doch wirklich nur in meinem Kopfe Realität haben kann. Es ist wahr, ich habe eine lebhafte, eine glühende Einbildungskraft, viele glückliche, viele traurige Stunden meines Lebens, die Zerrüttung meiner körperlichen Gesundheit, und meine näheren – Bekannte, bezeugen dies, ich habe heftige Leidenschaften, was zwar mit dem vorigen fast alles eins ist, und gewiß das muß ein Mensch besitzen, der nur einigermaßen Anspruch auf den Namen eines Dichters machen will. Aber qualifizieren sie auch allein zu einem Poeten, sind nicht andere Eigenschaften, die ich weder kenne, noch besitze notwendig, um sich in die Zahl der Priester der Muse zu stellen? Gehört hiezu auch vielleicht der furor poeticus, den alles von einem Dichter [verlangt], und den ich, wenn ich anders ehrlich reden will, – nicht habe. Andere Dichter macht das Dichten warm, mich macht es kalt, das Haschen nach Worten, Silben, Reimen ermüdet mich, und das Feuer meiner Phantasie muß den höchsten Gipfel erstiegen haben, wenn ich im Stande sein soll, ein Gedicht an einem Tage zu vollenden wie ich es mit der Ballade: *»Das Grab im Walde«* [1] tat. Damals erinnere ich mich waren meine Gefühle bis zum Ende in Bewegung, die Verse und Reime flossen leicht aus meiner Feder, so wie dies auch bei dem Gedichte *»Der*

1 Entstanden 1808; Erstdruck 1917 in HKA II, 5.

wahre Glaube«[2] der Fall war, und beim »*Mädchen im Frühling«*[3]. Alle übrigen auch noch so kleinen Gedichte flickte ich mühsam und stückweise zusammen, und ich kann mit Recht sagen, daß ich sie im Schweiße des Angesichts »*gearbeitet«* habe. – Ich will aufhören, denn meine Eitelkeit regt sich! (Tgb 32. W IV, 239)

Tagebuch 1809

Ich habe mich oft sehr unzweideutig, und, wie ich selbst gestehen muß, sehr arrogant, über mein Talent zur dramatischen Dichtkunst erklärt, und dennoch ist es gewiß, daß ich nicht vollkommen, wenigstens nicht zu allen Zeiten über dieses mein Talent im reinen bin. Ist es ein Fehler jedes wahren dramatischen Dichters überhaupt, oder nur der meinige (und habe ich ihn vielleicht nur darum weil ich wirklich keiner bin), ist es bloß mein Fehler, sage ich, daß alle Szenen, in denen keine heftige Leidenschaft herrscht, matt und unbeholfen sind, da hingegen die übrigen vielleicht zu feurig, zu heftig geraten. Ist dieser Zug der Stempel des großen Genies, oder des gänzlichen Mangels an Talent, oder vielleicht nur eine Folge meiner Jugend und Flüchtigkeit. Ich muß bekennen, ich weiß es nicht! In Gottes Namen! die Zeit wird lehren, wofür ich es halten soll![4] (Tgb 37. W IV, 240)

Tagebuch 30. Juni 1810

Ich las jün[g]st Schillers Jungfrau von Orleans, und sie rührte mich in der Tat sehr, ja ich konnte mich sogar der Tränen nicht enthalten. Im ersten Augenblicke bereute ich beinahe Schillern bisher Unrecht getan zu haben, aber reiferes, kälteres Nachdenken hat mich auf eine Erscheinung aufmerksam gemacht, die mir nicht neu ist, deren ich mir aber nie mit Klarheit bewußt war. In gewissen Stimmungen nämlich, wo mich Melancholie befällt, aber nicht jene wilde, zerstörende, die mich gewöhnlich plagt, sondern eine sanftere, das Herz öffnende, ein seltenes Überbleibsel besserer Zeiten,

2 Entstanden 1806; Erstdruck 1872 in »Sämtliche Werke«, Stuttgart.
3 Entstanden 1807; Erstdruck 1917 in HKA II, 5.
4 Grillparzer bezieht sich mit dieser Notiz auf den II. Akt der »Blanka«.

da greife ich oft zu einem Buche, und lese, Verse am liebsten. Ich pflege Verse, wenigstens die bessern, laut zu rezitieren, und nun ereignet sich eine sonderbare Sache. Die Melodie der Verse, das Steigen und Fallen, der sanfte, schmelzende oder herrische Ausdruck der Stimme bringt meine Phantasie in Bewegung, vergangene, halbverlöschte Bilder erneuern sich in meiner Seele, reizende Ideale formen sich, ich gerate in Enthusiasmus, aber nicht für das was ich lese, nicht für die Ideen, die mein Mund ausspricht, für andere, schönere (da ein Gefühl im Herzen stets schöner ist als eines auf dem Papiere) oft ganz fremdartige Bilder entstehen, und diese rezitiert meine Seele möchte ich beinahe sagen zu den Versen, die ich lese; ungefähr wie ich öfter zu einer vor mir liegenden Musik, die gar nicht zum Singen bestimmt war, Worte gesungen habe, die Verse die ich lese sind mir nur das Accompagnement für den Text in meinem Kopfe. Dies geschieht mir (in gewissen Stunden nämlich) mit allen Dichtern, Goethen ausgenommen –, obwohl ich gestehen muß, daß ich aus einem Egmont z. B.; nicht *sein,* sondern *mein* Klärchen herauslese, – und so ging es mir auch neulich mit der Jungfrau von Orleans. Anfangs wollte ich mir dies selbst nicht eingestehen, denn ich glaubte meine Parteilichkeit (wenigstens wirft mir A[5] eine solche gegen Schillern vor) sei Schuld an dieser Erklärung, doch reiferes Nachdenken hat mich völlig überzeugt, denn gerade wenn ich parteiisch wäre, könnte mich Schiller gar nicht rühren, denn in einem solchen Zustande fällt alle Empfänglichkeit für Rührung weg; wenigstens bei mir ist dies der Fall.

(Tgb 96. W IV, 260 f)

Tagebuch 1811

In meinem Kopfe siehts aus wie in Ungarn. Roher Stoff im Überfluß, aber Fleiß und Industrie fehlt; das Material wird nicht verarbeitet. Es gibt unter den Schriftstellern Leute wie die Fischangelschmiede in England, aus einem Gedanken, den ein anderer als einen derben Barren hingeworfen hätte, schmieden sie 30 000 andere; die sind zwar klein, sehr klein, aber geschliffen und fein. Leider versteh ich das nicht. (Tgb 122. W IV, 263)

5 Grillparzers Freund Georg Altmütter.

Grillparzer an Karl August Böttiger Wien, 6. April 1818

Sie waren so gütig mich zu fragen: ob ich schon wieder an einem neuen Trauerspiele arbeite? Mein Gott, nein, nein! unter all dem Gewirr und Gewühl habe ich noch nicht einmal an die Vorbereitung eines Stoffes denken können. Nicht als ob ich nicht täglich hundert Pläne durch den Kopf gehen ließe, jeden mir aufstoßenden, nur einigermaßen empfänglichen Charakter gehörig durchknetet meiner Sammlung – im Kopfe nämlich – beigesellte, Situationen und Kontraste zu künftigem Gebrauche aneinander reihte, das alles versteht sich von selbst und macht meine einzige Unterhaltung auf meinen, leider nur zu häufigen Spaziergängen; aber etwas auszuführen, dazu komme ich nur schwer. Teils mein schwer zu überwindender Hang zum Müßiggang (dem eigentlichen sowohl, als dem geschäftigen Müßiggang), teils mein unerhörter Abscheu gegen Tinte und Feder, endlich auch der fatale Umstand, daß es gar so viele Stoffe gibt und ewig einer den andern verdrängt, lassen mich nicht dazu kommen. Ich trage wenigstens zwanzig Stoffe zu Tragödien bei mir im Kopfe herum, deren mich jeder einzeln entzückt, wovon aber eben einer den andern nicht emporkommen läßt. – Je nu! es wird sich schon der rechte finden! – Nach meiner Ansicht ist das Vorbereiten des Stoffes denn doch nur das Aufschichten des Holzes zum Feuermachen, das Anzünden steht andern Mächten zu. (HKA III, 1, 108 f)

Tagebuch Juli 1819

Ich hatte gestern zu viel Wein getrunken und Kopf und Magen war in Unordnung. Spät eingeschlafen träumte mir, ich wäre zu Schiffe und hätte die Seekrankheit mit allen ihren Unbequemlichkeiten. Wenn das nicht Poesie ist, so gibt es keine. (Tgb 595. W IV, 349)

Tagebuch Anfang 1820

Ist es denn nicht entsetzlich, daß kalte Füße die Phantasie kalt machen können und ein Paar wollene Fußsocken mir gute Gedanken zubringen. (W IV, 354)

Grillparzer an Ignaz Karl Graf von Chorinsky 23. Juni 1821

Ich bin kein Müßiggänger! kein fahrlässiger Büreauflüchtling, der die Stunden, die er dem Dienste stiehlt, in Vergnügen und Unterhaltung zubringt. Anhaltende Studien und angestrengte Arbeiten haben mir vor der Zeit die Jugend geraubt und ihre Freuden; die Art meiner Körperleiden zeigt deutlich die Quelle, aus der sie entspringen. Hat mich irgend jemand einmal lachen, oder spazierengehen und reiten und fahren gesehen, so sah er nicht einen übermütigen Bruder Lustig, sondern einen gepeinigten Gemütskranken, der sich auf Geheiß des Arztes und nach schwer gefaßtem Entschluß, nötigte, seinen Zustand auf Augenblicke zu vergessen und im Vergessen zu erleichtern. Ganz Deutschland weiß, *daß* und *wie* ich mich beschäftige. Ich habe mir Ehre gemacht und meinem Vaterlande, und meine Arbeiten sind nicht von der Art derjenigen, die ein glücklicher Augenblick unvorbereitet gebiert; sie tragen die Spuren der Wehen oft nur zu deutlich an sich und zeugen von anhaltenden Studien und Vorarbeiten [. . .] Lebte ich in Frankreich oder England, so wäre mein Lebensunterhalt nach 3 gelieferten dramatischen Arbeiten gesichert, in Wien bin ich ohne Mittel, und wahrlich in Verlegenheit, wenn die allgemeine Hofkammer mich nach Dienstesstrenge behandelt. (HKA III, 1, 267 f)

Tagebuch 1822

Da ich nur dann zu schreiben pflege, wenn mich ein dringendes Bedürfnis dazu gleichsam nötigt, so ist es, wenn ich einmal meine Gedanken über eine Sache niedergeschrieben habe, als ob das Bedürfnis befriedigt wäre, und sie kömmt mir, wenigstens in derselben Gestalt, nicht leicht mehr in den Sinn. Daher muß ich mich z. B. hüten, zu einem dramatischen Plan zu viele Vorarbeiten zu machen. Ich tue mit diesen Vorarbeiten meinem Drang für die Sache genug, und habe nun kein Interesse mehr für die wirkliche Ausführung. – Eine andere Erfahrung ist, daß, da die Ausführung matter als die Idee zu sein pflegt, und sich immer in der Folge das ausgeführte Werk an die Stelle der ersten Idee setzt, die letztere ihre ursprüngliche Lebhaftigkeit in der Erinnerung verliert. So konnte ich, als ich einmal die Medea aufführen gesehen, die Vorstellung der Person der Md. Schröder, nicht mehr aus dem Gedächtnisse bringen, obschon ich mir ursprünglich die Medea ganz anders gedacht hatte.

(Tgb 1079. W IV, 370)

Tagebuch 1822

Ich weiß wohl, wie ichs machen sollte! Nicht lange über einem Werke brüten, das Größte und Kleinste, das Oberste und Unterste haarscharf ausrechnen und dann, furchtsam[6], beginnen. Viel schreiben sollt' ich, herausgießen die Fülle der Gedanken, wie sie der Gott gibt; unbekümmert über Fehler, wenn nur der Vorzüge mehr sind. Es wäre schlimm, wenn jedermann so arbeitete, aber *ich* sollte so tun. Jedermann muß seine Art zu arbeiten haben, wie jeder seine eigene Art zu sein hat. Obige ist die Meinige.

(Tgb 1133. W IV, 378 f)

Tagebuch 1823

Ein poetisches Tagebuch zu führen; d. h. keinen Tag vorübergehen zu lassen (ausgenommen während man mit größeren Arbeiten beschäftigt ist) ohne die eben im Gemüt obwaltende Stimmung poetisch auszudrücken. Das müßte für vieles helfen, und vor allem zu Sammlung, Ruhe und Klarheit führen. Ich will mirs vornehmen.

(Tgb 1300. W IV, 381)

Grillparzer zu Beethoven Mai 1823

Ich habe durch die Musik die Melodie des Verses gelernt.

(Gespr 318)

Tagebuch 1824

Bin ich nicht mit meinem Streben, mich der Poesie zu entziehen und im gewöhnlichen Leben unterzutauchen, eine Art Ludwig XV, der, indes er wollüstig die Vorteile seines hohen Amtes genoß, sich den Anforderungen ihrer Bürden gemeinidealisierend dadurch zu entziehen strebte, daß er sich gern als Privatmann dachte; knickerig ein Privatvermögen sammelte, indes er das öffentliche vergeudete, und hoffte sich um so mehr als eigentlicher *Mensch* zu fühlen, je schlechter er als *König* sich erkennen mußte. (Tgb 1385. W IV, 382)

Tagebuch 1825

Ich habe mich selbst, bei Gelegenheit der vielen Mißverständnisse über König Ottokar, auf die Vorrechte des *historischen* Trauer-

6 wohl *furchtlos* gemeint.

spieles berufen, auf den Unterschied zwischen demselben und jenem von erdichtetem Stoff. Worin liegt denn derselbe nun eigentlich? Wenn ich mirs recht zu verdeutlichen suche, so ist dieser Unterschied kein anderer, als der zwischen Möglichkeit und Wirklichkeit, zwischen Gedenkbarkeit und Existenz, zwischen Handlung und Begebenheit. Die Tragödie mit erfundenem Stoffe hat kein höheres Gesetz als strenge Ursächlichkeit. Da ihre letzte Aufgabe ist, einem Gedenkbaren den Schein der Wirklichkeit zu geben, so kann sie sich nie von der genauesten logischen und psychologischen Stetigkeit lossagen, und nur was sich völlig erklären läßt, wird ihr zugegeben, denn ihre Aufgabe ist Menschenwerk, und was der menschliche Verstand ersinnt, muß der menschliche Verstand begreifen, allseitig und jederzeit verfolgen können. Das Letzte der historischen Tragödie aber ist Gottes Werk; ein Wirkliches: die Existenz. Nur ein Tor könnte glauben, daß dem Dichter hier die Verknüpfung von Ursache und Wirkung erlassen wäre. Aber wie in der Natur sich höchst selten Ursache und Wirkung wechselseitig ganz decken, so ist, in der Behandlung eine gewisse Inkongruenz beider durchblicken zu lassen, vielleicht die höchste Aufgabe, die ein Dichter sich stellen kann. Allerdings eine höchst gefährliche Klippe! Die Unverständlichkeit, der Unsinn lauern geschäftig auf jeden Fehltritt, und nur die *Anschauung* kann retten, indes der *Begriff* rein nutzlos wird, und zurückbleibt. Da aber, wie oben gesagt, der Mensch (und mit Recht) dem Menschen nichts glaubt, als was der Mensch begreift, so kann diese Art der Behandlung auch nur in rein historischen Stoffen mit Glück versucht werden, weil nur hier ein höherer Geist, der Weltgeist, den Begebenheiten die Gewähr leistet und für die Endpunkte einsteht. Es müssen ferner die gewagten (scheinbaren) Inkonsequenzen, eigentliche Inkonsequenzen der Natur sein, und der Zuseher muß das Gesetz der Kausalität *fühlen,* wenn er es auch nicht *nachweisen* kann. Der Zuseher muß sich aber auch in diesem Sinne der Handlung hingeben *wollen,* und selbstgefällig kritische Bestrebungen reduzieren ein solches Stück nur gar zu leicht ad absurdum. Es lebt kein Stümper der daher so leicht lächerlich zu machen wäre als Shakespeare, der große, oder vielmehr einzige Meister in dieser Gattung; und Voltaire z. B. hat es mit vielem Erfolge getan. Noch einmal! ein gefährliches Feld! Man muß auf: siegen oder sterben gefaßt sein, wenn man es betritt. Mich aber hat schon seit lange ein gewisser Ekel vor dem eng-psychologischen Anreihen und Anfädeln erfaßt – vaincre ou mourir! Was ich da niedergeschrieben, klingt wohl ein bißchen wie Unsinn; ich bin aber nur noch nicht klar genug, und will das Ganze wohl einmal in der Folge ausführen. (Tgb 1400. W III, 304 f)

Tagebuch Anfang 1826

Ruhe – Ruhe. Ruhe! Aber nicht jene stumpfe Ruhe, eine Folge körperlicher Erschöpfung und geistiger Verstockung, eine traurige Frucht absichtlicher Zerstreuung – Ruhe, nämlich Sammlung. Sammlung, Hinrichtung – auf einen einzigen, ausschließenden Punkt ist wohl im Grunde kein in der allgemeinen Menschennatur gegebener Zustand; der Mensch ist ursprünglich dazu eingerichtet mit *allen* seinen Fähigkeiten sich nach *allen* Richtungen zu bewegen; – und doch entsteht nichts Großes ohne Ausscheidung, ohne Hinrichtung auf *einen* Punkt, ohne Sammlung. Ich möchte das Vermögen sich zu sammeln in höchster Potenz als gleichbedeutend mit *Genie* erklären, und alles was zur Ausführung gehört als *Talent* bezeichnen. Ich schreibe diese unzusammenhängenden Sätze eigentlich nur hin um mich zu sammeln, um mich von jener unseligen Zerstreuung zurückzurufen, die mein Labsal ist und meine Marter zugleich. Mit einem großen Hang zur Untätigkeit von Natur aus, scheint mein ganzes Wesen auch eine lange fortgesetzte Anspannung nicht ertragen zu können. Es lebt niemand, den geistige Anstrengung so sehr ergreift als mich, besonders wenn sie ohne Begeisterung geschieht. Begeisterung ist der einzige Hebel meiner Natur. Ich weiß nicht, ob ich durch meine Bemühungen meine Gesundheit zu stärken mir nicht in geistiger Hinsicht viel geschadet habe. All die heroischen Mittel: starke Bewegungen, häufiger Gebrauch des kalten Wassers haben vielleicht die Empfänglichkeit meines Nervensystems abgestumpft, und das Krankhafte in meinen ersten Werken scheint fast darauf hinzudeuten, daß ein abnormer Nervenzustand an ihrer Entstehung einen großen Teil hatte. Als mein Vetter Paumgartten sich gegen Graf Wurmbrand über meine Kränklichkeit beklagte und meinte, daß sie mich in meinen poetischen Hervorbringungen störe, erwiderte jener: ich glaube in seiner Kränklichkeit

liegt sein Talent. Wenn er recht gehabt hätte! Es käme dann darauf an einen Entschluß zu fassen: ob man lieber ein elender Siechling und ein Dichter, oder ein gesunder Mensch und – eben nichts als ein solcher, sein wollte! Beide Äußerste wären gleich entsetzlich. Mein Gemüt verhärtet sich, meine Phantasie erkaltet. Schon im Ottokar war mir eine gewisse Starrheit mitunter höchst Unglück-weissagend, seitdem aber nimmt die Richtung meines ganzen Wesens zu einer prosaischen Verstandeskälte immer mehr zu, und ich erschrecke oft vor mir selbst. Das Wirkliche erhält über das Ideale ein so furchtbares Übergewicht, daß alle Poesie darüber zu Grunde geht. Zugleich verstehe ich mich so gut darauf *was* sein sollte und *wie* es sein sollte, kenne die Bedingungen der Kunst und der Kompositionen so gut, daß ich darüber alle Lust an dem Selbstgeschaffnen, wegen seiner Unvollkommenheit, verliere.
Die Quelle dieses Übels ist von Anfang an, eine doppelte. Erstens führen die Bestrebungen, mich von dem ekelhaft-falschen Enthusiasmus der neuesten deutschen Kunst nicht fortreißen zu lassen, mich auf das entgegengesetzte Extrem: die Kälte. Zweitens bedarf ich nach meinem innersten Wesen, immer einer Aufmunterung von außen. Liebe, Wohlwollen, Anerkennung, Beifall. Die traurigen Erfahrungen in dieser letzten Hinsicht haben mein Inneres zusammengezogen und verbittert. Dann mattet mich der immerwährende Seelenstreit mit Luzien[7] unendlich ab. Den immerwährenden Angriffen ihrer krankhaften Reizbarkeit, kann ich, wenn ich mich nicht selbst aufreiben will, nichts als, anfangs scheinbare, dann zur Gewohnheit gewordene, wirkliche Gleichgültigkeit entgegen setzen, dann Verstocktheit, dann Härte, dann Gemeinheit. Ich bin gemein geworden, aus lauter Furcht nicht überspannt zu werden. Ferner habe ich einen solchen Abscheu vor der empfindelnden Empfindung, daß ich mir darüber selbst die Ausbrüche der wirklichen abgeschnitten; nur in seltenen Augenblicken gewinnt ein, nur zu bald verrauchender Enthusiasmus die Oberhand. Auch der geistige Zustand meines Vaterlandes und die obwaltende Gemeinheit vergiftet das Innerste meiner Seele. Jenes Verhältnis, in das ich mich unüberlegt

7 Kathi Fröhlich; Grillparzer lernte sie 1821 kennen, verlobte sich mit ihr, doch kommt es in den folgenden Jahren zu wiederholten Trennungen und Versöhnungen, die beider Nerven strapazieren.

gestürzt, und das meine Trägheit bis zur Unlösbarkeit verschlungen, liegt schwer auf mir. Der erste meiner gesammelten Gedanken fällt immer darauf, und so habe ich mich der Zerstreuung verschrieben, wie Faust dem Teufel. Und wenn diese Zerstreuung noch eine erfreuliche wäre, mein Müßiggang ein frei-gewählter, konsequent-durchgeführter. otium sine dignitate. So liegen die Sachen. Gott weiß wo das Ganze hinführt. (Tgb 1413. W IV, 389 ff)

Tagebuch 19. März 1826

Wie wäre es, jene schon einmal gefaßte Idee wieder aufzugreifen und ein eigentliches Tagebuch zu führen? Ich weiß wohl, daß ich es in früherer Zeit darum aufgab, weil unter dem Bestreben, den Ereignissen des Tages eine gewisse künstlerische Form zu geben, nur die Wahrheit zu leiden und der Selbsttäuschung Tür und Tor geöffnet zu werden schien. Aber diese Gefahr ist gegenwärtig nicht mehr so groß. Wenn damals die Seelenkräfte, vornehmlich die Phantasie in ihrer ursprünglichen Stärke waren und das Vermögen ihrer Richtung durch hypochondrische Grübeleien beeinträchtigt schien, so möchten jetzt im Gegenteile die Fähigkeiten selbst abgenommen und gerade die sonst vorherrschende Phantasie große Einbuße erlitten haben. Ich bin so weit gekommen, daß mir ein gewisser Grad von Selbsttäuschung beinahe wünschenswert wäre, wenn er nur vermöchte mich zu erwärmen. Denn über Mangel an Wärme muß ich jetzt klagen wie ehemals über zu viel. Einen Teil der Schuld trägt offenbar meine veränderte Lebensweise. Leibesübungen, Schwimmen, Fechten, Waschungen mit kaltem Wasser, in guter Absicht zur Stärkung des Körpers, zur Ableitung der allzugroßen Reizbarkeit der Nerven unternommen, scheinen mehr geleistet zu haben als sie sollten, und das Körperliche vorherrschend, die Nerven abgestumpft zu haben. Es klingt freilich lächerlich, diese Bedenken auszusprechen, da man nur das Bedenkliche wegzulassen brauchte, aber einerseits ist die Angabe dieses Grundes nur Vermutung, und es wäre doppelt traurig, durch Aufgebung der Dinge, denen ich meine Gesundheit verdanke auch das Wohlsein des Körpers zu stören, indes dadurch der Geist vielleicht doch nichts gewänne; andererseits aber könnte ja auch das Übel schon irreparabel geworden sein und ich würde geistig nichts gewinnen und körperlich unendlich viel verlieren. Denn meine Gesundheit ist jetzt gut, und es wäre ein entsetzlicher Entschluß sich der Krankheit freiwillig wieder in die Arme zu werfen. Am Ende hofft man doch immer noch durchzudringen, und genau besehen kann ich den Versuch nicht aufgeben. In ähnlicher Unfähigkeit zu arbeiten und zu dichten habe ich mich zwar schon öfter befunden, aber das Charakteristische meines gegenwärtigen Zustandes ist, daß, indes ich sonst die Ursache meiner Untätigkeit in äußern Umständen suchte und fand, mir jetzt ein inneres, entsetzliches Gefühl sagt, es sei mit der Dichtergabe selbst zu Ende. Eine stufenweise Erkaltung der Phantasie läßt sich übrigens in meinen bisherigen Hervorbringungen bestimmt nachweisen. In der Ahnfrau ist sie in voller Glut der Jugend, in der Sappho schon ruhiger geworden, Medea schwankt zwischen zu viel und zu wenig. (Tgb 1419. W IV, 391 f)

Tagebuch 19. März 1826

Auf der einen Seite also Abnahme, stufenweises Erlöschen der Herzenswärme, und auf der andern durchaus kein Zunehmen von Seite des Denkens und Wollens. Die Phantasie wird nach und nach zum Greise und der Verstand bleibt ewig Kind, oder *Knabe* besser zu sagen, denn *Kind* wäre noch allenfalls zu entschuldigen. Schon in der Zeit, da ich noch hoffte in der Poesie etwas Tüchtiges leisten zu können, und ein vorschneller Wahn mich zu glauben antrieb, ich könnte mich dereinst an die ersten Dichter der Nation reihen, schlug das Gefühl einer innern Insuffizienz einer Unbedeutenheit als Mensch jede solche Hoffnung nieder. (Tgb 1420. W IV, 392)

Tagebuch 19. März 1826

Hätte ich nur den Mut mir selbst treu zu sein, den unnennbaren Schmerz eines verfehlten Daseins in mir fortrollen zu lassen, bis er entweder das Dasein selbst verzehrt oder in höchster Steigerung ein höheres hervorruft. Aber eine törichte Eitelkeit, eine übel angebrachte falsche Scham zwingt mir bei jeder Berührung mit Menschen eine gewisse Lustigkeit auf, die mich nicht froh macht, die mir nicht von Herzen geht, aber für mich das einzige Mittel ist mit Menschen zu kommunizieren. Ich muß Scherz treiben oder ganz schweigen und meine innere Seelenmarter, meine Menschenscheu, meinen langweilend gelangweilten Mißmut zur Schau tragen und das mag ich nicht, kann ich nicht, will ich nicht. Allein, fern von den Menschen, so könnte ich mich vielleicht wiederfinden und besitzen. (Tgb 1421. W IV, 393)

Tagebuch 19. März 1826

So viel ist gewiß. Ist einmal der Dichter über Bord, send ich ihm den Menschen nach. (Tgb 1424. W IV, 393)

Tagebuch 20. März 1826

Äußere Ursachen, die mir seit der Aufführung des Ottokar (19. Februar 1825) die Arbeit verleidet haben, waren: Mißmut über das Nicht-Durchgreifen dieses Stückes, über das Unbeachtet-Bleiben desselben von Seite der Kritik und der Bessern in Deutschland. Nachwirken des Ärgers über die Zensur-Kämpfe vor der Aufführung. Ferner die gebrauchte homöopathische Kur gegen mein Halsübel, die mir den ganzen Frühling und Sommer raubte. Mein Verhältnis zu Luzien, das sich zum Bruche neigte und mir keine Ruhe ließ. Den Winter über Daffingers Polizeigeschichte und meine Verwicklung in dieselbe. Endlich mein Körperzustand, der ohne irgend ein bestimmt ausgesprochenes Übel auf eine stufenweise überhand nehmende Abstumpfung hinweist. Freilich war mein ganzes bisheriges Leben ein immerwährender Wechsel zwischen Überreiz und Abspannung, letztere war aber noch in keiner Periode so stark, so lange dauernd, so sehr mit dem Gefühle der Hilflosigkeit begleitet als jetzt. Freilich habe ich die Zeit von meinem 18. bis zum 25ten Jahre in einer ähnlichen Dumpfheit und Tatlosigkeit zugebracht, damals waren aber auch die äußern Umstände darnach und dann – der Henker hole alles Wissen und Schreiben, wenn dem Innern der Ausbildung als Mensch gar nichts davon zu Gute kommt. Auch war ich damals wohl nach außen hin untätig, aber äußerst tätig nach innen. Es war ein eigentlicher Tiefsinn in mir, eine wahre Anlage zu großen Dingen. (Tgb 1426. W IV, 394)

Tagebuch 20. März 1826

Wenn man sich ein so äußerst erregbares Nervensystem vorstellt, als das meine von Kindheit an war, und bedenkt was Baden und

Schwimmen im kalten Wasser z. B. das Hineinspringen den Kopf zuunterst, darauf für eine Wirkung machen kann und muß, so erschrickt man. Stärken, abhärten – abstumpfen vielleicht. Lord Byron tat das zwar auch und die Wärme seiner Phantasie litt nicht darunter, aber seine Körperbeschaffenheit war eine andere, er war von Jugend auf daran gewohnt; ich habe erst nach meinem 30ten Jahre die ersten Versuche gemacht und – wer weiß? –

(Tgb 1427. W IV, 395)

Tagebuch 21. März 1826

Ein weiteres Abhaltungsmittel von poetischen Hervorbringungen in der letzten Zeit war auch das Studium der Musik und des Kontrapunktes. Ich hatte es um die Zeit, als der Streit wegen der Aufführung des Ottokar und mein Mißmut darüber am lebhaftesten war, begonnen, und zwar hauptsächlich um meine Gedanken von einem Gegenstande abzuziehen, der mich unaufhörlich marterte, und worüber das Sinnen und Ärgern mich wohl gar krank zu machen drohte. Zugleich aber hatte ich immer eine große Neigung für dieses Studium gehabt und es drängte mich, die Grundlage einer Kunst kennen zu lernen, die in ihrer Wirkung auf mein Gemüt immer eine gewaltige Nebenbuhlerin der Poesie war. Das Mittel wirkte. Ich ertrug die Kämpfe mit der Zensur, die Angst der ersten Aufführung, die Mißverständnisse und absichtlichen Mißdeutungen von Seiten des Publikums und der Kritik noch eins so leicht, aber zugleich bemächtigte sich der Gedanke an jene Tonverhältnisse meines Innern so überwiegend, daß ich bald selbst im Traume nur Musik und Generalbaß trieb. Zwei Eigenschaften, die mir mitunter von großem Nutzen waren, die mir noch öfter aber auch den empfindlichsten Schaden gebracht. Diese nämlich: daß in meinem Kopfe immer nur für *einen* Gegenstand Raum ist, der alle übrigen verschlingt, und dann: daß ich etwas einmal mit festem Entschluß Begonnenes nur mit dem äußersten Widerstreben fahren lasse. Die erste Eigenheit meines Wesens bewirkte, daß die Musik in mir bald das allein Herrschende ward, die zweite, daß, obgleich ich den Schaden bald einsah, die dieses außerwesentliche Studium mir brachte, ich mich doch nicht entschließen konnte es aufzugeben, und immer hoffte es in meine übrigen Beschäftigungen einschieben zu können, was aber nie gelang. Ja, aus Furcht zu sehr davon eingenommen zu werden, fing ich an, es lauer zu treiben, und verlor so die Furcht von einem und dem andern. (Tgb 1429. W IV, 396 f)

Tagebuch Ende März 1826

Auf eine so unsinnige Weise habe ich immer mit meinen Kräften und Anlagen hausgehalten, so wenig hat die Erfahrung immer Einfluß auf mich gehabt, und wie ein Knabe fange ich mit jedem Morgen ein neues Leben an, dessen Resultate dem folgenden Tage nicht zugute kommen. Ein jückendes Verlangen in allen Fächern unterrichtet zu sein, Äußeres und Inneres, Körperliches und Geistiges zu vereinigen, läßt mich eine Menge Dinge unternehmen, die mich zersplittern und zerstreuen.

Ich weiß es und fühle es lebhaft in den Momenten der Zerknirschung, aber ein durch was immer zeitweilig hervorgebrachtes Gefühl von Kraft und Präpotenz ist hinreichend, mich immer wieder von neuem in ähnliche Bestrebungen zu verwickeln. So habe ich Schwimmen, Fechten gelernt. Der Gedanke, körperlich schwach, kränklich zu sein, war mir unerträglich, und ich bedachte nicht, daß mein natürlicher [Zustand], vielleicht derjenige ist, in welchem ich allein imstande bin als Dichter zu leisten was ich sollte und auch könnte. (Tgb 1430. W IV, 397)

Tagebuch Anfang April 1826

Das vor allem Erforderliche wäre wohl einen angebornen Hang zur Untätigkeit zu besiegen. Aber wie? Indem man sich zu regelmäßigen Arbeiten zwingt. – Zu – poetischen oder andern Arbeiten? Im ersten Falle ist zu fürchten, daß die Poesie immer mehr in leeres Formenwerk ausartet, besonders aber das Gemüt daran endlich gar keinen Anteil nimmt, was ohnehin schon zu sehr stattfindet, und überhaupt das eigentliche Grundgebrechen ist. Das absichtliche Vertiefen in nicht-poetische Arbeiten aber würde mich von der Poesie endlich ganz abziehen. Ich liebe solche Arbeiten nur zu sehr, sie gewähren einen gewissen geschäftigen Müßiggang, der äußerst wohltut und nicht fördert. Dies ist auch die Ursache, warum ich solche Arbeiten vielmehr ganz entfernt und mich dadurch zu zwingen gesucht habe, Gedanken und Neigung der Dichtkunst zuzuwenden, lächerlich! Zwingen! Zur Dichtkunst zwingen! – Wohl! Aber tue ichs nicht, so laufe ich Gefahr, wie es schon einmal der Fall war, wieder 7 Jahre (von meinem 18ten bis 25ten Jahre) ohne die geringste poetische Tätigkeit zuzubringen. Überhaupt hat mich nur zu zwei dichterischen Leistungen eine eigentlich innere Nötigung gezogen. Zur Sappho nämlich und zur Medea. Bei beiden war es aber offenbar hauptsächlich die durch den Beifall der vorhergegangenen Stücke geweckte Begeisterung. Mein natürlicher Zustand ist ein mit Zerstreuung abwechselndes inneres Brüten. Am liebsten ohne Gegenstand mit hin und wieder aufzuckenden Gedankenblitzen. Hat sich aber auch ein Gegenstand dazu eingestellt, so waltet doch immer wieder die Lust vor, es mit ihm innerlich abzumachen. Sobald ich etwas davon nach außen hinstelle, wird es mir beinahe verhaßt, und ich mag nicht mehr daran denken, so widerlich ist mir die Unähnlichkeit des Ausgeführten mit dem Gedachten. Man glaube nicht, daß ich mir darin zu viel nachgesehen. Ich bin von jeher gegen diese Eigenheiten mit Erbitterung zu Felde gezogen, und vielleicht war es gerade dieses unausgesetzte Kämpfen, was meine innere Natur gestört, und mir die Äußerung noch schwieriger gemacht hat. Gewiß ist mein Gemüt dadurch verdüstert, und meine Empfindung abgestumpft worden. Darin liegt gegenwärtig das Hauptübel. Mein Herz ist anteilnahmslos geworden. Mich interessiert kein Mensch, kein Genuß, kein Gedanke, kein Buch. Ich hätte vielleicht gesucht allem ein Ende zu machen, wenn ich es nicht unter diesen Umständen für feig hielte. So viel aber ist gewiß, daß wenn alle meine Bemühungen mich ruhig und tätig zu machen fruchtlos bleiben, ein unglückseligeres Dasein kaum gedacht werden kann.

(Tgb 1434. W IV, 397 f)

Tagebuch 17. Juli 1826

Ich fange seit einiger Zeit an zu bemerken, daß der Körper eine gewisse Art Oberhand über den Geist gewinnt. Ich habe in den letzten drei Jahren so manches getan, um beide ins Gleichgewicht zu setzen, die Möglichkeit dazu scheint aber außer meinem Bereiche zu liegen, eines von beiden muß herrschen, und da sei Gott für, daß dies der Leichnam sein sollte. Daher von gestern eine neue Lebensart angefangen. Das Abendessen aufgegeben. Ich fühle mich darauf heute zwar ziemlich matt, aber doch wirklich auch geistig erregbarer, und wenn man auf seinen Vorsätzen beharrt, wer weiß, ob nicht alte gute Zeiten wieder kommen können. In diesen letzten Monaten war mein Zustand wirklich fürchterlich. Eine solche, durch nichts zu beschwichtigende Überzeugung, daß es mit aller geistigen Hervorbringung am Ende sei, ein solches Versiegen aller innern Quellen, war mir noch nie angekommen. Der ganze übrige Tag ward in gedankenloser oder gedankenmischender Zerstreuung noch so ziemlich hingebracht, aber, guter Gott! Welche Vormittage, welche Morgen. In den verflossenen Wintermonaten blieb mir doch immer das Bewußtsein einer Möglichkeit wieder etwas schaffen zu können, obschon sich nichts zu einem Ganzen gestalten wollte, aber nun selbst alle Hoffnung verloren. – Ich kann bei keinem Gedanken mehr verweilen. Ein unüberwindlicher Ekel ergreift mich bei allem was mir vorkömmt, selbst die Lektüre interessiert mich nicht. Das Theater erregt mir Abscheu, und kömmt jemand auf das zu sprechen was ich geschrieben, oder daß ich wieder etwas schreiben soll, so reißt sich ein so ungeheures Gefühl in meinem Innern los, ich sehe einen so ungeheuren Abgrund vor mir, einen so dunkeln leeren Abgrund, daß ich schaudern muß, und der Gedanke, mich selbst zu töten, war mir schon oft nahe. Das sind nun freilich Läppereien und so etwas zu tun wird niemanden einfallen, aber der Gedanke daran ist schon arg genug.

(Tgb 1439. W IV, 401)

Tagebuch 1. September 1826

Die Antiken[8] besehen, mit schmerzlicher Empfindung. Es brachte mir die Tage in Rom[9] ins Gedächtnis, die damalige Lage, die damaligen Entwürfe. Was stand alles zu hoffen, wie wenig hat sich erfüllt. Der Welt ward ein Dichter geboren und die Prosa hat ihn getötet. Ich glaube bald diese Begeisterung war bloß physisch und hat sich mit den physischen Ursachen zugleich aus dem Wege gemacht. Wohlan! Man muß ausharren bis ans Ende.

(Tgb 1518. W IV, 417)

8 im Antikenmuseum in Dresden.
9 Ostern 1819.

Grillparzer an Eduard von Schenk Wien, 28. Januar 1827

Als Mensch unverstanden, als Beamter übersehen, als Poet höchstens geduldet, schlepp ich ein einförmiges Dasein fort. Ohne Frau, ohne Kind, ohne eigentliches Lebensinteresse! Aber darum nicht mißmutig! Die poetischen Elemente haben sich seit meiner Reise wieder eingestellt, ich schwimme, allenthalben davon umgeben. Aber es will nichts präzipitieren und anschießen, nichts feste Gestalt werden, und das wäre denn doch worauf es ankäme. Aber die Zufriedenheit ist denn doch auch etwas wert! Die Zufriedenheit? Vielleicht Resignation? Mags! Ein Tor will mehr als er kann.

(W IV, 780)

Tagebuch 1827

Ich weiß, daß ich es nie erreichen werde nach was ich strebe in der dramatischen Poesie: das Leben und die Form so zu vereinigen, daß *beiden* ihr *volles* Recht geschieht. Man wird es vielleicht nicht einmal ahnen, daß ich es gewollt, und doch kann ich nicht anders.

(Tgb 1605. W IV, 430)

Tagebuch 1827

Es hat fast den Anschein als wollte es zu Ende gehen. Ich will aber sterben mit den Waffen in der Hand. Nur nicht den *Gedanken* aufgegeben, das jederzeit Herr sein seiner selbst. Niemanden sich vertraut! Niemanden geklagt! Ich will sterben mit den Waffen in der Hand. (Tgb 1609. W IV, 431)

Tagebuch 1827

Für mich gab es nie eine andere Wahrheit als die Dichtkunst. In ihr habe ich mir nie den kleinsten Betrug, die kleinste Abwesenheit vom Stoffe erlaubt. Sie war meine Philosophie, meine Physik, Geschichte und Rechtslehre, Liebe und Neigung, Denken und Fühlen. Dagegen hatten die Dinge des wirklichen Lebens, ja seine Wahrheiten und Ideen für mich ein Zufälliges, ein Unzusammenhängendes, Schattenähnliches, das mir nur unter der Hand der Poesie zu einem Notwendigen ward. Von dem Augenblicke als ein Stoff mich begeisterte, kam Ordnung in meine Teilvorstellungen, ich wußte alles, ich erkannte alles, ich erinnerte mich auf alles, ich fühlte, ich liebte, ich freute mich, ich war ein Mensch. Aber dieser Zustand vorüber, trat wieder das alte Chaos ein. Mein ganzer Anteil blieb immer der Poesie vorbehalten, und ich schaudere über meinen Zustand als Mensch, wenn die immer seltener und schwächer werdenden Anmahnungen von Poesie endlich ganz aufhören sollten.

(Tgb 1614. W IV, 432)

Tagebuch 1827

Ich bin eine elegische Natur. Von dem Augenblicke an, als es mir kein Vergnügen mehr macht vor dem Publikum zu klagen, macht es mir auch keine Freude für dasselbe zu dichten. Von diesem Elegieenhaften zeigt sich aber nichts in meinem Äußern, meinem Betragen. Dieses ist (besonders in der letzten Zeit) schroff, kalt, zurückstoßend, spottend, verhöhnend, und wächst im umgekehrten Verhältnisse mit der Widerstandsfähigkeit der Personen, die in meinen Bereich kommen. Wenn ein Weib Ausdauer und Selbstgewältigung genug hätte, diese Rinde zu durchdringen, sie würde mehr finden als sie hoffte. (Tgb 1617. W IV, 433 f)

Tagebuch Anfang 1828

Mir liegt im Grunde an der Produktion nichts mehr. Ich habe nur ein Bedürfnis, mich in Ideen zu berauschen. Auf welche Art das geschieht, und was dabei herauskommt, ist mir gleichgiltig.

(Tgb 1621. W IV, 439)

Tagebuch Anfang 1828

Ich kann meinen gegenwärtigen Zustand, obwohl er sich vornehmlich am Gemüte äußert, wohl eine Krankheit nennen, und zwar um so eher, als auch ein nur mir bekanntes körperliches Übelbefinden damit verbunden ist. Das traurigste Symptom dieses Zustandes ist, daß alles was ich schreibe, mir im höchsten Grade mißfällt, ja unerträglich ist. Ich werde dadurch ganz von dem Urteile anderer abhängig. Auch vermag ich nichts von größerem Umfange auszuführen, weil in der Mitte der Arbeit schon jenes Gefühl der Insuffizienz erwacht, und jede Begeisterung zerstört. Wird das wieder anders werden? Ich hoffe, ja. Denn ich war schon einmal in meinem Leben in einem ähnlichen Zustande: von meinem 18ten bis in mein 25tes

Jahr nämlich. Freilich unter andern Modifikationen; dann liegt in meiner jetzigen Zukunft keine Jugendstrecke mehr, wie in der damaligen. Der Wille des Herrn geschehe. Von Ehrgeiz weiß ich nichts mehr, seit sich das höchste Ziel als mir unerreichbar gezeigt hat; alles übrige ist gleichgiltig. (Tgb 1622. W IV, 439)

Tagebuch März 1828

Ich bin ein dorischer Dichter. Ich kümmere mich den Henker um die Sprache der Leipziger Magister und des Dresdner Liederkreises. Ich rede die Sprache meines Vaterlandes. (Tgb 1625. W IV, 441)

Tagebuch Frühjahr 1828

Sie sind auf ihrem Theater an den prächtigen Wortschwall gewohnt; die Handlung mit unbedeckter Blöße ärgert ihr keusches Auge. Ich fühle mich aber gerade jenes Mittelding zwischen Goethe und Kotzebue, wie ihn das Drama braucht. Die Deutschen könnten vielleicht ein Theater bekommen, wenn mein Streben nicht ohne Erfolg bleibt. Mir selbst ist die Schaubühne verhaßt. Was das Theater leisten kann, ist für mein individuelles Gefühl zu wenig zugleich und zu viel. Ich bin Deutscher genug, um mich daran zu ärgern, wenn ich den Theatereffekt erreicht habe. Und doch kann ich nicht anders; eine innere Notwendigkeit hält mein Wesen auf diesen Bahnen. (Tgb 1626. W IV, 442)

Tagebuch Mai 1828

Dieser Theatersekretär Schreyvogel hat mir zum Teile großen Schaden gebracht. Ich hatte niemanden in meiner Umgebung, dessen Urteil über meine Arbeiten ich befragen konnte, als ihn. Er glaubte immer den Kritiker spielen zu müssen, und ich brauchte einen Aufmunterer. So kam ich aus dem Zuge zu produzieren, damals als noch alles vor Lust dazu in mir glühte, und die äußern lähmenden Verhältnisse gewannen die Oberhand über die gewaltsam zurückgehaltene Kraft. Kritik fand ich genug in meiner Hypochondrie, nebstdem daß ich auch die Sache besser verstand als er. Loben hätte man mich müssen, aneifern, die Grillen bekämpfen, statt sie zu vermehren. (Tgb 1629. W IV, 443)

Tagebuch 1828

Sie haben mir angeraten, diese Launenhaftigkeit meiner Natur zu bekämpfen, das Schreiben zur Gewohnheit zu machen, und die Poesie zum Gewerbe. Die Tüchtigen aller Zeiten hätten das gekonnt! Ich habe es versucht, und ich kann es nicht. Für mich war die Poesie immer ein Heiliges, eine Feiertags-Feier und kein Werktags-Geschäft. (Tgb 1633. W IV, 444)

Tagebuch Ende 1829

An Doktor Fechner [10]

Wir haben gestern abends bei Wanner meinen Gesundheitszustand besprochen, und ich habe Ihnen einen Besuch auf heute angekündigt, um Ihren Rat in dieser Sache des weitläuftigern zu vernehmen. Verzeihen Sie, daß dies nun heute nicht geschieht, und daß die Absicht dieses Briefes eigentlich nur ist, Ihnen zu melden, daß ich nicht kommen werde. Also sind Sie nicht krank? werden Sie fragen; oder haben Sie kein Vertrauen in meine Einsicht? Beides, beides habe ich und bin ich, verehrter Herr Doktor; und doch werde ich nicht kommen. Dazu bewegen mich nun verschiedene Gründe.

Erstlich liegt der kräftigste Widerstand, den der Mensch einem körperlichen Übel leisten kann, in der eigenen Willenskraft. Solange ich nun allein, Mann gegen Mann meinem Feinde entgegen stehe, bin ich Herr meiner Mittel; ich kann Angriff und Widerstand berechnen, der Operationsplan liegt klar vor mir und ich brauche nichts aufzugeben, als was nicht mehr zu halten ist. Bin ich aber in Allianz mit dem Arzte getreten, so berechnet er die Mittel, stellt er die Truppen; nur ein Teil der Ausführung bleibt mir überlassen. Ich erschrecke vor jedem Ereignis, weil ich nicht weiß, wie ihm begegnet werden wird. Da gibt es falsche Alarme, panische Schrecken, und, wenn es einmal verhängt war zu unterliegen, bin ich in Gefahr, auf der Flucht niedergesäbelt zu werden, statt als ein braver Kerl Aug in Aug ehrlich zu fallen.

Zweitens bin ich zwar krank, ich will aber nicht gerade gesund wer-

10 Fingierter Brief Grillparzers, ebenso wie die folgende Tagebuchnotiz. – Gottfried Ubald Fechner war Direktor des Tierarzneiinstituts in Wien.

den. Das heißt: nicht durch jedes Mittel; nicht gesund in jeder Art. Ich möchte jenen körperlichen Zustand gewinnen, der es mir möglich machte, meinen gewöhnlichen Arbeiten auf eine genügende Art obzuliegen, gleichviel ob ich dann auch krank wäre. Es heißt nun der Arzeneikunde mit ihren gegenwärtig noch so rohen Mitteln, zu viel Ehre angetan, wenn man glaubte, sie vermöge gerade diesen einzigen Punkt genau mit der Nadel zu treffen. Jede andere Heilung verbitte ich mir. Ich habe eigene Versuche gemacht, mir eine Art Taglöhnergesundheit auf ziemlich gewaltsamen Wege zu verschaffen, und bin damit auch halb und halb zu Stande gekommen. Aber das Mittel war, ohne daß ich es ahnete, Abstumpfung, die mir unerträglicher ist, als der schneidendste Schmerz.
Der dritte Punkt endlich, der mit dem zweiten ziemlich genau zusammenhängt, ist, daß ich gar nicht weiß, ob mein gegenwärtiger Zustand dem Geiste oder dem Körper zur Last geschrieben werden soll. Ich muß mich daher über diesen Zustand genauer erklären. Er besteht in einem schnellen Ermüden bei geistiger Arbeit; in der Unlust einen Gedanken zusammenhängend und mit Ausdauer zu verfolgen; in einem Mangel an Wärme des Gemüts und der Einbildungskraft. Bei der großen Mehrzahl der Menschen ist der hier geschilderte Zustand der gewöhnliche. Wenn es daher mit mir immer so gewesen wäre, so stünde dem Arzt frei dem Kranken ins Gesicht zu lachen, statt auf Heilung zu sinnen. Nun war ich aber sonst gerade im entgegengesetzten Falle, ich darf daher wohl von einer Wiedereinsetzung in den vorigen Stand sprechen. Nur weiß ich, wie gesagt, nicht, ob mein Übel vom Geiste oder vom Körper ausgeht. – Ich sehe, Sie lachen. »Ein Geist, der ermüdet! Ein Geist, der abnimmt!« – Wohlan denn! Wir wollen das Ganze dem Körper in die Schuhe schieben. Nur sehe ich nicht, was dabei gewonnen wird. Sowie Sie den Geist verkörpern, werden Sie genötigt, den Körper, um ihn zum Träger dieser bewundernswürdigen Funktion zu machen, so zu vergeistigen, daß für Ihre Wissenschaft dadurch nichts gewonnen wird. Und hier ist es wo mein dritter Fragepunkt mit dem zweiten zusammenhängt. Wie soll die Arzeneikunde mit ihren mechanisch-rohen Mitteln dazu gelangen, das gestörte Ebenmaß in diesem himmlischen Gebäude von Gedanken und Empfindungen wieder herzustellen.

Nein, nein, mein Herr Doktor. Wir wollen uns in keine Kur einlassen, sonst aber gute Freunde bleiben! (Tgb 1746. W IV, 454 ff)

Tagebuch Ende 1829

An den Hofrat Burgermeister [11]

Mein Herr Hofrat! Sie haben sich sehr in mir getäuscht; nicht wahr? Ich sehe Ihnen das peinliche Erstaunen darüber täglich im Gesichte an, und will daher nur gerade von der Leber weg reden. Als Sie mich in Ihr Büreau nahmen, hofften Sie zwar dadurch keinen außerordentlichen Arbeiter zu gewinnen, aber Sie meinten doch, nach dem Schlusse vom Größern auf das Kleinere, daß ich mich in die leichtern Geschäfte bald finden würde; ja, Sie wußten sich vor Freude gar nicht zu lassen, wenn Sie bedachten, welche stilistische Vorteile Ihrem Büreau durch die Acquisition eines Dichters zuteil werden würde. Und nun finden Sie mich bei der kleinsten Arbeit unbeholfen, ängstlich; den Stil ohne Fluß und Folge, ohne Wahl der Worte, unüberzeugend, zerhackt. – Ja, mein Herr Hofrat, das hängt damit zusammen, daß ich der Mann der Begeisterung bin. Damit will ich leider nicht sagen, ich sei immer begeistert, sondern vielmehr: ich bin nur dann ein Mann, ja ein Mensch, wenn ich begeistert bin. In dieser glücklichen Erhöhung der Seelenkräfte strömen die Gedanken und Worte. Alles fügt sich, alles paßt; das Wort das kömmt ist das rechte; keine Korrektur; kein pentimento [Reue]; selige Zeit! Aber fehlt dieser Zustand, so scheint die Natur durch Kargheit wieder hereinbringen zu wollen, was sie vorher durch Übermaß verschwendet. Das Wort, das ich suche, ist immer ein ungehöriges; der Gedanke, dem ich nachgehe, stellt sich zwar vielleicht ein, aber nackt, ohne Herrscherschmuck und ohne Gefolge. Meine Ideen sind vereinzelte sumpfgetrennte Inseln, wenn nicht die Flut der vergegenwärtigenden Anschauung sie umgibt und verbindet. – Sie schütteln den Kopf? Sie verstehen mich nicht? – Ja, wenn ich mich erst selbst ganz verstünde! (Tgb 1747. W IV, 456 f)

Tagebuch August 1830

Sonderbarer Gemütszustand. Ewiges Mißbilligen des kaum Her-

11 Franz Xaver von Burgermeister war von 1829 bis 1832 Grillparzers Vorgesetzter. Vgl. auch Anm. 10.

vorgebrachten. Sonst pflegte diese lästige Selbstkritik sich doch bis zur Vollendung einer Arbeit hinauszuschieben, nun aber drängt sie sich allmählig schon während derselben ein. Wo soll das hinaus? Worin liegt die Ursache? Ist sie körperlich? Ist es das was die Leute Hypochondrie nennen? Und wenn es körperlich ist, hat man dagegen Mittel? Oder geht es vom Geiste aus? Ich habe es immer redlich gemeint, und doch bin ich vielleicht nicht ohne Schuld. Unterlassungen sind so sträflich als Handlungen.

(Tgb 1821. W IV, 459)

Tagebuch 5. August 1830

Die Franzosen haben ihren König[12] verjagt, der, ihnen in die Zähne, versucht, die Verfassung zu brechen, und sie zu einer Art – Östreicher zu machen, was denn, bürgerlich und politisch genommen, offenbar das Schlimmste ist, was man irgend werden kann. Ich wollte, ich wäre in Frankreich und ein Eingeborner, ich wäre eben jetzt in Stimmung, mich für eine interessante Sache totschießen zu lassen. Obwohl das Ganze auch seine schlimme Seite hat. Gibt der König nach, oder setzen sie ihn ab, und nehmen sich etwa den Herzog von Orleans, so gewinnt der Demokratismus eine so furchtbare Oberhand, daß bei der Beweglichkeit des französischen Charakters an gar kein Aufhören zu denken ist. Und doch! immer besser, als der Geist erliegt und die edelsten Bedürfnisse des Menschen werden einem scheußlichen Stabilitätssystem zum Opfer gebracht. Überhaupt gibts wohl kein anderes Mittel, die Zeit zu reinigen, und dem vorherrschenden Egoismus die Wage zu halten, als den Staat, und die Teilnahme aller an seinen Interessen. Die Macht der Religion, die sonst in dieser Beziehung wohltätig wirkte, ist erschöpft; ja der Bürgersinn würde vielleicht die Religion entbehrlich machen, was um so besser wäre, da ihr positiver Teil doch zu eitel dummen Zeug führt. Die ganze Welt wird durch den neuen Umschwung sich erkräftigen, nur Östreich wird daran zerfallen. Der schändliche Machiavellismus der Leiter, die, damit die Herrscherfamilie das einzige Staatsverband ausmacht, die wechselseitige Nationalabneigung der einzelnen Provinzen hegten und nährten, hat

12 Julirevolution 1830.

des die Schuld. Der Ungar haßt den Böhmen, dieser den Deutschen, und der Italiener sie alle zusammen; und wie widersinnig gekuppelte Pferde werden sie sich in alle Welt zerstreuen, wenn der fortschreitende Zeitgeist die Gewalt des klemmenden Joches schwächt oder bricht. Dieses Land allein wird nicht bestehen, wenn der erfrischende Morgen für die andern hereinbricht, und ich bin so albern mich darüber zu kränken, der ich durch alle meine Neigungen darin festgehalten werde, obwohl ich sehe, daß mein besserer Teil unter dem Andrang ihrer Geistesverräterei zu Grunde geht. Ich hätte dieses Land, halb ein Kapua und halb eine Fronveste der Seelen, zeitig verlassen müssen, wenn ich ein Dichter hätte bleiben wollen. Nun ists zu spät, mein Innres ist zerbrochen. Aber wahrlich, wahrlich! Ich war der Anlage nach bestimmt eine bedeutende Stelle unter den Dichtern der Deutschen einzunehmen. Der Anlage nach? Als ob Charaktereigenschaften nicht ebenso gut dazu gehörten, als Geistesfähigkeiten. (Tgb 1826. W IV, 461)

Tagebuch 7. August 1830

Ich weiß wohl, was mir fehlt: Ich habe nicht *arbeiten* gelernt. Von Kindheit auf mir selbst überlassen, in den Schulen elenden Lehrern hingegeben, die weder für sich, noch für ihren Gegenstand Interesse zu erregen wußten, überließ ich mich einer desultorischen Lektüre, einem launenhaften Studium, einer abgerissenen Verwendung, die unter diesen Umständen noch das möglichst Beste war, mir aber die eigentliche, die standhaft verfolgte, folgenrechte Arbeit fremd machte, die eigentlich doch die Bedingung zu allem Bedeutenden ist. Ich bin dadurch der Mensch der *Stimmung* geworden, die, obgleich das Wirksamste von allem, doch ihrer Natur nach, nicht immer da sein kann, und, wenn sie fehlt, mich zum Untüchtigsten aller Menschen macht. Diese lutherischen Pastorssöhne sind von Kindheit auf an andauernde Verwendung gewöhnt worden, und die in Gang gebrachte Mühle mahlt fort, wenn auch das aufgeschüttete Getreide weniger wird, ich aber – du mein Gott! Die großen Anlässe, wären ja nicht groß, wenn sie immer zur Hand wären. (Tgb 1829. W IV, 463)

Tagebuch Anfang Dezember 1830

Der Ehrgeiz? Er ist bei mir so klein, oder, wenn man will, so riesenhaft, daß er in beiden Fällen für so gut als nicht existierend gerechnet werden kann. Am stärksten wirkend wäre bei mir noch eine allgemeine Menschenliebe die aber auch als eine allgemeine Triebfeder fürs Besondere darbietet, indes alles Handeln und alles Dichten doch aufs Besondere geht. (Tgb 1835. W IV, 466)

Tagebuch September 1831

Ich muß trachten ins Currens zu kommen. Ich will, solange es mir beliebt, eine Art Tagebuch fortsetzen. Mittel gegen die Gedankenlosigkeit. Wenn diesen Winter die Cholera überhand nimmt, wird man doch viel zu Hause bleiben müssen, da ist denn jeder Zeitverderb willkommen. Auch habe ich beschlossen, die Abendgesellschaften im Gasthause aufzugeben. Ich erhalte mich so viel reiner; hehrer würde Kühne[13] sagen. Da werde ich denn frühzeitig zu Hause sein, und kann eine halbe Stunde vor dem Schlafengehen mit derlei Geschreibsel ausfüllen. Schlafe ich auch über der Anstrengung des Schreibens schlechter, so ist es ja eben nicht durchaus notwendig gut zu schlafen, dann ist bei mir der völlig ungereizte Zustand eigentlich so gut als apathisch, was übel ärger macht. Darum nur darauf los geschrieben! Es ist ohnehin, als ob sich seit der Rückkehr von [St.] Christoph[14] ein poetischer pruritus [Juckreiz] einigermaßen wieder regen wollte. (Tgb 1924. W IV, 473 f)

Wien, 13. November 1831

Grillparzer an die Allgemeine Hofkammer[15]

Aber ich habe auch ein *Recht* auf einige Berücksichtigung! Ruhmredigkeit war nie der größte meiner Fehler. Meine äußere Stellung wäre eine andere, wenn ich verstanden hätte, allfällige Verdienste immer in gehöriger Evidenz zu halten. Aber seinen eigenen Wert verkennen, ist die Sache des Schwachherzigen und des Toren. Ich

13 Raphael Khüeny (Grillparzer schreibt regelmäßig Kühne), Philologe, später Professor für Griechisch.

14 Anfang September 1831.

15 Gesuch Grillparzers um Verleihung der Direktorsstelle des Hofkammer-Archivs.

habe durch literarische Arbeiten meinem Vaterlande Ehre gemacht, und darf daher wohl, wenn jedermann in der Schuld seines Vaterlandes ist, auch dieses letztere als ein wenig in der meinigen betrachten. Andere Staaten haben Akademieen, literarische Stellen und Gehalte mancherlei Art als Belohnung literarischer Verdienste; Östreich hat, vielleicht mit Recht, dergleichen nicht. Die Verbindlichkeit, die anderswo ein einzelnes Institut trifft, fällt daher bei uns dem allgemeinen zu. (HKA III, 2, 78 f)

Tagebuch Ende Januar 1832

Inzwischen das mechanische Fortbosseln an dramatischen Stoffen eingestellt, weil denn doch offenbar dabei nichts herauskam. Sonderbares Verhalten des Innern. Unfähigkeit einen Stoff als Ganzes zu überschauen. Die Teile bei einzelner Beschäftigung mit den Details allerdings bis zu einem gewissen Grade von Anschaulichkeit zu bringen, die aber beim Ansetzen der Feder alsobald verschwindet. Daß auf diese Art alles steif und lahm geraten mußte, und das Ganze nichtig geworden wäre, nur allzuklar, daher vom Frevel abgelassen. (Tgb 1987. W IV, 480)

Tagebuch Ende Januar 1832

In dieser resignierten Verzweiflung am selbst künftigen Gelingen um die erledigte Archiv-Direktorsstelle angesucht; fest entschlossen, das Geschäft bis zum Wiedereintreten der Poesie eifrig zu betreiben, und selbst froh dem dumpfen innern Schmerz für den Augenblick ein äußeres Gegengewicht zu finden. Für mich gilt nämlich das Byron'sche sorrow is thought nur dann, wenn ich nicht von herabziehenden Außendingen umgeben bin; dann wird mein Kummer kontemplativ, poetisch; im entgegengesetzten Falle artet er in Stumpfheit und Gedankenscheue aus. Meine Gedanken sind potenzierte Empfindungen und meine Empfindungen halbe Gedanken.

(Tgb 1988. W IV, 481)

Tagebuch 25. Januar 1832

Habe die Archivsdirektorsstelle erhalten und so des Menschen Sohn um dreißig Silberlinge verkauft. Ich werde ein volles Jahr verwenden müssen, das Geschäft kennen zu lernen; ein volles Jahr, ohne auf Poesie anders als in verlornen Augenblicken denken zu können. Dann freilich, nach diesem Probejahr, wenn die Poesie käme, würde ich sie aufnehmen können. Aber wird sie kommen? Ein bestimmtes Gefühl, daß es mit mir aus ist, hat mich diesen Platz suchen und annehmen lassen. Dieses Gefühl, das freilich in meiner Jugend schon einmal da war, hat sich zum zweitenmale ungefähr ein Jahr nach der Aufführung des Ottokar wieder eingestellt, und seitdem, mit kurzen Unterbrechungen, mich nicht wieder verlassen. Meine überspannte Reizbarkeit durch das Hervorstoßen der Ahnfrau auf einmal zur Tätigkeit gekommen, trug alle Lasten mit siegreicher Kraft, forderte überschwenglich die Welt heraus und stand allen innern und äußern Feinden. Aber an jenem zweiten Zeitpunkte ward die Last der Dinge und Ereignisse zu mächtig, die Kraft ließ nach; zweimal erhob sie sich noch halb, aber ohne inneres Zeugnis, ohne Siegeshoffnung, und brach endlich zusammen, und wird nie wieder erstehen, fürcht ich. Nein, nein, nein. Ich *weiß* daß nichts zu hoffen ist, und doch gebe ich die Hoffnung nicht auf. Wie sagt Dante? Che fece per viltà il gran rifiuto.[16] So solls von mir nicht heißen. Die Hartnäckigen gewinnen die Schlachten, war Napoleons Grundsatz, und, weiß Gott, ich bin hartnäckig. (Tgb 1989. W IV, 481)

Tagebuch — Ende Januar 1832

Gut! Ich will mein neues Amt antreten, ich will die Amtsstunden halten, ich will fleißig sein aber – es kömmt jemand. – Aber ich nehme mir zugleich vor, jeden Tag, und zwar gerade im *Amtslokale* etwas Poetisches zu arbeiten, um nur den Gedanken an die Bestimmung nicht zu verlieren und – die Hoffnung, oder wenigstens den erstern nicht, denn die letztere gebe ich auf.

(Tgb 1990. W IV, 482)

Tagebuch — 16. September 1832

Habe 4 Tage nichts geschrieben, und wäre doch gut wenn ich meinem Vorsatze treu bliebe, besonders jetzt, da meine alberne Archivsanstellung mich so sehr beschäftigt und mir selbst den *Ge-*

16 Ungenaues Zitat aus Dantes »Inferno« III, 61: Che fece per viltate il gran rifiuto = der durch Entsagen/Aus Feigheit großen Gutes sich beraubte.

danken an das nimmt was sonst das Geschäft meines Lebens war. Ich habe nun durch ein halbes Jahr rein vergessen, daß ich derselbe bin, der einst Miene machte, sich unter die ersten Dichter seiner Zeit zu stellen, und, sage ichs nur! sich von demselben Stoffe glauben durfte aus dem der Erfolg die Byrons u.s.w. macht. Guter Gott!

(Tgb 2006. W IV, 485)

Tagebuch 25. September 1832

Die deutschen Naturforscher sind hier angekommen.[17] Große und Größte beeifern sich um die Wette ihnen alle Aufmerksamkeit zu erweisen und dieselben, die das ganze Jahr Künste und Wissenschaften mit Füßen treten, möchten gar zu gern durch 14 Tage als Gönner und Beschützer angesehen werden. Man bewirtet, huldigt, buhlt beinahe um jeden einzelnen. Es ist als ob sie die Saturnalien der Wissenschaften feierten, wo die Knechte und Mägde, solange der Mummenschanz währt, mit ihren Herren an einem Tische sitzen und auch ein Wort dreinreden dürfen. Ich habe aus Ekel keiner der Versammlungen beigewohnt. Mit Unrecht! Ich sollte mich nicht so ganz allen literarischen Annäherungen entziehen

all' oblio non sono
Ne barche nè cavalli da ritorno, [18]

sagt Salvator Rosa. Ich vergesse gar zu sehr, daß ich auch einmal ein Schriftsteller war. Die andern haben es schon vergessen.

(Tgb 2013. W IV, 487)

Tagebuch 11. Oktober 1832

Das Zuhausebleiben des Abends, und zwar ohne Musik zu machen, wird mir wohl bekommen. Ein bißchen Langeweile schadet nicht, die Tage rollen sonst gar so entsetzlich schnell dahin. Überdies langweile ich mich nicht. Das Klavier steht jetzt nicht mehr in meinem Schreibzimmer. Das ist gut und kann der Poesie zustatten kommen, ich werde sonst der innern Anregungen gar zu leicht durch die Töne los. (Tgb 2028. W IV, 491)

17 zur Versammlung der deutschen Naturforscher und Ärzte in Wien vom 18. bis 26. 9. 1832.
18 Aus der Vergessenheit/Bringt dich kein Pferd und keine Barke wieder.

Tagebuch 13. Oktober 1832

Mein Zustand bessert sich etwas. Die Gesundheit zwar noch immer schlecht, die Goldader[19] mit all ihren Unannehmlichkeiten, aber nach innen beginnt es sich aufzuheitern. Ich fange an wieder poetisch denken zu können. Diese letzten 9 Monate gehören unter die furchtbarsten meines Lebens. Es war mir durchaus unmöglich, die seit 10 Jahren zum erstenmal wieder ernstlich betriebenen Amtsgeschäfte mit meinen sonstigen innern Beschäftigungen nur einigermaßen auszugleichen, und die letztern zogen sich darüber so ganz zurück, daß ich mir selbst zum Grauen ward, und der Gedanke eines gewaltsamen Abschlusses einigemale ganz nahe trat.

(Tgb 2032. W IV, 492)

Tagebuch Oktober 1832

Die Wohnungsveränderung hat dem Durchbruche tüchtig nachgeholfen und ich denke dies erprobte Hausmittel in ähnlichen Lagen öfter zu gebrauchen. (Tgb 2033. W IV, 492)

Tagebuch 27. Oktober 1832

Nach langer Zeit wieder einmal zu diesen Blättern zurück. Ganz will ich sie nicht leicht wieder aufgeben. Es ist nur so schwer eine Zeit zu finden. Der Morgen soll von nun an für immer zusammenhängenden, wenn möglich, poetischen Arbeiten gewidmet [sein]. Spät abends, habe ich gefunden, raubt mir das Schreiben den Schlaf. Es bleibt daher, da es bei meinem späten Zutischegehen für mich keinen Nachmittag gibt, für derlei Notate nur der frühere Abend, den ich gar zu gern mit Lesen zubringe, und wenn ich im Zuge bin, mich auch geflissentlich darin nicht stören mag.

(Tgb 2036. W IV, 493)

Tagebuch Ende Oktober 1832

Finde mich endlich so ziemlich in meine Wohnung, die kalte Temperatur abgerechnet. Habe heute zum erstenmale einheizen lassen.

19 Grillparzer hatte am 25. September 1832 einen »heftigen hämorrhoidalischen Anfall« gehabt.

Die Kälte des Morgens stimmt mich zum Arbeiten, aber die Gesundheit leidet. (Tgb 2039. W IV, 494)

Tagebuch Ende 1832

Im ganzen bringe ich meine Zeit, trotz des Winters, leidlicher zu, als es seit nunmehr beinahe zwei Jahren geschah. Ich sollte schon darum des Morgens arbeiten, um mir dadurch den Rest des Tages erträglich zu machen. (Tgb 2051. W IV, 496)

Tagebuch 13. April 1833

Furchtbar ist mein Zustand. Jeder Gedanke an Poesie verschwunden, selbst die Lektüre verleidet. Ich mag nicht denken. Von quälenden Gedanken wie von Hunden angefallen, weiß ich nicht nach welcher Seite mich wenden. Ich bin körperlich häßlich geworden aus einem Nicht-Schönen, der ich immer war, welches letztere mich übrigens gar nicht kümmerte, Beweis genug, daß mein gegenwärtiger Verdruß über das erstere, nicht aus eigentlicher Eitelkeit herrührt. Aber es ist peinlich einen widerlichen Eindruck zu machen. Auch sonst ist meine Gesundheit zu Rande. Ich muß Flanell auf der bloßen Haut tragen, wenn ich nicht immer von Flüssen geplagt sein will. Meine Zähne, sonst so gut, sind angegangen und drohen unausgesetzt mit Schmerzen. Ich bin 42 Jahre alt und fühle mich als Greis. Ich bin der Steigerung begierig, die das eigentliche Alter mit sich bringen wird. Der Wunsch etwas Poetisches hervorzubringen verfolgt mich allenthalben, und ich bins wahrhaftig nicht im Stande. Und doch ists nur die Unlust und deshalb auch die Unfähigkeit anhaltend auf einem Gegenstande zu verweilen, was mich daran hindert, mich, dessen vorzüglichste Eigenschaft in früherer Zeit gerade dieses Verweilen, dieses Ergründen, dieses Durchdenken war. Wird das wieder anders werden? Ich zweifle. In dieser Zerworfenheit habe ich meine Jugend zugebracht, in ihr wird sich mein Alter endigen. Ich wüßte wohl sie zu bekämpfen. Sich in irgend einen Wissenszweig zu vertiefen, ein eigentliches Studium anfangen. Aber das würde mich von der Poesie unwiderruflich abziehen, die doch der Zweck meines Lebens ist. Es ist gleichgiltig ob ich mich abquäle, aber es ist notwendig, daß etwas verrichtet werde.

(Tgb 2074. W IV, 500 f)

Tagebuch Sommer/Herbst 1833

Ein dunkles Bedürfnis treibt mich an etwas niederzuschreiben. Die Dinte ist vertrocknet in meinem Schreibzeuge. Ich habe so lange nichts gearbeitet. Was ist aus meinen Planen, was ist aus mir geworden! Der Dichter G[rillparzer] ist gestorben. Die Poesie regt sich nicht. Was ich versuche zu machen gerät steif, kalt.

(Tgb 2075. W IV, 501)

Tagebuch 11. März 1834

Was war das für ein Winter, der letztzugebrachte? Gedankenlos, ohne Fähigkeit zur Applikation. Ich fühle, eine Beschäftigung könnte mich heilen, aber ich komme nicht dazu. – Beschäftigung? Ich beschäftige mich ja; aber es ist doch nur die Poesie und höchstens Vorbereitungsarbeiten dazu, was die beabsichtigte Wirkung hervorbringt. Die Poesie hat sich mir aber ganz verschlossen, jede folgenrechte Gedankenreihe ist mir versagt. Indem ich dieses niederschreibe, ist es mir [nur] so möglich, daß ich bei jedem Satze, den darauf folgenden noch nicht voraus weiß, und indem ich den letzten niederschreibe, mir des frühern schon nicht mehr deutlich bewußt bin. Was ist das? Wohin will das? Ich lese nichts mehr, wenigstens nichts mehr mit Folge. Die griechische Literatur interessiert mich am meisten, weil ich bei dem Langsamen des Fortschreitens, den Inhalt des einzelnen vollzügig genießen kann, nur zu oft ohne Rücksicht aufs Ganze. Mir ist alles gleichgiltig geworden, nur die politischen Begebenheiten interessieren mich mit einer absurden Lebhaftigkeit. Ich möchte jetzt ein periodischer Schriftsteller sein. Sowohl in politischer als literarischer Beziehung. Die Last die ich auf dem Herzen trage, drückt mir eigentlich das Herz ab. Da ist der Tieck, der Menzel, diese Elenden, diese Tröpfe, von denen das nächste Jahrzehent nicht begreifen wird wie das frühere sie nur beachtet, die ihre Sprüche ergehen lassen, und ich muß zuhören von Κρατος und Βια [20] am Felsen angeschmiedet, mir selbst die Leber ausfressend statt des Geiers. (Tgb 2112. W IV, 502)

20 die beiden Diener des Zeus, die Prometheus zum Felsen des Kaukasus bringen.

Tagebuch 12. März 1834

Wie? wenn man versuchte, verständig zu werden! Die Poesie dem Zufall überlassen, ob sie sich wieder einstellen will oder nicht, und dies ewige Verzweifeln eines von ihr vergessenen Liebhabers in ein besonnen verständiges Verfolgen sonstiger Lebenszwecke umstimmen und wie gesagt, dem Glücke überlassen was sich sonst noch dazu fügen will. Obzwar – da ist wieder der Teufel! Aber man sollte es probieren. (Tgb 2115. W IV, 503)

Grillparzer an die Studienhofkommission[21] 20. Mai 1834

Ich bekenne mich nämlich – um vor allem die Identität der Person außer Zweifel zu setzen – als denselben, der durch seine dramatischen Arbeiten die Aufmerksamkeit Deutschlands, ja, wenn den Übersetzungen in alle europäischen Sprachen zu trauen ist, wohl auch eines größern Publikums auf sich gezogen hat.

Ich fürchte nicht, in den erleuchteten Kollegien, die mein Gesuch zu durchwandern hat, auf einen in der Bildung so Verwahrlosten zu stoßen, daß er der Poesie, – auch wenn sie die Spuren ernster Studien minder deutlich an der Stirne trüge – einen Platz unter den übrigen literarischen Illustrationen versagen sollte. Ich habe meinem Vaterlande Ehre gemacht und darf daher wohl hoffen, daß die Beigesellung meines Namens der Wiener Hochschule und ihrer Bibliothek als nicht zur Unzier gereichend werde erkannt werden.

Meine literarischen Verdienste dürften vielleicht manchem etwas veraltet und meine neuere Tätigkeit nicht ganz mit der frühern übereinstimmend scheinen. Auch hievon liegt mir ob zu sprechen, auf die Gefahr, dem bösen Willen dadurch Waffen gegen mich in die Hände zu geben. Durch den Zufall in die Beamtenkarriere geworfen, befriedigt mich meine gegenwärtige Anstellung im Archive der k.k. allg. Hofkammer als Beamter, ja als Mensch vollkommen; von dem Schriftsteller aber läßt sich nicht ein Gleiches sagen. Die mit meinen literarischen Bestrebungen mitunter im grellen Widerspruche stehenden Geschäfte meiner Stelle unterlassen nicht auf erstere den nachteiligsten Einfluß auszuüben. – Nur in der ersten

21 Gesuch Grillparzers um Verleihung der Stelle des Direktors der Wiener Universitätsbibliothek.

Jugend vermehren Hindernisse die Energie des Talents, bei herannahenden spätern Jahren will es gepflegt sein. – Eine Anstellung, die, wenn sie gleich mit dem ganzen Ernste des Geschäfts betrieben werden muß, doch durch ihren vorzugsweise wissenschaftlichen Bereich den Geist in verwandten Bahnen festhielte, könnte hierin nicht anders als höchst förderlich sein. Ich weiß nicht, ob mich die Eitelkeit zu weit führt, wenn ich glaube, es werde keinem gebildeten Östreicher gleichgiltig sein, ob der Verfasser der Sappho und Medea ferner literarisch tätig ist oder nicht. (HKA III, 2, 106 f)

Grillparzer an Franz Graf von Klebelsberg[22] Wien, 20. Mai 1834
Oft von der k.k. allg. Hofkammer und immer von Eurer Exzellenz mit Güte und Huld behandelt, würde mir der Gedanke des Austritts aus meinen bisherigen Verhältnissen unerträglich sein, wenn ich nicht die literarische Bestimmung in mir als über die ämtliche weit die Oberhand behauptend erkennte, und hoffen dürfte, meinen schriftstellerischen Arbeiten wiedergegeben, mich selbst des Anteils Eurer Exzellenz würdiger zu zeigen, als es in meinem bisherigen Wirkungskreise der Fall und mir möglich war.

(HKA III, 2, 109)

Grillparzer an Ferdinand Philippi Wien, 25. Januar 1835
Sie haben mir die Ehre erwiesen, einen Antrag wegen Herausgabe meiner sämtlichen Werke in *einem* Bande an mich gelangen zu lassen. So schmeichelhaft ein solcher Antrag im allgemeinen und doppelt schmeichelhaft von der in Ihrem Besitz befindlichen ehemals Göschenschen Buchdruckerei für mich sein mußte, so haben sich doch zugleich Bedenken geltend gemacht, die schon früher bei Gelegenheit eines ähnlichen Anerbietens in mir rege wurden, und noch jetzt in voller Kraft zu bestehen scheinen.
Solche Gesamtausgaben in *einem* Bande dürften hauptsälich bei den Werken bereits verstorbener Dichter, oder solcher anwendbar sein, die ihr literarisches Wirken bereits abgeschlossen haben, und dessen Endresultat dem Publikum gesammelt übergeben. Letzteres (so wie glücklicherweise auch ersteres) ist bei mir nicht der Fall. Eben jetzt

22 Präsident der k.k. Allgemeinen Hofkammer.

hat eine meiner dramatischen Arbeiten[23] bei der Darstellung in Wien lebhafte Teilnahme des Publikums erregt, eine frühere (Des Meeres und der Liebe Wellen) das auf dem Theater weniger gefallen hat, auf das ich selbst aber große Stücke halte, liegt noch in meinem Pulte. Beide zuerst in einer Sammlung längst verbreiteter älterer Arbeiten dem Drucke übergeben, dürfte ihrer Verbreitung eher schädlich als nützlich sein, und sie daraus weglassen, hieße die Sammlung unvollständig machen, ehe sie noch erschienen.
Ferner könnte ich mich nie entschließen meine lyrischen Gedichte aus einer solchen Gesamtausgabe auszuschließen. Bei der, vielleicht nur durch vorübergehende Zeitumstände veranlaßten, überstrengen Zensur meines Vaterlandes müßten aber aus einer Sammlung dieser Gedichte notwendig mehrere weggelassen werden, die ich unter die besten rechne, *ohne* welche und *mit* welchen ich sie einerseits nicht drucken lassen *will*, andererseits nicht *kann*. Alle diese Einwendungen, die ich bereits einem früheren buchhändlerischen Antrage entgegengesetzt, gebe ich Ihnen zu bedenken, und ich glaube Sie werden meiner Meinung sein. (HKA III, 2, 127 f)

Tagebuch 29. April 1836

Goethes Widerspiel, möchte ich außer der Poesie und dem allgemein Menschlichen sonst nichts betreiben.

(Tgb 2982. W IV, 555)

Tagebuch 30. April 1836

[...] ich beschloß aber ins Theater zu gehen, das für mich denn doch ein Hauptzweck ist. Vielleicht überwinde ich dadurch meinen Widerwillen dagegen und kann auch zu Hause wieder hineingehen.

(Tgb 2990. W IV, 558)

Tagebuch August 1836

Ich habe durch Schreyvogls Tod viel verloren. Nicht seinen Rat bei meinen eigenen Arbeiten. Ich habe nie mit jemanden meine Plane oder ihre Ausführung besprochen und nie, mit Ausnahme der Ahn-

23 »Der Traum ein Leben« war am 4. Oktober 1834 mit großem Erfolg uraufgeführt worden.

frau, an einem vollendeten Stücke etwas nach seiner Meinung geändert. Aber er hatte, was Form und Technik betrifft, gleiche Ansichten mit mir, und wir konnten daher überhaupt uns über Literatur und dergleichen besprechen, ohne uns mißzuverstehen oder erst langweilig den Standpunkt festzustellen. Seit seinem Tode ist niemand in Wien, mit dem ich über Kunstgegenstände sprechen möchte, ja auch in Deutschland wäre niemand, der mir anstände, höchstens etwa Heine, wenn er nicht innerlich ein lumpiger Patron wäre; dadurch versauere und verstocke ich in mir und die Produktion stellt sich immer ferner. (Tgb 3168. W IV, 639)

Tagebuch Sommer 1836

Ich habe immer mehr nach starken Anschauungen gearbeitet als nach Begriffen, daher werde ich auch, wenn die Gewalt der erstern durch einen Zeitverlauf geschwächt ist, leicht an meinen Werken irre, und eine große Gewissenhaftigkeit läßt mich leicht auf die Seite der Tadler hinübertreten. (Tgb 3169. W IV, 639)

Tagebuch Ende 1836

Es ist etwas vom Tasso in mir, nicht vom Goethischen, sondern vom wirklichen. Man hätte mich hätscheln müssen, als Dichter nämlich. Als Mensch weiß ich mit jeder Lage fertig zu werden und man wird mich nie mir selber untreu finden. Aber der Dichter in mir braucht ein warmes Element, sonst zieht sich das Innere zusammen und versagt den Dienst. Ich habe wohl versucht das zu überwinden, aber mir dabei nur Schaden getan, ohne das Pflanzenartige meiner Natur umändern zu können. (Tgb 3199. W IV, 640)

Tagebuch 1837

Ein historisches Drama in dem Sinne statuieren, daß der Wert desselben in der völlig treuen Wiedergabe der Geschichte bestehe, ist ebenso lächerlich, als wenn man einst die Aufgabe der Kunst im allgemeinen in der getreuen Nachahmung der Natur suchte und zu finden glaubte. Die Natur in Handlung (Geschichte) ist Natur wie das Leblose, und beide Bestreben sind eins so absurd und prosaisch als das andere. (Tgb 3268. W III, 306)

Grillparzer zu Adolf Foglar 21. Januar 1841
Nun bin ich 50 Jahre alt, und ruhe, wenn auch nicht auf meinen Lorbeern, doch auf meiner faulen Haut aus. Ich habe mir bei 24 Stoffe aufgeschrieben, aber es kommt zu nichts. Wenn ich Weib und Kind hätte, müßte ich schreiben. Ich fühle den inneren Drang nicht mehr. Was liegt am Ende daran, ob ich noch ein Stück schreibe? Es freut mich nicht. Was mich freuen würde, kann ich doch nicht erreichen. (W IV, 948)

Grillparzer zu Adolf Foglar 30. Oktober 1842
Ich fühle wieder einige Lust zu poetischen Arbeiten und hoffe, dieser Winter wird fruchtbarer sein als die letzten. Nur schwanke ich noch zwischen mehrern Stoffen[24], die alle gleich weit gediehen sind, aber schon vor 8 bis 10 Jahren begonnen wurden. Seit jener Zeit haben sich meine Ansichten so sehr geändert, daß ich fürchte, das Neue möchte schlecht zu dem Früheren passen. Anfangs habe ich historische Stoffe eigens schwunghaft aufgefaßt; dann einige Zeit hindurch, hat mich das eigentlich Historische an ihnen mehr angezogen, und jetzt finde ich wieder wenig Geschmack daran. (W IV, 949)

Grillparzer zu Adolf Foglar 12. Juni 1843
Ich habe zwar ein neues Drama[25] begonnen, aber ich besorge, daß von meiner jetzigen Mißstimmung zu viel Säure hineinkäme, und ich hasse Anspielungen auf Personen und Zeitereignisse, obwohl man das jetzt eben liebt. Es ist wirklich ein Elend! (W IV, 949 f)

Tagebuch 13. September 1843
Kam mir beinahe sonderbar [vor] von Poesie, von meinen Arbeiten zu reden, was ich seit Jahren nicht getan. (W IV, 663)

Grillparzer zu Adolf Foglar 3. Dezember 1843
Es ärgert mich, wenn ein guter Dramatiker in Prosa schreibt. Es ist

24 »Libussa«, »Ein Bruderzwist in Habsburg«, »Die Jüdin von Toledo«.
25 unklar, an welchen Plan Grillparzer denkt.

recht miserabel, wenn ein Mensch keinen inneren Halt hat und herumtanzt, wie andre pfeifen. Von jeher war der Vers die Sprache der Poesie und Prosa die der Wirklichkeit [. . .] Poesie in Prosa ist Unsinn; darum mag ich keinen Roman oder nur ausnahmsweise lesen. (W III, 1226)

Grillparzer an Kaiser Ferdinand[26] Wien, 10. Juni 1844

Da es sich hier um eine literarische Anstalt handelt, so dürfte es erlaubt sein, sich auf literarische Verdienste zu berufen. Der Unterzeichnete beruft sich auf die seinigen. Mag man sie nun für groß oder klein halten, so sind sie doch von der Art, daß keiner der inländischen Bewerber sich ihm wird voranstellen können. [. . .]

Es befällt den Unterzeichneten manchmal eine Ahnung, daß in seinen poetischen Arbeiten mehr liege, als man ihnen gewöhnlich zuzugeben geneigt ist. Schon oft war der Fall da, daß die nachkommende Zeit von der vorausgegangenen Rechenschaft begehrt hat über die Art wie sie mit Talenten von nachhältigern Belang umgegangen ist. Es möchte nicht zum Ruhme der Gegenwart gereichen, wenn sie einen Mann hinter den Akten versauern ließ, der in andern Verhältnissen Höheres zu leisten imstande war.

Euere Majestät! Ich fühle das Alter herannahen. Die Spannkraft der Seele beginnt nachzulassen in dem immerwährenden Konflikt mit der verkehrten literarischen Richtung der Neuzeit, so wie mit den mannigfaltigen Hemmungen, die vielleicht durch die Zeitumstände gerechtfertiget, doch nichtsdestoweniger schwer auf dem einzelnen lasten. Eine kongenialere Dienstbeschäftigung dürfte vielleicht in dem Unterzeichneten wieder die Lust zu Hervorbringungen erwecken, deren frühere den Namen Östreichs beinahe zuerst auf den literarischen Stapel der Welt gebracht haben.

(HKA III, 2, 294)

Grillparzer zu Adolf Foglar 11. September 1845

Ich habe sowohl dem Wiener als Stuttgarter Buchhändler, welche mit mir wegen einer Gesamtausgabe meiner Werke unterhandel-

26 Gesuch Grillparzers um die Stelle eines ersten Kustos an der k.k. Hofbibliothek.

ten, heute abgesagt. Ich bin froh, wenn ich von dem literarischen Markt entfernt bin. Solls nach meinem Tode gedruckt werden! –

(Gespr 868)

Tagebuch 1845/1846

Es ist mit den eigenen Gedanken ein eigenes Ding. Erstens ist seit Erschaffung der Welt so viel und mitunter von sehr begabten Leuten gedacht worden, daß man, die Richtigkeit vorausgesetzt, selten etwas denken wird, das nicht einer vor uns auch schon gedacht hätte. Dann gibt es Gedanken, die sich durch ihre Natürlichkeit jedem aufdringen, und bei denen der letzte so viel Verdienst hat als der erste. Und das sind eben die wirksamsten in der Poesie: alte Gedanken an der rechten Stelle. Dann liest man so viel, daß, gerade bei einem schlechten Gedächtnis, man nicht weiß wie viel von einem Gedachten einem selbst gehört und was einem andern. Mir wenigstens ist es oft geschehen, daß ich beim Wiederlesen vor lange gelesener Autoren mit Erschrecken gewahr geworden bin, daß Gedanken, auf die ich mir etwas zugut tat, nur geborgt waren, welches Borgens ich mich gewiß enthalten hätte, wäre mir nur eine Ahnung eines solchen Diebstahls im Augenblick des Niederschreibens gegenwärtig gewesen. Oft habe ich aber auch meine Gedanken, mitunter beinahe mit denselben Worten bei Schriftstellern gefunden, die früher als ich geschrieben, ich aber viel später gelesen habe. [. . .] Was bleibt nun da übrig? In Gottesnamen zu schreiben was einem Passendes einfällt und sich damit zu trösten, daß nur der ein leichtsinniger Schuldenmacher ist, der nichts besitzt als was er erborgt. (Tgb 3821. W IV, 690 f)

Tagebuch Ende 1849

Was mein – weniger absichtliches als durch meine Natur gebotenes – Streben war, und, wie es scheint, mir nicht gelungen ist, war die Poesie dem ursprünglichen, durchaus bildlichen, die Berechtigung in der Empfindung und nicht im Gedanken suchenden der alten Dichter näher zu bringen, die neuern Dichter, so vortrefflich sie sein mögen, hatten mir immer so viel Beimischung von Prosa, so viel Lehr- und Reflexionsmäßiges, daß ich eigentliche Erquickung nur in der alten Poesie fand, wo die Gestalt noch der Gedanke und die Überzeugung der Beweis ist. Damit ist nicht jene alte Poesie gemeint, die jene Eigenschaften nur aus Unbeholfenheit und Unfähigkeit hat, wie die mittelhochdeutsche, oder daß ich mich je vom Volksliede angezogen gefunden hätte, sondern nur jene Dichter waren es, die mit Talent und Geist begabt, als die Spitze einer an sich poetischen Zeit jene Einheit abspiegelten, mit der das Leben sie umgab und die die neuere Zeit im Fortschritt der Entwicklung – vom Standpunkte der Prosa aus: zu ihrem Glücke – längst abgestreift hat. Die Griechen, die Spanier, Ariost und Shakespeare waren die Freunde meiner Einsamkeit und ihre Darstellungsweise mit der Auffassung der neuern Zeit in Einklang zu bringen, mein halb unbewußtes Sterben. Da ich aber mit meiner Ansicht in den letzten zwanzig Jahren so ziemlich allein stand, so war es mir nicht möglich, die Anschauung immer lebendig und rein zu erhalten, um so weniger, als ich durch die traurige Lage der Welt und meines Vaterlandes vielleicht zerstreut und gestört, die Ausführung nicht mehr so in einem Zuge vollenden konnte, als für ein solches Verfahren unter solchen Umständen durchaus notwendig wäre. Der nackte Gedanke mußte zu Hilfe gerufen werden, der dann die Anschauung, sowie die Anschauung den Gedanken störte. Zwischen dem Anfang und der Beendigung des goldenen Vlieses starb meine Mutter und ich machte die Reise nach Italien. Dann kam jener schändliche Geistesdruck in Österreich, den ich darum nicht weniger empfand, weil mir nicht jedes Mittel recht war, ihn abzuschütteln. Hero und Leander, Weh dem der lügt! zwei meiner liebsten Stoffe, und von vornherein ganz naiv gemeint, sind nicht das geworden, was sie hätten werden sollen und nach dem Vorgange meiner frühern Arbeiten auch werden können und ein paar andere Stücke[27] in meinem Pulte werden, solang ich lebe, das Licht des Tages nie erblicken, weil ihnen jenes Lebensprinzip fehlt, das nur die Anschauung gibt und der Gedanke nie ersetzen kann. Damit will ich nicht mich rechtfertigen und meine Schuld auf die Zeit und die Verhältnisse schieben. Ein wahrer Dichter hätte sich über alles das weggesetzt und einen Mittelpunkt in seiner Begeisterung gefunden. Aber eine zu berührbare Natur mit einer hypochondri-

27 »Libussa«, »Ein Bruderzwist in Habsburg«, »Die Jüdin von Toledo«.

schen Anlage und einem entschiedenen Widerwillen gegen die Öffentlichkeit konnte unter den gegebenen Umständen sich nicht viel anders nehmen und fassen. Auch ist dabei keine kleintuerische Bescheidenheit gemeint. So fühle ich mich gegenüber dem was sein soll. Gegenüber dem was sonst in unsern Tagen ist, kenne ich meine Vorzüge sehr gut. Man könnte aber sehr gut der beste Dichter einer gegebenen Zeit und noch immer ein höchst unbedeutendes Licht sein. (Tgb 4025. W IV, 716 ff)

Tagebuch Ende 1849

Es macht mich traurig, daß mir alles im Leben mißlingt. Lächerlich wäre es, wenn ich das auf eine Art Vorherbestimmung, auf ein unglückliches Schicksal schöbe, ich weiß vielmehr, es kommt daher, daß ich alles ungeschickt anfange, und darüber kann der Mensch wohl traurig sein. Auch da gäbe es für einen Deutschen noch ein Rettungsmittel, wenn er nämlich sich an die Ansicht klammerte – die die Biographien der Ausgezeichneten zum Trost der Eingebildeten urgiert haben, – daß geniale Menschen überhaupt kein Geschick für die Angelegenheiten des Lebens haben; denn meine Unbehilflichkeiten haben durchaus nichts Genialisches, vielmehr etwas Enges und Ängstliches, und das ist worüber ich mich am meisten schäme. Wäre ich immer geistig tätig, so konnte ich es einen Widerwillen über die Störung nennen, und wäre ich immer produktiv, einen Ekel vor den wirklichen Dingen gegenüber dem Ideale; da ich aber beides nicht bin, so fehlt die Entschuldigung, wenn auch der Grund richtig wäre. Manches ist mir auch im Leben gelungen und ich habe es nicht benützt. (Tgb 4026. W IV, 718)

Aus der »Selbstbiographie« 1853

Als ich mich später der Poesie ergab, nahm diese Fähigkeit des musikalischen Improvisierens stufenweise ab [...] Die Inspiration war mein Gott und ist es geblieben. (W IV, 54)

Ebenso mußte ich[28] auf alle meine poetischen und dramatischen Brouillons, von denen ich mich doch nicht ganz losgemacht hatte,

28 während der Hauslehrertätigkeit bei dem Grafen Seilern, 1811–1812.

obenan setzen: aus dem Englischen oder Französischen übersetzt, damit sie als Sprachübung gelten könnten, da jedes Zeichen eines eignen poetischen Talentes den alten Grafen in seiner Meinung, daß ich ein Jakobiner sei, bestärkt haben würde. Ich setze das hierher, damit nach meinem Tode derjenige, dem mein schriftlicher Nachlaß in die Hände gerät, sich nicht etwa fruchtlose Mühe gebe die Originale zu diesen angeblichen Übersetzungen aufzufinden. Übrigens sind es durchaus unbedeutende Bruchstücke, mehr Erzeugnisse der langen Weile, als eines längst aufgegebenen ernsten Strebens. (W IV, 62)

In mir nämlich leben zwei völlig abgesonderte Wesen. Ein Dichter von der übergreifendsten, ja sich überstürzenden Phantasie und ein Verstandesmensch der kältesten und zähesten Art. (W IV, 88)

Ich habe immer viel auf das Urteil des Publikums gehalten. Über die Konzeption seines Stückes muß der dramatische Dichter mit sich selbst zu Rate gehen, ob er aber mit der Ausführung die allgemeine Menschennatur getroffen, darüber kann ihn nur das Publikum, als Repräsentant dieser Menschennatur belehren. Das Publikum ist kein Richter, sondern eine Jury, es spricht sein Verdikt als Gefallen oder Mißfallen aus. Nicht Gesetzkunde, sondern Unbefangenheit und Natürlichkeit machen seinen Rechtsanspruch aus. Von dieser Natürlichkeit, die im nördlichen Deutschland durch falsche Bildung und Nachbeterei sehr in den Hintergrund getreten ist, hat sich in Österreich ein großer Rest erhalten, verbunden mit einer Empfänglichkeit, die bei gehöriger Leitung durch den Dichter bis zum Verständnis im unglaublichen Grade gehoben werden kann. Das Gefallen eines solchen Publikums beweist wenig, denn es will vor allem unterhalten sein, sein Mißfallen aber ist im höchsten Grade belehrend. (W IV, 112 f)

Es sollte überhaupt[29] eine ganz neue Epoche in meinem literarischen Treiben eintreten. Ich hatte mir eine ziemliche Anzahl Stoffe aufgezeichnet, die alle durchdacht und alles bis auf die Einzeln-

29 nach der Deutschlandreise von 1826.

heiten, obgleich nur im Kopfe, dramatisch gegliedert waren. Diese wollte ich nun einen nach dem andern vornehmen, jedes Jahr ein Stück schreiben und dem hypochondrischen Grübeln für immer den Abschied geben. (W IV, 151)

[...] wie es denn überhaupt meine Gewohnheit war, zur Lyrik nur als einem Mittel der Selbst-Erleichterung Zuflucht zu nehmen, weshalb ich mich auch für einen eigentlich lyrischen Dichter nicht geben kann. (W IV, 159)

Grillparzer zu Wilhelm von Wartenegg März 1860

Ach nein, ich habe nichts mehr vor mir, ich schreibe nicht mehr. Ich habe die Fähigkeit, Verse zu machen, verloren, denn – – ich will nicht mehr schreiben. Ich sehe die Fehler in meinen Werken wohl ein, doch das ist vorbei und ich rüttle nicht daran. Ich habe nicht mehr die frische Kraft. (Gespr 1096)

Grillparzer zu Wilhelm von Wartenegg November 1860

Ich bin gar nicht damit einverstanden, daß man jetzt jedem, der ein Stück schreibt, eine bestimmte Absicht zugrunde legt, welcher Art von Stücken er sich dadurch beigesellt. Wenn ich ein Stück geschrieben hab, so hab ich unwillkürlich gefunden, daß für jeden Stoff eine eigene Behandlung gehört. So habe ich den Trochäus gewählt, weil ich finde, daß seine Lebendigkeit für die »Ahnfrau« oder das andere märchenhafte Stück [Der Traum ein Leben] besser paßt, und wär mir gar nicht eingefallen, den »Ottokar« in Trochäen zu schreiben, selbst ohne daß ich daran gedacht habe, ob die historischen Tragödien ihr bestimmtes Versmaß haben. (Gespr 1100)

Grillparzer an die Steueradministration Wien, 16. November 1860

Was den Ertrag der Schriftstellerei betrifft, so war ich ein Schriftsteller, bin aber keiner mehr; ich habe nämlich seit 20 Jahren nichts drucken und nichts Neues aufführen lassen. Meine älteren Stücke sind in Deutschland außer Gebrauch gekommen, und wenn sie auch hier oder dort noch aufgeführt werden, so fällt doch – trotz der hohen Bundesgesetze – niemand ein, mir dafür ein Honorar zu zahlen. (HKA III, 4, 35)

Grillparzer zu Joseph von Weilen 23. Februar 1863
Erzählung braucht nur das Abbild des Möglichen zu sein – Drama muß Abbild des Wirklichen sein. (Gespr 1121)

Marie von Ebner-Eschenbach berichtet 15. März 1869
Wir schwenkten hinüber in das Gebiet der Literaturgeschichte, in dem wir eine Weile spazierten, bis er zu dem Schluß kam: »No ja, Literaturgeschichte – ein gemaltes Mittagessen!« (Gespr 1740)

Grillparzer an Paul Heyse 16. Juni 1870
Von einer Ausgabe meiner sämtlichen Arbeiten kann nur die Rede sein nach meinem Tode, oder wenn Deutschland wieder poetisch geworden sein wird, welche zwei Zeitpunkte so ziemlich zusammenfallen dürften. (W IV, 875)

Aus »Neues Fremdenblatt« 15. Januar 1871
Ich selbst trieb Musik gerne und durch die Musik gelangte ich zur Poesie. (Gespr 1255)

Aus »Neue Freie Presse« 16. Januar 1871
Überhaupt nehme, behauptete er, seine körperliche und geistige Kraft fühlbar ab, und darum wolle er auch nicht mehr an die Veranstaltung einer Gesamtausgabe seiner Werke gehen, denn er vermöge nicht mehr lang zu arbeiten, nicht mehr zu verbessern, sondern nur noch zu verschlechtern. Er sei ja immer mehr ein Mann der Inspiration als langwierigen Nachgrübelns gewesen. »Wenn ich sterbe«, sagte er zu Rokitansky[30], »müssen Sie meinen Kopf sezieren, um die Ursache dieser Abnahme meiner Geisteskräfte zu ergründen.« (Gespr 1257)

Februar 1871
Grillparzer in der Wallishausserschen Buchhandlung
Ja, es is wahr, sie haben auch keinen g'habt, die Deutschen, nach'm Schiller – außer mir! (Gespr 1268)

30 Hofrat Rokitansky war Präsident der k. k. Akademie der Wissenschaften.

Grillparzer zu Betty Paoli 1872

Meine Stücke haben mir wenig Mühe gekostet. Die Personen standen leibhaftig vor mir, ich sah sie wirklich; nicht ich ließ sie sprechen: sie sprachen zu mir und ich brauchte nur ihre Worte niederzuschreiben [...] Der rechte Dichter ist nur der, in dem seine Sachen gemacht werden. (Gespr 13)

Grillparzer zu Heinrich Bohrmann 1872

Die Poesie bleibe dem am längsten treu, der sie mit stets erneuter Glut als eine Geliebte behandle, zum Trost und zur Erquickung für die trüben, zur heitern Teilnahme an den frohen Stunden des Lebens. Eine ausschließliche Beschäftigung gleiche einer Verheiratung, die naturgemäß gleichgültiger mache und zuletzt in ein leeres schlaffes Formen- und Pflichtwesen ausarte. (Gespr 1149)

Heinrich Laube berichtet 1872

Zu dem Fragmente »Esther« bringt der Nachlaß keinerlei Fortsetzung. Diese Fortsetzung lag ihm auch gar nicht mehr nahe; er meinte, das Thema überhaupt vergessen zu haben. Das war seine Art, die Art seiner Künstlernatur. Er empfing, entwarf und schrieb im Drange und Flusse einer leidenschaftlichen Erregung. Wurde die Abfassung unterbrochen, so sank sein Interesse für die ganze Aufgabe, und er kehrte kaum wieder zu ihr zurück. Und wenn ers tat, so beklagte ers gewöhnlich hinterher, weil ihm die volle Kraft nicht mehr erreichbar gewesen. Deshalb war er ein abgesagter Feind der Goetheschen Art des Schaffens: in ruhiger Überlegenheit die dramatische Bewegung abzuklären und abzudämpfen. Diese Weisheit verwies er in andere Kunstformen, und so tief seine Verehrung für Goethe war – sie war die größte – Goethes spätere Dramen hielt er für eine Beschädigung der dramatischen Form.

(Gespr 1535, II)

Emil Kuh berichtet 1872

Meine Gedichte sind meine Biographie, sagte einst Grillparzer zu mir und wenn ich sie herausgeben wollte, dann müßte ich sie wieder lesen. Nun könnte es mir aber schmerzliche Empfindungen erwecken, wenn ich an die alten Zustände wieder erinnert würde und dem weiche ich halt aus – meine Natur ist schrecklich suszeptibel. (Gespr 1148)

Betty Paoli berichtet 1872

Nach meinem Tode, pflegte er zu sagen, mögen sie mit meinen Sachen machen, was sie wollen, aber so lange ich lebe, will ich keinen Ärger mehr davon haben. (Gespr 13)

Theobald von Rizy berichtet 1877

Meine Gedichte, so pflegte er zu sagen, sind meine Biographie. (Gespr 1541)

Adam Müller zu Guttenbrunn berichtet nach Otto Prechtlers Mitteilungen 1882

Meine Muse ist mir eine heimliche, königliche Geliebte, und das soll sie mir immerdar bleiben. Es wäre zu prosaisch, wenn sie mich beim Wort nähme und ich sie heiraten müßte, denn ich fürcht' – sie ist eine schlechte Köchin und wir würden beide Hunger leiden. (Gespr 1539)

Grillparzer zu Ludwig August Frankl[31] 1883

Mein Übel ist nicht *Schwäche,* sondern unendliche *Erregbarkeit* der Nerven, was die Ärzte immer verwechseln.

Mir ist es ein Bedürfnis, Großes zu denken, aber nicht zu schreiben.[32] (Gespr 1531)

Grillparzer zu Gerhard von Breuning 1884

Das kommt ja von selbst, ich höre ja, wenn ich beim Schreiben bin, die Leute miteinander sprechen.[33] (Gespr 19)

31 in den Aufsätzen: »Aus halbvergangener Zeit«.
32 Grillparzers Antwort auf die Frage, warum er seit Jahren poetisch verstummt sei.
33 Antwort Grillparzers auf die Frage, ob ihm das Schreiben von Dialogen Mühe mache.

Grillparzer zu Ludwig August Frankl undatiert

Ich habe in meinem Testamente über die Herausgabe meiner Schriften verfügt. Ich kanns nicht. Die Gedichte fürchte ich anzurühren, weil sie nur schmerzliche Erinnerungen an Erlebnisse sind. Die Fehler meiner Dramen kenne ich nur zu gut. Gebe ich sie heraus, so macht man andere Ansprüche an mich, als an den einstigen Herausgeber. (Gespr 1529)

Grillparzer an A. Karhan [34] undatiert

Gedichte sollen nur demjenigen leicht erscheinen, der sie liest, dem Dichter selbst müssen sie nicht nur ein Genuß, sondern auch eine Arbeit sein. Gediegenheit der Form ist die zweite gleich wichtige Hälfte jeder Kunst. Der nackte Gedanke gilt nur in der Philosophie, nur in der Wissenschaft macht das Kleid nicht den Mann. Wer so reich ist wie Goethe und Shakespeare, mag immerhin die rohen Barren auswerfen, wir andern müssen uns hierin eher Schiller und Uhland zum Muster nehmen. Drum etwas mehr Sorgfalt, den Gedanken gehegt, die Form durchgearbeitet und Sie sollen sehen!

(HKA III, 5, 293)

34 Empfänger unbekannt, vielleicht Pseudonym.

Anhang

Nachwort

»Die Aufführung meines Stückes hat auch offenbar mein Schamgefühl verletzt. Es ist etwas in mir, das sagt, es sei ebenso unschicklich das Innere nackt zu zeigen als das Äußere«, notierte der 26jährige Franz Grillparzer nach der erfolgreichen Uraufführung der »Ahnfrau«, und es ist bezeichnend für diese Einstellung, daß er es nicht über sich gebracht hatte, seinen Namen auf den Theaterzettel drucken zu lassen. – Von einem so sensiblen und zurückhaltenden Autor ist nicht zu erwarten, daß er Absicht oder Zweck seiner Dichtungen ausführlich kommentiert. »Ich bin gar nicht damit einverstanden, daß man jetzt jedem, der ein Stück schreibt, eine bestimmte Absicht zugrunde legt«, bemerkt er vierzig Jahre später in einem Gespräch. Nur in der »Selbstbiographie« berichtet er im Jahre 1853 rückblickend in größerem Zusammenhang über die Entstehung seiner Dramen, verweist dabei aber fast nur auf Äußerlichkeiten, auf die widrigen Arbeits- und Lebensverhältnisse, auf Schwierigkeiten mit der Zensur, mit den Polizeibehörden, mit dem Kaiser und schließlich auch mit Schauspielern und dem Publikum. Was ihm die Dramen, die Arbeit an ihnen, was ihm Erfolg oder ablehnende Haltung bedeutet haben, ist vielfach nur zwischen den Zeilen zu lesen. Anders bei den Tagebuchnotizen. Sie wirken so unmittelbar und frisch, weil sie nie für eine spätere Veröffentlichung bestimmt waren. Das Tagebuch wird ihm, in nicht geringerem Maße als die Niederschrift seiner Gedichte, zu einem »Mittel der Selbsterleichterung«. Die Notizen sind unsystematisch, sprunghaft, von einer fast selbstquälerischen Ehrlichkeit. Literarische Einflüsse, etwa Shakespeares, Schillers, Goethes oder Calderons und Lope de Vegas finden ihren Niederschlag.

Wichtig für die Entstehungsgeschichte der Dramen sind darüber hinaus Notizen, die Grillparzer während der Arbeit auf den Rand des Manuskriptes oder zwischen Versentwürfe geschrieben hat. Oft handelt es sich nur um Gedankensplitter, um die Fixierung plötzlicher Einfälle oder Zweifel. Motive für Handlungsführung und Charakteristik der Personen werden herausgearbeitet, variiert, endgültig festgelegt oder wieder verworfen und verschiedene Möglichkeiten der Handlung und der Charakterentwicklung gegeneinander abgewogen. »Wie wäre es«, lautet mehrfach der Beginn solcher Notizen, die Grillparzer dann häufig mit einem entschiedenen »Nein« oder dem Hinweis auf den entsprechenden Akt, in dem er den Gedanken verwenden möchte, versieht. So findet sich in »Des Meeres und der Liebe Wellen« eine Andeutung seines Verhältnisses zu Charlotte von Paumgartten, daneben auch der Vergleich zwischen Hero und der 19jährigen Marie von Smolenitz, derem faszinierenden Einfluß sich Grillparzer nur mühsam entziehen konnte und deren Gestalt er »durch all diese Wechselfälle durchzuführen« plant. Wichtiger noch erscheint ihm für das Stück ein »durchgehender Zug von *Heiterkeit*«, und ihm, der auf die »große Bildlichkeit« eben dieses Stückes rechnet, ist es ein Anliegen, daß bei der Entwicklung vom unbefangenen Mädchen zur liebenden Frau aus Hero nicht schließlich auf der Bühne eine wuchtige Tragödienfigur wird: »der Gesamteindruck sollte immer süß bleiben«.
Grillparzer war kein bedeutender Briefschreiber: »Feder und Dinte sind mein entschiedenster Haß und ein Brief hat für mich immer etwas, ich möchte sagen Frevelhaftes. Daß man sich dabei besinnt, Worte wählt, das im Vordersatze gebrauchte im Nachsatze vermeidet, all das ärgert mich, und kömmt mir wie ein Artefakt, wie ein Verrat an aufrichtiger, wahrer Empfindung vor« (an Eduard von Schenk am 28. Januar 1827). Seine schriftlichen Mitteilungen beschränken sich auch fast völlig auf Sachliches und erreichen nur selten die Ebene eines Gespräches. Zum persönlichen Anliegen werden ihm die Briefe, wenn es um die Aufführung seiner Werke geht, die er nie als Lesedramen gedacht, sondern immer im Hinblick auf die Bühne geschrieben hat. So erläutert er in einem Brief an Julie Löwe die Rolle des Otto von Meran (»Ein treuer Diener«) und macht verständlich, weshalb es falsch ist, wenn ihn die meisten

Darsteller »als einen eigentlich Wahnsinnigen« geben, und dem Schauspieler Karl Fichtner schreibt er über den »ursprünglichen« Charakter des Atalus (»Weh dem, der lügt!«). Nicht minder aufschlußreich sind Grillparzers Ansichten über »Sappho«, wie er sie Adolf Müllner darstellt, oder seine Briefe, in denen er das Gedicht »Campo vaccino« rechtfertigen will, den Ankauf und Alleinbesitz des »Treuen Dieners« durch Kaiser Franz zu verhindern sucht oder die eigenwillige Orthographie eines Gedichtes (»An die Erzherzogin Sophie«) begründet, die er auch im Druck beibehalten wissen will.

Gespräche, die Grillparzer mit Freunden, Bekannten oder Besuchern führte, zeigen nicht nur den abweisenden Grantler und Kritiker, sondern auch den geistreichen, oft witzig und pointiert formulierenden Unterhalter, selbst wenn er in dem oben zitierten Brief an Eduard von Schenk überspitzt schreibt, daß es sich »selbst bei persönlichem Gegenübersein besser durch Blicke und Händedruck als durch Worte« sprechen lasse. Wenn es gelingt, Grillparzer aus seiner Reserviertheit und Scheu zu locken, dann kommt es zu so bedeutsamen Gesprächen wie mit Robert Zimmermann, Ludwig August Frankl, dem er von der Entstehung des »Armen Spielmann« erzählt, oder Auguste von Littrow-Bischoff, der er die Fortführung des »Esther«-Fragmentes andeutet.

In der »Selbstbiographie« und noch mehr im Tagebuch kreisen Grillparzers Gedanken unentwegt um seine Aufgabe als Dichter und um seine dichterischen Arbeiten. »Die Inspiration war mein Gott und ist es geblieben«, betont er in der »Selbstbiographie«, und wiederholt bezeichnet er sich als einen »Mann der Begeisterung«, der »Stimmung«, der alles eher sei als ein nüchterner Arbeiter. So sieht ihn auch Heinrich Laube nach vielen Gesprächen: »er empfing, entwarf und schrieb im Drange und Flusse einer leidenschaftlichen Erregung. Wurde die Abfassung unterbrochen, so sank sein Interesse für die ganze Aufgabe, und er kehrte kaum wieder zu ihr zurück.«

Grillparzer war sich seines Ranges als Dichter und des Wertes seiner Arbeiten durchaus bewußt, und er fühlte sich allen anderen deutschen Dichtern – Goethe ausgenommen – ebenbürtig. Doch quälte ihn sein grüblerisches und pessimistisches Hinwarten. Ihm fehlte der Ehrgeiz und er bedauerte, daß es für ihn keine Notwendigkeit gab, etwas zu veröffentlichen: »Wenn ich Weib und Kind hätte, müßte ich schreiben«. Aber noch viel wichtiger wären ihm Anregung und Aufmunterung durch seine Umgebung gewesen: »Man hätte mich hätscheln müssen«, notiert er im Tagebuch und fährt fort, daß er sich als Mensch zwar immer gut durchzusetzen wisse, als Dichter aber ein »warmes Element« brauche, damit sich sein Inneres nicht zusammenziehe.

Die Tagebucheinträge zeichnen einen Hypochonder, der unaufhörlich in Sorge ist, daß seine dichterische Produktionsfähigkeit am erlöschen sei. Während der frühen Arbeiten, an »Ahnfrau« und »Sappho«, sind seine Äußerungen noch durchwegs optimistisch, begeistert, und er ist bereit, Vorzüge zu betonen, Mängel abzuschwächen oder zu entschuldigen. Im Laufe der Jahre wächst der Zweifel an der dichterischen Begabung. Jedes Unlustgefühl ist ihm Bestätigung der mangelnden Begeisterungsfähigkeit. Mit beinahe klinischer Genauigkeit meint er eine »stufenweise Erkaltung der Phantasie« nachweisen zu können und er fürchtet unaufhörlich das völlige Absterben des poetischen Geistes. Mit 42 Jahren fühlt er sich »als Greis«, er klagt über mangelnde Gesundheit und befürchtet gleichzeitig, daß ein allzu abgehärteter und stabiler Körper, daß zu gute Nerven seine geistige Sensibilität beeinträchtigen würden. Sein »jückendes Verlangen in allen Fächern unterrichtet zu sein«, die Freude an der Musik, die Amtsstunden im Archiv, alles scheint ihm, der nicht müde wird zu wiederholen, daß er in Poesie den »Zweck« seines Lebens sehe, nur »geschäftiger Müßiggang« zu sein, der ihn vom Dichten abhält. So sehr steigert er sich im Tagebuch und bei seinen Grübeleien in diese Stimmung, daß er sein Dichten bereits in leeres »Formenwerk« ausarten sieht, sich selbst »zum Grauen« wird und mehr als einmal den Gedanken eines »gewaltsamen Abschlusses« erwägt. Erst in späteren Jahren findet er zu einer resignierenden Gleichgültigkeit, die im Alter zur abgeklärten Zufriedenheit wird, wenn er kurz vor seinem Tod einem jungen Autor über den Umgang mit der Poesie rät, eine »ausschließliche Beschäftigung« zu meiden, weil sie einer Verheiratung gleiche und wie diese naturgemäß gleichgültiger mache, bis sie zuletzt in »leeres schlaffes Formen- und Pflichtwesen ausarte« und statt dessen die

Dichtung »mit stets erneuter Glut« nur als eine Geliebte zu behandeln, »zum Trost und zur Erquickung für die trüben, zur heitern Teilnahme an den frohen Stunden des Lebens«.

Zur Textgestalt

Alle Texte wurden unter Bewahrung des ursprünglichen Lautstandes behutsam der heutigen Orthographie angeglichen. Grillparzers Zeichensetzung blieb erhalten; nur wo es für das Verständnis des Textes nötig schien, wurden Kommas eingefügt.
In Grillparzers Notizen zu den Dramen sind die Übergänge zwischen Quellenauszug, Äußerung zum Werk und Textentwurf bisweilen fließend. In solchen Fällen mußte die Entscheidung bei der Auswahl der Texte für diesen Band notwendig subjektiv sein. – Nicht alle Notizen ließen sich unter dem Datum der Begegnung oder des Gespräches mit Grillparzer einordnen, sondern wurden – mangels genauer Angaben – unter dem Datum der ersten Veröffentlichung aufgenommen. Wenn ein Datum nur aus dem Zusammenhang zu erschließen war, wurde dies nicht besonders gekennzeichnet.

Zeittafel

1791 15. Januar: Franz Grillparzer wird als Sohn des Rechtsanwaltes Wenzel Grillparzer und seiner Ehefrau Anna Maria Grillparzer, geb. Sonnleithner, geboren.

1806 *Die unglücklichen Liebhaber.*

1807 Beginn der juristischen Studien.

1808 *Die Schreibfeder, Das Narrennest;* Arbeit an *Blanka* und zahlreichen Dramen, die Fragmente blieben.

1809 10. November: Tod des Vaters. *Blanka* vollendet.

1810–1813 Nachhilfeunterricht; Privatlehrer bei dem Grafen Seilern.

1811 *Wer ist schuldig?*

1813 18. März: Als unbezahlter Praktikant in der Hofbibliothek.
20. Dezember: Übernahme in den Finanzdienst.

1815 2. März: Endgültige Anstellung bei der Hofkammer als Konzeptspraktikant.

1816 22. Juni: Beginn der Bekanntschaft und Freundschaft mit Josef Schreyvogel.
12. August – 15. September: Niederschrift der *Ahnfrau.*

1817 31. Januar: Uraufführung der *Ahnfrau.*
1. Juli – 25. Juli: Niederschrift der *Sappho.*
21. September – 6. November: 1. Aufzug von *Der Traum ein Leben.*
14. November: Selbstmord des Bruders Adolf Grillparzer.

1818 21. April: Uraufführung der *Sappho.*
1. Mai: Ernennung zum Theaterdichter des Hoftheaters auf 5 Jahre.

Mai: Urlaub in Baden, Gastein, Lilienfeld.
Juni: Erste Skizzen zum *Goldenen Vlies.*

1819 23./24. Januar: Selbstmord der Mutter Anna Maria Grillparzer.
Freundschaft mit Charlotte von Paumgartten.
24. März – Ende Juli: Reise nach Italien.
Arbeit am *Goldenen Vlies.* – Schwierigkeiten wegen des Gedichtes *Campo vaccino.*

1820 27. Januar: *Das goldene Vlies* abgeschlossen.
Sommer: Erholungsaufentahlt in Bad Gastein. – Szenar zu *Des Meeres und der Liebe Wellen.* – Erste Notizen zu *Weh dem, der lügt!*

1821 Anfang des Jahres Bekanntschaft mit Kathi Fröhlich; Verlobung.
26./27. März: Uraufführung des *Goldenen Vlieses.*

1822 Personenverzeichnis und Szenar zu *Weh dem, der lügt!* – Erste Notizen zu *Libussa.* – Grillparzer notiert sich im Tagebuch über 45 Dramenpläne, darunter *Hannibal, Die letzten Könige von Juda, Drahomira.*

1823 Bekanntschaft mit der 15jährigen Marie von Smolenitz.
12. Februar – 9. März: Niederschrift von *König Ottokars Glück und Ende.*
15. März – 23. März Niederschrift der *Melusina* für Beethoven.

1824 Erste Notizen zu *Ein Bruderzwist in Habsburg.* – Plan zu *Die Jüdin von Toledo.* – Ende des Jahres Arbeit an *Libussa.*

1825 19. Februar: Uraufführung von *König Ottokars Glück und Ende.*
Arbeit an *Ein treuer Diener seines Herrn* und *Des Meeres und der Liebe Wellen.* – Erste Szenen zu *Libussa.*

1826 Umfangreiches Stoffverzeichnis (35 Dramenpläne); *Libussa* an erster Stelle. – Arbeit an *Des Meeres und der Liebe Wellen.*
Enge Beziehungen zu Marie von Smolenitz, die das Vorbild für Rachel in *Die Jüdin von Toledo* wird.
21. August – Anfang Oktober: Deutschlandreise;

29. September bis 3. Oktober bei Goethe in Weimar.
31. Oktober – 5. Dezember: Niederschrift von *Ein treuer Diener seines Herrn.*

1827 16. September: Tod der Charlotte von Paumgartten; Niederschrift der Erzählung *Das Kloster bei Sendomir.*

1828 28. Februar: Uraufführung von *Ein treuer Diener seines Herrn.*
1. Aufzug von *Ein Bruderzwist in Habsburg.*

1829 Das *Kloster bei Sendomir* in der »Aglaja« veröffentlicht.
Januar/Februar Vollendung von *Des Meeres und der Liebe Wellen.*
4. März: Kaiser Franz I. möchte das Drama kaufen.
Notizen zu *Esther.*

1830 *Der Traum ein Leben* vollendet.

1831 5. April: Uraufführung von *Des Meeres und der Liebe Wellen.*

1832 23. Januar: Direktor des Hofkammerarchivs.

1833 27. Februar: Uraufführung von *Melusina* am Königstädter Theater in Berlin.

1834 4. Oktober: *Der Traum ein Leben* uraufgeführt.

1834/35 Arbeit an *Weh dem, der lügt!* – Begegnung mit Heloise Hoechner, die zum Vorbild für Edrita wird.

1836 30. März – 28. Juni: Reise nach Frankreich und England.

1837 30. Mai: *Weh dem, der lügt!* vollendet.

1838 6. März: *Weh dem, der lügt!* uraufgeführt. Grillparzer zieht sich nach dem Mißerfolg vom Theater zurück.

1840 29. November: Erster Aufzug von *Libussa* als Wohltätigkeitsveranstaltung aufgeführt.
Esther zweiter Aufzug vollendet.

1843 27. August – 13. Oktober: Reise nach Konstantinopel und Griechenland.

1847 2. – 28. September: Reise nach Deutschland mit W. Bogner.
Grillparzer wird Mitglied der Österr. Akademie der Wissenschaften.

1842–1837	Vollendung der *Libussa.*
1848	Vollendung von *Ein Bruderzwist in Habsburg* und *Esther.*
	Der arme Spielmann in der »Iris« veröffentlicht.
1850 ff.	Neuaufführung von Grillparzers Dramen im Burgtheater unter Heinrich Laubes Intendanz und Regie.
1851	*Die Jüdin von Toledo* vollendet.
1856	17. April: Als Hofrat in Pension.
1859	Ehrendoktor der Universitäten von Wien und Leipzig.
1861	15. April: Von Kaiser Franz Joseph auf Lebenszeit in den Reichsrat berufen.
1864	15. Januar: Ehrenbürger der Stadt Wien.
	21. Februar: Ehrenmitglied des Deutschen Hochstifts in Frankfurt.
1868	29. März: Uraufführung des Fragments *Esther.*
1869	21. Februar: Uraufführung von *Hannibal.*
1872	21. Januar: Tod Grillparzers.
	24. September: Uraufführung von *Ein Bruderzwist in Habsburg.*
	21. November: Uraufführung von *Die Jüdin von Toledo* in Prag.
	Erste Gesamtausgabe bei Cotta, hrsg. von H. Laube und J. Weilen; weitere (z. T. erweiterte) Auflagen erscheinen in Stuttgart 1874, 1877, 1887/8 und 1892.
1874	21. Januar: Uraufführung von *Libussa.*
1909 ff.	Arbeit an HKA.
1958	26. September: Uraufführung von *Blanka von Kastilien.*

Zitierte Quellen

Gespr = Grillparzers Gespräche und die Charakteristiken seiner Persönlichkeit durch die Zeitgenossen. Gesammelt und herausgegeben von August Sauer, 7 Bände, Wien 1904 bis 1941

HKA = Franz Grillparzer, Sämtliche Werke. Historisch-kritische Gesamtausgabe. Herausgegeben von August Sauer und Reinhold Backmann. 43 Bände, Wien 1909–1948. (I, 19, 191 = I. Abteilung, 19. Band, S. 191)

Jb = Jahrbuch der Grillparzer-Gesellschaft, Wien 1891 ff

W = Franz Grillparzer, Sämtliche Werke, ausgewählte Briefe, Gespräche, Berichte. Herausgegeben von Peter Frank und Karl Pörnbacher. 4 Bände, München 1960–1965. (W IV, 37 = Band IV, S. 37)

Der Abdruck der Zeittafel und die Zitatabdrucke erfolgen mit freundlicher Genehmigung des Carl Hanser Verlages

Namenregister

Werkregister

Inhalt

Dichter über ihre Dichtungen

Verantwortliche Herausgeber
Rudolf Hirsch und Werner Vordtriede

Gottfried Benn

herausgegeben von Edgar Lohner
1969, 360 Seiten, Leinen DM 28.–
(Heimeran/Limes)

Clemens Brentano

herausgegeben von Werner Vordtriede
in Zusammenarbeit
mit Gabriele Bartenschlager
1970, 328 Seiten, Leinen DM 22.–

Franz Kafka

herausgegeben von Erich Heller und Joachim Beug
1969, 188 Seiten, Leinen DM 18.–
(Heimeran/S. Fischer)

Gottfried Keller

herausgegeben von Klaus Jeziorkowski
1969, 580 Seiten, Leinen DM 38.–

Heinrich von Kleist

herausgegeben von Helmut Sembdner
1969, 104 Seiten, Leinen DM 10.–

Friedrich Schiller

herausgegeben von Bodo Lecke
Band I Von den Anfängen bis 1795
1969, 988 Seiten, Leinen DM 50.–
Band II Von 1795 bis 1805
1970, ca. 976 Seiten, Leinen DM 54.–

Jeder Band mit Anmerkungen, Zeittafel, Registern
und einem Faksimile mit der
Handschrift des Dichters

Gesetzt aus der Sabon Antiqua, gedruckt und
gebunden bei der Passavia AG Passau
Umschlaggestaltung Horst Bätz
Printed in Germany 1970
Archiv 439